MIURA AYAKO LITERATURE MUSEUM
三浦綾子記念文学館

手から手へ～三浦綾子記念文学館復刊シリーズ②

青い棘《とげ》

三浦綾子

青い棘　もくじ

カバーデザイン　齋藤玄輔

送電線

送電線

一

富久江《ふくえ》がその肉づきのよい白い手を伸ばして、テレビのスイッチを切った。若い男性歌手のふり絞るような歌声が消え、不意に部屋の中が静かになった。と、浴室で夕起子《ゆきこ》と、幼い加菜子《かなこ》の何か話している声が聞こえてきた。

邦越康郎《くにこしやすろう》はさりげなく、今切ったばかりのスイッチを入れた。

「あら、まだごらんになるの。もう十時半を過ぎたわ」

妻の富久江が眠そうな目を向けた。色白で丸顔の富久江は、四十六歳になっても、どこか育ち切らない顔をしている。康郎は黙ってテレビに視線を移した。夜桜を楽しむ群衆の姿が画面にひしめいていた。テレビのスイッチを入れたのは、息子の妻夕起子の湯を使う音を消すためだとは言えない。

「あら、いいわね。旭川《あさひかわ》はまだ暖房を入れているというのに、九州はお花見よ」

「うん」

「旭川の桜は五月も半ばですものね」

「あと、二ヵ月近くあるね」

「そうよ。雪の降る夜に九州のお花見を見ていてもつまらないわ。さ、休みましょうよ。早く歯を磨いていらっしゃい」

富久江は先程風呂に入った時、浴室の中で歯を磨いてきた。康郎はちらりと富久江の顔を見た。が、そのままテレビに目をやった。

この家の洗面所は脱衣所をも兼ねている。今歯を磨きに行けば、夕起子の脱いだ下着がそこにある。ドアひとつ隔てた向こうでは、夕起子が湯を使っているのだ。そのことを富久江は何も考えていない。こだわる自分のほうがおかしいのかと思いながらも、康郎は歯を磨く気にはなれなかった。

息子の寛《ひろし》と夕起子の結婚は、昨年の十月であった。夕起子がこの家の人となってから、まだ半年と経たない。康郎は夕起子の存在に馴れていなかった。

「ねえ、早く歯を磨いていらっしゃいよ」

富久江は就寝の時、必ず康郎に歯を磨かせる。若い時からの習慣だ。

「加菜子はどうする」

加菜子は、娘なぎさの子供である。

「夕起子さんに委せておけば、心配ありませんよ。あの子は、わたしより夕起子さんになついているんだから」

そう言った時、電話のベルが鳴った。康郎は一瞬ためらって富久江を見た。富久江はちょっと眉根をよせ、

「あなた、出てくださいな」

とうながした。康郎は何となく着物の襟《えり》を合わせてから、傍《かたわ》らの受話器を取り上げた。

康郎は大学の自分の部屋にいても、電話のベルがなると、ためらいを覚える。家にいる時だけではない。どこにいてもそうなのだ。いつからそうなったのかはわからない。とにかく反射的に手が受話器にいくことはない。

「もしもし、わたし」

娘のなぎさの声が耳に飛びこんできた。喧噪《けんそう》な音楽が聞こえている。

「なんだ、なぎさか」

康郎は不機嫌な声で言った。今にも加菜子を迎えに来るかと思っていたなぎさからの電話だったからだ。

「なんだはないでしょう、パパ」

なぎさは少し酔っているようだった。なぎさはふだん康郎を「お父さん」と呼ぶ。だが、康郎が「パパ」と呼ばれることを嫌っているのを知って、わざと「パパ」と呼ぶことがある。

「なぎさ、もう十時半を過ぎてるじゃないか。早く加菜子を迎えに来なさい。夕起ちゃんに加菜子を預けっぱなしにして、悪いじゃないか」

「あら、パパ、夕起子さんに気がねしてるの」

小馬鹿にした笑い声が、少し長くつづいた。

「なぎさ！」

「なによ、パパ、大きな声を出したりして！　いいじゃない、たまには加菜子を預かってくれたって。加菜子はあなたのお孫さんよ。かわいくはないの」

「かわいいから、早く迎えに来いと言っているんだ」

「でもねえ。今日は仕事で来てるのよ。今、大きな契約がまとまりそうなのよ。だから遅くなるの。ね、今夜は加菜子を泊めて。いいでしょうお父さん」

なぎさはぐっと下手に出た。

「…………」

なぎさは生命保険の外交をしていた。高校教師であるその夫佐山兼介《さやまけんすけ》に劣らぬほどの月収を得ている。

「ね、いいでしょうお父さん。加菜子を一晩泊めてよ」

「あのね、なぎさ。加菜子のほうが、仕事より大事なんだがね。お前にはそのことがわかっていないのかね」

「あっそう？　孫を泊めることもできないと言うのね。いいわよ、わかったわよ。もう頼まないわよ。きっと夕起子さんが加菜子を迷惑がっているのね。だからパパは……」

「何を言ってるんだ、なぎさ。おい富久江、お前少し言ってやりなさい」

　康郎は富久江をふり返った。富久江は、

「いやですよ」

　と頭を横にふったが、すぐ代わって、

「なぎさ、加菜子は外の物置に入れておきますからね。早く帰っていらっしゃい」

　と、大きな声で、おさえつけるように言った。それに対してなぎさが何か言っているらしく、少しの間富久江が聞いていたが、

「もちろんよ。なぎさの言うこともわかるわ。でもね、なぎさは仕事仕事って言うけど、その度に夕起子さんがかわいそうじゃない？　……ええ、ええ、そりゃあ加菜子はわたしの孫よ。でも、あの子は妙な子よ。わたしよりも夕起子さんになつくんだから」

　富久江は先程康郎に言ったことをなぎさにも言った。なぎさの電話を聞きながら、富久江は電話の台のメモ用紙に、「加菜子」「夕起子」「なぎさ」と書きながら、「だから……」とか「何を言ってんのよ」とか、相槌を打っている。聞いていて康郎は、自分となぎさと

の会話より、富久江となぎさとの会話のほうが、ぐっと親密なものに思われた。同じ親でも、母親のほうがはるかに娘のそばにいるという感じがした。自分が遠く押しのけられたような、妙な気持ちだった。

なぎさの話を聞いていた富久江が、

「わかった。わかった。じゃ、今夜は仕方がないから預かるけど、今度から少し考えてよ。何せ、加菜子一人預かると、みんな疲れちゃうのよ。夕起子さんだって、お勤めがあるんですからね」

と、受話器を置いた。遠慮会釈のない置き方であった。自分ならああはいかないと思いながら、康郎は、

「なぎさにも困ったものだ」

と、富久江を見た。

「そうでもありませんよ。あの子はあの子で、一所懸命働いているんですからね」

「しかし、自分の子を放り出してまで働かなけりゃならない経済状態じゃないだろう。佐山君の働きだけで、充分食っていける筈《はず》だからね」

「あなた、なぎさがどんな性格か、わかってる筈じゃありませんか。あの子はじっと家の中に閉じこもっていられる子じゃありませんわ。ま、それはそれでいいのよ。ただね、うち

には他人が入っていますからね。あの子も少しは考えなくちゃ」

康郎は脱衣所のほうを見た。脱衣所はリビングキッチンとアコーディオンカーテンで遮《さえぎ》られているだけだ。富久江がつづけて言った。

「加菜子が夕起子さんにばかりなつくから、結局あの人の負担になるわけね。ま、それだけのことなのよ。わたしたちだって、まだそれほどの齢じゃないんだし、加菜子一人ぐらい、見てやれないわけじゃないわ」

なぎさは幼い頃から、激しい性格だった。長ずるに従って、その傾向がますます強くなった。高校を卒業する頃だった。なぎさが、康郎と富久江にこう言ったことがある。

「伊藤野枝《いとうのえ》って凄い女よね。わたし、伊藤野枝のように人生を送りたいわ」

「伊藤野枝？　伊藤野枝って誰？　小説家？」

富久江はのんきに言ったが、康郎はぎくりとした。伊藤野枝は、明治の終わりから大正にかけて、婦人解放をとなえた無政府主義者であった。東京上野高等女学校時代、野枝の級友たちが、未来の外交官夫人や、実業家夫人を夢みて話し合っていた時、

「わたしは、そんな生活はまっぴらよ。板子一枚下は地獄という生き方が理想よ」

と言って、あっと言わせた。そして野枝の一生はそのエピソードのとおり波乱に富んでいた。

アメリカに住むという条件だけで、在学中に結婚し、すぐに見限って、同じく在学中に離婚した。その後、英語教師辻潤と恋愛した。在学中の教え子と恋愛した辻潤は教師をくびになったが、この二人は結婚し二児をもうけた。だが野枝は、大杉栄《おおすぎさかえ》らの無政府主義運動に加わり、その大杉栄と三度目の結婚をした。大杉との中に五人の子があった。大正十二年、憲兵大尉甘粕正彦《あまかすまさひこ》は、大震災のどさくさに紛れて、通行中の大杉栄と野枝を、その幼い甥《おい》と共に拘引《こういん》、直ちに扼殺《やくさつ》した。正に野枝は、板子一枚下は地獄という一生を終えたのである。

康郎は歴史の教授をしていて、その専門は中世日本史であったが、むろん大杉栄や甘粕大尉のことにも詳しかった。

「伊藤野枝か」

その時、つくづくとなぎさの顔を見つめたことを康郎は覚えている。

そんなことがあってから二年経ったある夏の夜、なぎさが食事をしながら、ふだんの語調で言った。

「お父さん、いくつ」

「何だ、親の年も知らないのか。四十六だよ」

「じゃ、お母さんは四つちがいだから四十二、というわけね」

「そうよ。それがどうかしたの」

「どうっていうことはないけど……お孫さんができるにしては、少し若過ぎて気の毒だと思って」

「え？　お孫さん？　何をふざけてるのよ。なぎさも寛も、まだ学生じゃない。なぎさが二十、寛が二十一じゃない。孫ができるまでには、まだ三年や五年はあるでしょ」

「と、思いこんでいるでしょ。それがまちがいよ、お母さん」

なぎさはその夜、妊娠していることを告げたのである。相手の佐山兼介は釧路《くしろ》出身で、同じ大学の先輩であった。佐山はその春旭川の某高校に就職した。

康郎と富久江は、なぎさの妊娠を知ってから二、三ヵ月、その処置に頭を悩まされた。が、結局なぎさは学校をやめ、相手の佐山兼介と結婚した。

結婚式の日、康郎と二人の時になぎさが言った。

「こんなに早く結婚するつもりじゃなかったのよ、わたし。結婚するつもりなら、別の人を選んだのに」

その時のなぎさの乾いたまなざしが、今も時折康郎の心にかかっている。

その後間もなく、旭川に北斗医科大学が設立されることになると、富久江はなぎさのいる旭川に行きたいと言い出した。康郎もまたなぎさの乾いた目が気になって、北斗医科大学への転出を望んだ。長男の寛の就職を旭川に決めたのも、同じ頃であった。こうして邦越一家が住み馴れた札幌《さっぽろ》から旭川に移ったのは、二年前の昭和四十七年であった。そして大学のある緑が丘のニュータウンにこの家を建てたのは、昨年のことだった。

「おばあちゃん」

風呂から上がった加菜子が、赤い頬を光らせて富久江の膝に座った。と、今まで置物のように足を揃えてテレビの上に座っていた猫のドミーが、しなやかに身を躍らせると、康郎の膝の上に上がって来た。

夕起子の、風呂を洗っているらしい音がした。

(そうか。寛は今夜も帰らないのか)

康郎は思った。商社マンの寛は、昨日から稚内《わっかない》に出張していた。

二

大学は春休みに入っていた。が康郎は今日も研究室に半日閉じこもっていた。康郎の家から大学まで歩いて十分足らずだ。一日に一度は、研究室で本を開かなければ康郎は落ちつかなかった。

四時を少し過ぎて、康郎は大学を出た。大学正門前は何万坪かの広い空き地で、所々に雪が消え残っている。東の空の下に白雪の大雪山《だいせつざん》が浮かび、その右手に十勝岳《とかちだけ》の連峰が、これまた白雪に覆われてつらなっている。

(春だな)

康郎はしばらく道に立って、山並みを眺めた。四月の初めにしては、日ざしが背にあたたかい。

やがて康郎はゆっくりと歩き出した。蕗《ふき》のとうの薄みどりが、道べに初々しかった。行く手に家並みが近づいてきた。医大設立と共に、ここ二、三年で俄《にわ》かに家が建ち並んだ。ブロックの低い塀、鉄の柵などに囲まれたモダンな家が並んでいる。屋根の形、壁の色、玄関の構えなど、思い思いの趣向を凝らした真新しい家々は、モデル住宅展を見るような趣《おもむき》があった。

ここ緑が丘のニュータウンは旭川市の西南に位置する低い丘の上にあり、ついこの間までは田畑であった。トウモロコシ、南瓜《かぼちゃ》、西瓜《すいか》、そしてメロンなど、何《いず》れも出来のよい一帯であった。

このニュータウンの東端に、康郎の家は建っていた。百坪余の土地を康郎は坪一万何がしの価格で手に入れた。康郎より先に入手した者は一万円に満たぬ価格だった。大学と共に新しい街を誕生させるための市の分譲価格であった。

家々の庭木は菰《こも》をかぶり、縄で枝を吊るされたり、まだ冬囲いのままだ。どこの庭も、造成して二、三年だから、細く幼い木が多い。その幼い木々を見る度に、康郎はなぜか心が和んだ。

家並みの外れに、道を隔てて柏やヤチダモの木立がある。煤《すす》けたような木の幹、一冬の間、枝から離れなかった赤茶けた柏の葉に風情があった。その木立の近くまで来た時、

「お父さーん」

と、左手の通りから夕起子の呼ぶ声がした。幾度聞いても、若くして死別した妻の緋紗子《ひさこ》にそっくりの声だと思う。ふり向くと、夕起子は買い物籠を下げて駆けて来る。

夕起子は康郎と同じ北斗医大の医学部教授高原芳明《たかはらよしあき》の私設秘書を勤めていた。が、今日

は夕起子も休みなのだ。

駆けて来る夕起子の買い物籠に、長ねぎの先がのぞいて揺れている。康郎はその夕起子の姿を可憐だと思った。

「ああ、ただ今」

「お帰りなさい」

二人は並んで、グリーンの鉄柵に沿って歩き出した。柵に並行して側溝があり、側溝の向こうは狭い崖縁になっている。鉄柵と側溝の間に、黒くちょりちょりに枯れた蓬《よもぎ》が、枯れ葦《あし》にまじって突っ立っている。

「あすは四月四日ね。お父さんの誕生日ですわね」

「ほう、覚えていてくれたのか」

わが家に来て半年も経たぬ夕起子が、自分の誕生日を覚えていてくれたことが嬉しかった。

「だって、四月四日って覚えやすいんですもの」

「きれいな水だね」

康郎が側溝を流れる浅い水に目を注いだ。

「あら、お父さんには、水が見えますの。わたしには音しか聞こえませんわ」

夕起子は柵に寄りかかって背伸びをした。

「まあ！　きれいな水。雪どけの水ですのね」

康郎を見上げて夕起子が言う。

「そうだろうね」

「背丈がちがうのね。お父さんには見えるものが、わたしには見えないことがあるのね」

夕起子は丘の下にひろがる平地を見た。

「わたしには、あの緑の屋根が半分しか見えませんけど、お父さんには全部見えるのね」

「ああ、家の右手に子供が二人いるのが見えるよ」

「まあ、子供がいますの、わたしには見えないわ」

夕起子の声ばかりか、言葉遣いまでが緋紗子に似ていると、またしても康郎は思った。

不意に、夕起子が屈みこんだ。

「どうかしたの」

気分でも悪くなったかと気遣う康郎に、

「加菜ちゃんはこの位の背丈ですわね。加菜ちゃんには、ここからわたしたちが見ている丘の下は、何分の一しか見えないわけね」

「なるほど、加菜子にはほとんど見えないか」

「見えませんわ。あの道路を走っている車も、こっちの家も。そう言えば、この間、加菜ちゃんを幼稚園につれて行った時、幼稚園の先生が言ってらしたわ。あの幼稚園の園長さん、毎年一度は、子供と同じ背丈に屈んで、先生たちに生活させるんですって」

「ふーん。それは卓見かも知れないね」

康郎も言って、自分も屈みこんで見た。丘の下の田んぼが、急に見えなくなった。

「なるほどねえ。子供はこの景色を、わたしたち大人とは、ずいぶんちがった景色として見ているわけだね」

それはそのまま、子供の視野と、大人の視野のちがいだと、康郎は思った。若い学生たちと、自分の視野とのちがいをも、康郎は思った。康郎は明日で五十歳になる。康郎はふと自分の人生をふり返る思いがした。五十の山坂に立ってふり返る自分の世界は若者たちの知らぬ世界であった。

「お父さん。わたし食事の支度がありますので、お先に」

何か考えこんで動かぬ康郎を見て、夕起子が離れて行った。

康郎は盆地の遠くに走る送電線を見た。幾つかの送電塔をつなぐ電線が、夕日を受けて輝いている。その電線から、カラスでもあろうか、無数に鳥の飛び立つのが見えた。が、すぐに再び、それらの鳥が電線に戻った。その鳥影を見ながら康郎の胸に甦《よみがえ》るものがあった。それは戦争中の体験であった。

昭和十九年（一九四四年）海軍予備学生第十三期生として、康郎は横須賀《よこすか》の海軍兵舎にあった。二十歳である。北大《ほくだい》に入学した昭和十八年十九歳の九月、康郎は海軍を志願したのだ。

康郎は札幌近郊の大地主の息子で、兄二人、姉一人、妹一人の五人兄妹であった。康郎が北大に入るや否や海軍を志願したのにはいくつかの理由があった。当時の若者たちは、誰もが国のために一命を捧げたいという熱情にかられていた。康郎もまたその純情な若者の一人であったのである。

長兄も次兄も虚弱で、一家から一人の兵も出ていないということが、健康な康郎を戦争にかり立てずにはおかない最大の理由であった。

海軍に入って九ヵ月目の昭和十九年五月、康郎たちは突如一時帰郷が許された。それが、どんな意味を持つものか、若い康郎たちにもわかった。一時帰郷は戦場に赴《おもむ》く前に、家人に別れを惜しんで来いということであった。

康郎は横須賀から汽車に揺られて、三日目にようやく札幌に辿《たど》り着いた。康郎は札幌近郊の実家に帰る前に、恋人の香川緋紗子の下宿を訪れた。家にいる時間は五時間とない中で、先に父母の家に帰れば、到底緋紗子に会う時間はない。緋紗子は札幌の女子医専に在学中であった。

予告もなく夜遅く訪れた康郎を見て、緋紗子は息をのんだ。康郎は部屋にも入らず、廊下に突っ立ったまま、緋紗子を只食い入るように見つめた。緋紗子の顔を、自分の胸に刻みこむかのように見つめた。その康郎を、涙の盛り上がる目で緋紗子も見つめた。その間、五分であったろうか。七分であったろうか。康郎は緋紗子の小柄な体を抱きよせたい衝動にかられながら凝然と突っ立っていた。

「さようならを言いに来た」

ようやくの思いで、たった一言、康郎は言った。緋紗子はしっかりとうなずいて、

「康郎さん！　たとえ手一本、足一本になってでも、必ず生きて帰ってきて」

康郎はうなずき返すことができなかった。生きては帰れぬと思っていたからだ。

康郎はいきなり身をひるがえすと、下宿の階段を駆け降りた。靄《もや》の立ちこめている外に飛び出した康郎を、緋紗子は追って来た。康郎はその姿をふり切るように夜の道を駆けた。そして駆けながら戦友たちを思った。

（誰もが、こんなつらい別れを経験しているのだ）

父母の家にいたのは、真夜中の三時間であった。康郎は朝一番の汽車に乗り、あわた

だしく期限内に横須賀の兵舎に帰った。

それから一週間程経った早朝、全員集合の命が降った。康郎はかつて人に後れを取ったことがなかった。軍隊の集合は横隊二列の第一番に並んだ。

この朝も、集合ラッパと共に素早く服装を整え、真っ先に兵舎を飛び出した。と、どうしたことか軍靴の紐《ひも》がほどけた。編み上げの靴は紐を結ぶのに時間がかかる。康郎は舌打ちしながら身を屈《かが》めた。

こうして康郎は後れを取り、前列に並ぶことができずに、後列に並んだ。いつもは、滅多に前列に並ぶことのない親友の角多利雄が前列にいた。

「各隊前列、一歩前に進め！」

号令がひびいた。前列は一斉に一歩前に進んだ。

「前列は、本日これより某方面に向かって出動する。後列は第二隊として、数日後に出動する」

兵たちは微動だにせず、その命令を聞いた。

角多利雄と、握手をする暇もなかった。角多たちの船が出た数日後、康郎たちの船も横須賀を出た。日本の国が次第に遠くなるのを眺める頃、自分たちの船がサイパン島に向かっていることを康郎たちは知らされた。康郎は改めて身のひきしまるのを感じた。

昨年二月、ガダルカナル島において日本軍の敗退があり、五月の末にはアッツ島の守備隊二千五百名全滅が報ぜられ、更に七月にはキスカ島より退却、そしてまた十一月にはタラワ島マキン島の守備隊三千人軍属千五百人全員の玉砕があった。更に今年の二月、クエゼリン島ルオット島の六千五百人が死んでいた。

康郎は、船に揺られながら、自分がサイパン島の一画で死んでいる姿を幾度も思った。そしてそれは、全員の思いでもあった。そんな中で、兵隊たちはつとめて明るくふるまっていた。

サイパン島を目ざして南下しているとばかり思っていた船は、気がついた時には横須賀に舞い戻っていた。夢にも思わぬことであった。なぜ戻って来たのか、上官ははっきりとは言わなかったが、事の真相は口から口に語りつがれた。第一便がサイパン島に至る直前、米軍に撃沈されたということであった。親友の角多利雄はこうして死んだ。

(もしあの時、軍靴の紐がほどけなければ……必ず自分は死んだのだ)

角多利雄が自分に代わって死んでくれたと康郎は思った。なぜあの時に限って紐がほどけたのか。それは康郎にもわからぬことであった。しかし、紐がほどけるという、極めて些細なことが、自分の生死を決定したという一事に、康郎は畏《おそ》れを感じた。

(角多が代わって死んでくれた)

以来康郎はこの思いから逃れることができなかった。敗戦後、康郎は角多利雄の家族を探した。が、東京にあった角多の家は、空襲にあって跡形もなかった。その両親も焼け死んだことを、角多の近所の人たちの話で知った。そのことも康郎の心の中にいまだにしこりとなっている。その角多と共に、緋紗子もまた康郎の胸の中に生きていた。

(緋紗子)

心の中に、そっとその名を呼んだ時、家のほうから、妻の富久江の声がした。

「あなた、何をしてらっしゃるの」

康郎は、たちまち三十年後の現実に引き戻された。

三

四月二十九日、天皇誕生日のその日の午後、邦越康郎は旭川市内のニュー北海ホテルで講演をした。ある婦人団体の主催で、演題は「戦国時代に生きた女性たち」であった。題名は康郎が決めたものではなく、依頼者側の婦人団体が決めたものであった。

「四、五十名位の小さな集まりですけれど……」

講演依頼の電話が大学の研究室にきた。その時婦人団体の事務局の者はおずおずと言った。

「いや、小さな集まりのほうが気楽でありがたいです」

と、康郎は引き受けた。が、実際に集まったのは、小雨が降るというのに、百五十名を超えていた。毎月講演会を持って、意欲的に運営しているらしい気魄《きはく》が、会場にみなぎっていて、康郎も話に熱が入った。

康郎は織田信長の妹「お市《いち》の方《かた》」と、その娘「淀君《よどぎみ》」を中心に、明智光秀の娘「細川ガラシャ」や、秀吉の妹「旭姫《あさひひめ》」などの悲劇を、心をこめて語った。

婦人たちはしきりにうなずき、時には涙をぬぐいながら話を聞いた。語り終えた時、訴えたいことを充分に訴え得たような満足感を康郎は久しぶりに感ずることができた。

講演が終わって質疑応答に入った。三、四人の手がすぐに上がった。司会者が、

「そこの一番前の和服を召された方」

と言いながら、素早くマイクを持って行った。立ち上がってマイクを受けとったのは、一見、四十五、六に見える背のすらりとした女性であった。

「あの……」

その女性は涙ぐんでいた。感動したのか、言葉をとぎらせた。次の言葉が出るまでに少し間があり、会場はしんと静まり返った。明らかに、感動に堪えているように康郎には思われた。

「失礼いたしました。大変感動的なお話で、胸を打たれたものですから。……戦国時代の女の人たちの生きざまというのは、実は第二次大戦を経験したわたくしには、よそごとではございませんでした。……それで、ちょっとお伺いしたいのですけれど、歴史学者であられる先生の奥さまは、第二次大戦をどのように受けとめて生きていらっしゃるか、差し支えなければお聞かせいただきたいのです」

康郎はぎくりとした。まさか、こんな質問を受けようとは、康郎は予期していなかった。質問は当然戦国時代に集中されると思っていた。

康郎は緋紗子の死に顔を思い浮かべた。緋紗子のことは、今の妻富久江にも詳しく話したことはない。富久江もまた、根掘り葉掘り聞こうとはしなかった。康郎の胸の奥深くに、緋紗子は三十年近くも、ひっそりと安置されてきたのだ。

康郎は一瞬言葉を失った。が、康郎は、額にかかる髪を掻《か》き上げて質問の女性を見、マイクの前に立った。

「わたしの妻緋紗子は……この緋紗子は一度目の妻ですが、緋紗子は戦争で死にました。二十でした。従って、彼女の声を聞くことはできません。二度目の妻は、戦争中まだ少女でした。戦争について、あまり語ったことはありません」

会場がざわめいた。が、それは水の面を走るさざ波のようにすぐに消えた。一時間半の講演で、婦人たちは明らかに康郎に親近感を抱いたようであった。つづいて質問が二、三あり、講演会は終わった。

控室で、事務局の女性たちと少し雑談をかわし、康郎はエレベーターに乗って、一階のロビーに出た。先程の和服の女性がコートを手に抱えて康郎に近づいてきた。

「先程は失礼申し上げました」

女性はていねいに頭を下げ、じっと邦越康郎の顔を見つめた。

「いや、こちらこそ……」

康郎は軽く頭を下げ、行き過ぎようとした。と、女性は言った。

「あのう……失礼ですけれど、先生は終戦の頃、江田島《えたじま》においでではございませんでしたか?」

江田島と聞いて、康郎ははっとした。緋紗子は江田島で死んだのだ。

「はあ、おりましたが、あなたは?」

「やっぱり、あの時の邦越さんでしたか。わたくし、お隣に住んでおりました松村公一《まつむらこういち》の……」

「えっ!? 松村公一? ではあなたは松村大尉の?」

驚く康郎に、

「思い出してくださいましたか。松村の家内秋子でございます」

改めて松村秋子はていねいに頭を下げた。

「いやあ、これは驚きました。奇遇ですね」

松村公一は隣に住む上官であった。康郎より確か五つ年上の明朗な男であった。が、終戦一ヵ月前に戦死していた。

「実は……わたくし、この会の会員じゃございませんの。今日、知人の家で、講演会の案内状を見せていただきましたのよ。講師が邦越康郎教授となっておりましてね、もしや江田島でお隣だった邦越さんではないかと、只それだけで飛んで参りました」

「そうでしたか。しかし、それにしても奇遇ですねえ」

「ほんとうに……。わたくし、一刻も早く奥さまのご様子を伺いたくて場所柄もわきまえず、あんな質問をしてしまいまして、申し訳ございません。緋紗子さんは亡くなられたのでございますね」

康郎を見送りについて来た二、三人の事務局の者がいた。

「ここで立ち話も何ですから……」

康郎が言うと、事務局の者が気を利かしてこもごもに礼を言って立ち去った。

康郎は松村秋子を誘って、ロビーのすぐ傍のコーヒーラウンジに入った。婚礼でもあったのか、振り袖の着物を着た若い娘や、カクテルドレスを着た女性たちが、白いビニールの風呂敷包みを持って幾つかのテーブルに向かっていた。その女性たちの賑やかな話し声の中に、康郎と秋子の二人はひっそりと片隅のテーブルに向かい合った。

「ほんとにお久しゅうございます」

再び秋子が挨拶をし、康郎もまた、

「その節は何かとおせわになりました」

と礼を返した。二人はちょっと黙った。康郎は腕時計を見た。三時を過ぎていた。

「あの、時間はよろしいですか」

「よろしゅうございます、わたくしは」

康郎はうなずき、

「昭和も四十九年ですものね。あれから、かれこれ三十年ですか。早いものですね」

と、秋子を真っすぐに見た。目尻に小じわが二、三本あり、額にも小さなしわがあった。額のあたりはまだたるみのない皮膚であった。なぜ会場で、この女性が松村秋子だと気づかなかったか、不思議なほどに秋子は変わってはいなかった。只、江田島の海軍学校の官舎に居た頃の秋子は、死んだ緋紗子と確か同じ年齢で、まだ幼いほどに若かった。その幼さが今の秋子にはない。中年の落ちつきを秋子は見せていた。緋紗子も生きていたら、この秋子と同じ四十九歳、まだまだ若いのだと、康郎は秋子の顔の上に、緋紗子の顔を重ねた。

「あの……お差し支えなければ、奥さまの亡くなられた時のことを……伺わせていただきたいのですけれど」

秋子は一刻も早く緋紗子の死の様子を知りたいようであった。

緋紗子と康郎が結婚を約束したのは、康郎が北大予科在学中のことだった。その緋紗子を置いて康郎は昭和十八年秋、海軍予備学生を志願した。そして千葉県館山《たてやま》の砲術学校に入り、十九年五月には卒業して少尉となった。ここで召集令状を受け、康郎は正規の海軍軍人となった。それから間もなく横須賀からサイパンに向かって出航したが、康郎の乗っていた船は、危険を避けて横須賀に戻った。その後再び、館山に戻り、昭和二十年二月、江田島の兵学校砲術科の教官として赴任した。

その頃、婚約者を持つ者は結婚せよとの命令が出た。が、康郎は既に緋紗子との結婚を諦《あきら》めていた。戦局は日に日に苛烈となり、自分自身いつ戦死するか予測できなかったし、緋紗子が身一つで北海道から江田島に来ることさえ命懸けの情勢であった。しかも康郎には、官舎は与えられてはいても、鍋一つ、茶碗一個さえなく私物の布団もなかった。砲台の台長をも兼任していた康郎は、止むなく隊内に寝泊まりしていた。

ところが康郎に婚約者がいると聞いて、同情してくれたのは、江田島のすぐ近くの呉《くれ》市で、「もみじ」という旅館を営む女主人であった。「もみじ」の女主人は、夜具と鍋釜一式を康郎に贈った。そのことを緋紗子に知らせると、緋紗子は直ちに札幌から駆けつけた。四月であった。当然、日本の各地には間断なく空襲があった。緋紗子の乗っていた汽車も、燃えさかる姫路《ひめじ》の駅を突き抜けて来たのだった。緋紗子は、着替えを入れたリュックサック一つを背負い、江田島に着いた。その中には、僅《わず》かな乾パンと、国木田独歩《くにきだどっぽ》の著書『武蔵野《むさしの》』一冊、そして小さな聖書があった。

「来たわよ。火の中をくぐりぬけて」

小柄な緋紗子は康郎の胸の中で、幾度も幾度もそう言った。鏡台もなければタンスもない。むろん茶ダンスもテーブルもなかった。まな板と包丁と、釜と鍋と僅かに茶碗と箸ぐらいの新世帯であった。だが緋紗子は、そんな物のない生活に只の一度も愚痴をこぼしたことがなかった。

「人間って、何もなくても、生きていけるのね。これは大変な発見よ」

緋紗子は言い、子供のようにいつも窓から小用《こよう》の港を眺めていた。海軍官舎は、海まで百メートルの雛《ひな》段状になった丘の中腹にあった。この二人のために、ささやかながら式を挙げさせ、披露宴をひらいてくれたのが、隣家に住む松村夫妻だった。

だが、緋紗子は、日本の滅びを見に江田島に来たようなものだった。重油がなくなって動きのとれなくなった日本艦隊は江田島に集結された。その中に軍艦榛名《はるな》、大淀《おおよど》があった。アメリカ空軍は、この動くに動けぬ日本艦隊に向けて襲来した。暑い七月のことであった。空も暗くなるほどの人空襲が、朝からくり返された。軍艦榛名は夕刻まで持ちこたえたが、日の暮れる頃に、遂に撃沈された。その一部始終を、緋紗子は防空壕《ごう》から這《は》い出て、松の根方に座りこみ、じっと見つめていた。

「ギャーっと、凄い声を出して、水兵が甲板から海に弾き出されたのよ」

百メートル離れた松の根方まで、その声は大きく聞こえたと、緋紗子は言った。

「軍旗がわかめのようにズタズタになって……あれが戦争なのね」

軍艦榛名の沈没を目のあたりに見た日から、緋紗子は口数が少なくなった。この時の大空襲で、松村大尉は戦死した。その骨箱を抱えて、秋子が江田島を去って間もなく、広島《ひろしま》に原子爆弾が落ちた。江田島から第一便で広島に出勤した人々が、べろべろに焼けただれた皮膚で、幽鬼のように帰って来たその日、緋紗子は余りの痛ましさに貧血を起こして倒れた。

緋紗子の胸に、更に激しい憤りが渦巻いた。緋紗子はしきりに、美しいものを見たいと言い始めた。

「美しいものって何だね」

康郎が尋ねると、

「海でもない、山でもない、川でもないわ。わたしはこの目で、今、日本の滅びを見ているような気がするの。ね、この戦争を起こしたのは誰なの？　ね、誰なの？」

緋紗子はひたすらなまなざしで康郎に迫った。

八月十四日、夕刻、五時の便で緋紗子は呉に行った。が、その船から降りずに、緋紗子は江田島七時着の船で戻って来た。その途中、船が機雷に触れ、緋紗子は死んだ。なぜ呉に行ったのか、康郎にはわかっていた。緋紗子は、夜光虫《やこうちゅう》を見たかったのだ。以前に、呉からの帰り、舷側から一面に夜光虫を見たことがあった。

「あんな美しいものが、この世にあるなんて……」

緋紗子はそう言っていた。美しいものを見たいと言っていた緋紗子は、美しいものを見たさに死んだ。美しいものがなければ、緋紗子は生きられないほどに、戦争の持つ凄まじさと残酷さに圧《お》しひしがれていたのだ。緋紗子との結婚は僅か四ヵ月であった。この翌日昼、敗戦の報が全国民に、ラジオを通して告げられたのである。

「まあ？　そうでしたの。機雷に触れて……」

秋子は目頭を押さえた。緋紗子のために涙をこぼしてくれる人間を、康郎は久しく知らなかった。俄かに康郎の胸が熱くなった。二人はしばらく押し黙った。

「すてきな方でしたのに……」

ハンカチで涙を拭い、秋子が顔を上げた。

「ありがとうございます。しかし……三十年前のことが、わたしにはいつも昨日のことのように思われましてね……」

「おなじですわ、わたくしも。松村の死んだ日のこと、一部始終鮮やかに覚えていますわ。恐ろしい空襲でした」

「そうでしたね。二、三日前のことはすぐ忘れるのに、三十年前のことが脳裏にこびりついて離れない。記憶というものは、年月の長さによらないのですね」

「ほんとうに、年月にはよらないのですわ」

「ところで、自分のことばかり話しましたが、その後、奥さんは……」

　確か秋子の故郷は静岡《しずおか》だと聞いた筈である。北海道ではなかった筈だ。

「ご存じのように、あの終戦の年の一月、東海地方に大地震がございましたわね。わたくしの実家も被害を受けましてね。それで北海道で農家をしていた遠戚を頼って渡って参りましたの」

　そう言えば、秋子の実家が地震に遭った話は聞いたことがあったと、康郎は思い出しながら、

「それは大変でしたねえ」

　再婚したのかと尋ねたかったが、康郎は無難な相槌を打った。

「邦越さん、わたくし、あれからずっと一人ですのよ」

「一人？　そうですか……」

「あの時、わたくし実は息子を妊《みごも》っておりましてね。それで、母のいる北海道に参りまして……。でも、農家の手伝いなんか、鍬《くわ》を握ったこともないものには、できませんでね。まあ何とか生きて参りましたけれど。わたくし、今、旭川でこんなことをしておりますの」

秋子はそう言って、ハンドバッグから小さな名刺を差し出した。康郎はその名刺を見た。「食事の店まつむら」という字が、松村秋子の名の右肩に刷られてあった。康郎は、近いうちに、自分はこの店に訪ねて行くだろうと思った。

送電線

芽吹き

芽吹き

一

昼食の後始末を終えた夕起子は、自分たちの十畳間の鏡台の前に座って、ハンドクリームをつけていた。隣の居間でテレビを見ていた寛が入ってきて襖《ふすま》をしめた。と、すぐに寛は夕起子の肩をうしろから抱いた。

「あら」

夕起子は襖のほうを見て、ちょっと身をよじった。隣の居間には姑《しゅうとめ》の富久江がいる筈である。

「おふくろは二階に上がったよ」

寛は言いながら、夕起子のうなじに唇を押し当てた。寛はいつもこうなのだ。隣室に人がいようがいまいが、不意に夕起子を抱きよせたり、足に抱きついたりする。結婚してまだ半年余りの、これが若夫婦の自然な姿かも知れなかった。夕起子もそんな寛を子供のようだと思いながらも、強く拒みはしなかった。

「困った坊やね」

夕起子は寛のするままに委せた。寛は夕起子のうなじに唇をふれただけで満足したのか、あとはそのままじっと夕起子を抱きしめていた。

夕起子を寛に紹介したのは、夕起子が私設秘書を勤めている高原教授であった。高原教授は邦越康郎と旧制中学が同期で親しい仲であった。康郎が北斗医大に来るについても、高原教授の力があった。そんなこともあって、高原教授は自分の気に入りの夕起子を、寛に紹介する気になったのである。が、その時高原教授は条件をつけた。

「望月夕起子はいい子でねえ。あれの代わりはすぐには見つからない。だから結婚しても、二年や三年は勤めさせて欲しい。それが承知なら、寛君に紹介してもいいがね」

寛はその話を聞いて言った。

「高原教授は、その子にほれてるんじゃないのかな」

康郎はそうかも知れないと思った。自分の気に入っている女性を、どこの誰とも知れぬ男に手渡したくないという思いは、男にはままあるものだ。だから、せめて自分で相手を決めたいという気持ちになる。

見合いは、昨年の春、白金《しろがね》温泉へのドライブという形で行われた。白金温泉は、教授たちの研究室の窓から望める十勝岳の山麓にあった。途中、美しい白樺《しらかば》林が何キロもつづく。その林の尽きたあたりに温泉街がある。そこまで、大学から一時間余りで行くことができた。

その時車を運転したのは寛で、高原教授が夕起子と並んでうしろの座席に乗り、寛の横に康郎が座った。

寛は運転しながら大きな声で歌をうたったり、口笛を吹いたりした。そんなあけっぴろげな態度に夕起子は好感を持った。が、結婚してから、自分が寛との結婚を決意したのは、寛が邦越教授の息子であったからのような気がした。康郎は教官たちにも、学生にも評判のよい教授で、夕起子自身も、廊下ですれ違う時など、憧れに似た気持ちで康郎を見たものだった。

寛は仕事熱心な健康な青年だった。商社マンとしての毎日が楽しくてならぬような、そんな活気が寛には満ちあふれていた。マージャンやゴルフの接待もあるらしく、留守勝ちではあったが、夕起子には幸せな新婚生活がつづいていた。

「あら、どなたかいらしたわ」

玄関のブザーの音に、夕起子はあわてて髪を撫で、寛の外したブラウスの背にファスナーをかけて立ち上がった。寛は大きく舌打ちをし、

「また、なぎさじゃないのか」

と、横になった。

玄関のドアをあけると、案の定なぎさだった。なぎさは淡いグリーンのパンタロン姿で

加菜子の手をひいて立っていた。

「ここの家ったら、昼間でも鍵をかけておくのね。泥棒に入られて、盗られるものもないのに」

なぎさは言いながら、さっさと靴を脱ぎ、家の中に入って来た。

「ごめんなさい」

夕起子は姑の富久江が、昼でも錠をおろしておくようにと言っていることは告げずに言った。

「何も夕起子さんが謝ることはないわよ。どうせお母さんの言うとおりにしていることでしょうから」

なぎさは心得ていて、

「何せうちのお母さんときたら、健康の本を何十冊も買いこむことと、泥棒を警戒することだけが特技なんだから」

と、遠慮なく大きな声で言って笑った。加菜子が、

「ニャンコのドミーは?」

と、突っ立ったまま部屋の中を見まわした。

「ああドミーはね、どこかに遊びに行ったわよ、加菜子ちゃん」

夕起子は加菜子の頭に手を置いて言った。

「お母さんは二階?」

「ええ。お呼びしてきます」

　夕起子が階段のほうに行きかけると、

「いいわ。加菜子を二階にやるから。それより、のどがかわいたわ。今日は急に暖かくなったみたい。この分だと次の日曜日は桜が満開ね。あら、このつつじも咲いたじゃない」

　言いながら冷蔵庫をあけ、なぎさはジュースを一本取り出した。夕起子はあわてて栓ぬきとコップを盆にのせて持ってきた。

「お兄さんはいないの?　日曜日だというのに」

　なぎさはソファに腰をおろしてジュースをひと口のんだ。

「いるぞ」

　寛が襖をあけずに大声で言った。

「いるんなら出ておいでよ。只一人の妹が来たというのに」

「只一人の妹さまか。畏れ多くて顔も拝めないよ」

　寛がさっと襖をあけた。

「あら、お兄さん、少し見ない間にふとったじゃない。うちの課長がね、二十代にふとる奴なんて信用しないって言っていたわよ」

なぎさはずけずけと言った。

「それが信用あるんで困っているんだよ。夕起子と仲よくする暇もないものな」

夕起子は赤くなって、

「あなたは何を召し上がる？　サイダー？」

と、低い声で言った。

加菜子と富久江が話をしながら二階から降りてきた。

「加菜子が言ってましたよ。ママはこの頃朝寝坊だって」

「まあ！　加菜子は誰に似ておしゃべりなんでしょう」

なぎさは豊かな胸を突き出すようにして笑った。

「笑ってごまかしても駄目ですよ。ね、加菜子、ママの悪いところは、何でもおばあちゃんに言うのよ、おばあちゃんが叱って上げますからね」

加菜子がこっくりとうなずくと、なぎさが別のことを言った。

「あ、お母さん。この間札幌へ行って、さあちゃんの家に泊まってきたのよ。そしたらね、目黒《めぐろ》の叔母《おば》さんが具合が悪いって言ってたわよ」

「へえー？　目黒の叔母さんって澄子さんのことかねえ。とし子さんのことかねえ」

「あ、二人とも目黒だったわね。澄子叔母さんのことよ」

「一体どこが悪いの」

「わからないけど、心臓が悪いみたい」

「心臓？　心臓病も怖いわよ」

　富久江が眉根をよせた。寛が、

「ま、癌よりはましだな。ところでさあちゃんとこの坊主は、この頃おとなしくなったのか」

「相変わらずよ。さあちゃんもあの腕白《わんぱく》には甘いし」

　夕起子はお茶をいれながら、自分だけが話の圏外に置かれたような淋しさを感じた。結婚してまだ半年の夕起子には、さあちゃんなる者が何者か、その息子が幾つなのか。澄子、とし子がどんな関係なのか、皆目見当がつかない。ふっと夕起子は、康郎を思った。こんなとき、康郎がいると、必ず、

「さあちゃんというのはね、富久江のほうの親戚でね、兄の娘なんだ」

　などと、さりげなく説明してくれる。それが今日は、誰も夕起子の疎外感にまで思いを馳せてくれる者がいない。富久江も寛も、なぎさも、楽しそうに親戚知人の誰彼の噂話をしている。夕起子がお茶を出し、羊羹を切って出しても、それはあたかも、喫茶店のウェイトレスが運んできたかのように、無関心に見えた。

「おばちゃん。加菜子に折り紙を教えて」

小さな赤いバッグからいろ紙を出して加菜子が傍に来た時、夕起子は危うく涙がこぼれそうになった。

三十分程、夕起子を圏外に置いた話がつづいてから、

「お父さんは?」

と、なぎさが尋ねた。

「研究室よ」

「へえー。日曜日でもねえ。どこの研究室かわかったもんじゃないわよ、お父さんも」

なぎさがにやにやした。

「何のこと、それ?」

「この間、ニュー北海ホテルの前で、お父さん、きれいな和服姿の女の人と、一緒に車に乗ったわよ」

「この間? この間っていつ?」

「確か、天皇誕生日の日よ」

「ああ、あの日はね。ホテルに講演に行ったのよ。何とかいう婦人の会の」

富久江はこともなげに言った。

二

猫のドミーに顔を掻かれて、邦越康郎は目をさました。掻かれたと言っても、むろん爪を出すわけではない。ひんやりとしたドミーの足の感触が今朝は妙に快かった。

「ああ、起きるよ、起きるよ」

声をかけると、ドミーはいつものようにひと声鳴いて、襖のくぐり穴から出て行った。階段を駆け降りるリズミカルなその足音を聞きながら、康郎はうす目をあけた。傍らの富久江の布団が、いつの間にか片づけられている。

(そうか、富久江は今朝、札幌に行ったのだったっけ)

富久江は、女学校時代の同期会があって、札幌に出かけた。十年ぶりの同期会とかいうことで、富久江はかなり前から楽しみにしていたのである。

富久江の実家は札幌の豊平《とよひら》にある。前日のうちに行って、実家に泊まればよいと、この間から思っていたが、康郎は黙っていた。息子の寛が一週間の予定で出張していたからである。もし富久江が泊まりがけで出かければ、この家には、嫁の夕起子と自分の二人だけになる。が、そんなことにこだわっているのは康郎だけで、富久江も寛も、そして夕起子も、

全く気にとめていないようであった。寛は出張する朝、

「母さん、ゆっくり札幌に泊まってくるといいよ」

と言っていたし、夕起子もまた、

「ほんとうに、そうなさるといいわ」

と、勧めていた。が、富久江は、

「いやですよ。実家《さと》と言っても、小さくなっていなければならないんだから」

と、顔をしかめて見せた。

富久江の両親は八十に近かった。家業の時計商を継いだ富久江の長兄と、その両親は同居していた。が、気のいい長兄は、どうやら悉く《ことごと》妻に牛耳られているらしい。富久江の嫂《あによめ》は、この二、三年来、時計商だけでは立ち行かぬと言って、宝石を扱い始めたが、それが当たって急に金回りがよくなったようであった。瞼の青いアイシャドウや真っ赤に染めた爪が妙に似合う女だった。外交の才もあるらしいことは、華やかなその雰囲気だけで幾度か会った康郎にも察せられた。

富久江の実家は、富久江にとって、既に父母の家と言うより、嫂の家となっていた。かなりのんき気な富久江が行きづらくなったほどだから、富久江の父母も、さぞ小さくなっているのだろうと、康郎も想像する。だからこそ富久江は泊まって来たほうがよいとも思っ

たのだが、康郎は康郎で、夕起子と二人だけになることを思って、言い出せなかった。

家の上を飛行機の過ぎて行く音がした。大学の研究室で聞く音とはちがって、いやに大きく聞こえた。日に三往復しか飛ばない東京からの第一便が、旭川空港に着陸しようとしているのだ。空港は康郎の住む丘のつづきにあった。康郎は飛行機の音を聞いて、両目をはっきりとあけた。パジャマのまま布団をたたみ、押し入れの中に押しこんだ。康郎が自分の布団を自分でたたむのは、滅多にないことであった。それはいつも富久江のする仕事だった。そのせいか改めて富久江の留守を実感した。

押し入れの戸を閉めながら、康郎はふと、大学時代の友人のことを思い出した。その友人は、寛と同じ系統の会社に働く商社マンだが、その友人がある明け方目をさますと、妻の布団が空になっていた。トイレに立ったのかと思ったが、なかなか妻は戻らない。友人はその妻の名を呼んでみたが、うす暗い家の中はしんと静まり返っていた。不安になって友人は家中を探した。しかし妻はいなかった。ふと気がつくと、鏡台の上に書き置きがあった。

康郎はその話を、なぜか今不意に思い出した。そんな夫婦が、近頃は珍しくないと聞いている。もし、ある日突然、富久江が失踪《しっそう》したとしたら、自分は一体どうするのだろう。あり得ないことではないような気もする。

厚い緑のカーテンをあけると、窓とカーテンの間の空気が、五月の日射しにぬくもっていた。二重窓を康郎はあけ放った。家の中の空気より、外の空気が暖かかった。旭川の五月にしては珍しい暖かさだ。大雪山と十勝連峰の中間にあるトムラウシ岳が、今日は霞《かすみ》の中におぼろに見える。康郎は青く柔らかい五月の空を見上げた。白い雲が二つ、ゆったりと浮かんでいる。康郎は何とはなしに吐息をついて、富久江の鏡台の前にあぐらをかいた。引き出しの中から電気剃刀《かみそり》を出し、コンセントにコードを差しこんだ。

「よく眠ったものだ」

富久江が出かける時にちょっと目をさまして、三十分ほど眠りを中断されたが、それにしてもよく眠ったものだと、康郎は苦笑しながら電気剃刀のスイッチを入れる。軽やかなひびきを楽しみながら、康郎は先程のつづきを思った。

(富久江に去られることは想像できても……)

自分がこの家を出ていくことは、結婚このかた想像したこともない。それを思って、康郎は再び苦笑した。誰かが随筆の中で書いていた。

「決裂の危機を秘めていない人間関係はない」と。

考えてみれば確かにそのとおりだった。親子にしても、夫婦にしても、友人にしても、恋人同士にしても、常に危機ははらんでいる筈である。しかし自分は、わが家を出ることを、結婚以来一度として思ったことがない。それは康郎にとって、富久江との結婚が幸せだったということになる。

（……ところで、富久江に、家出を考えたことが果たして一度もなかったろうか）

なかったと自分は信じているが、しかし自分にはわからぬ思いが富久江にはあるかも知れない。こんな想像をしたと話して聞かせたら、

「テレビの見過ぎね。何をつまらぬことをおっしゃるの」

と、肉づきのよいのどを見せて、笑うような気がした。

ひげを剃り終えてから、康郎はまだ洗面をしていなかったと気づいた。

「齢かな」

康郎は声に出して呟いた。洗面を忘れて、電気剃刀を顔に当てることなど、今までしたことがない。富久江が、朝早く旅行に行ったぐらいのことで、洗顔を忘れたでは、少し情ないような気がした。

「齢かな」

と、今言った言葉にこだわって、康郎は鏡の中の自分を見つめた。髪の毛はまだ黒々として、うすくもなってはいない。真っ白くなっている同期の友人たちとくらべると、自分は十も若いように康郎は思う。笑いじわはできても、老いを感じさせる皮膚でもない。康

郎はちょっと横を見て、自分の右頬を見、更に首を曲げて左の頬を見た。のどにはたるみもない。康郎は鏡台から少し離れてなおも鏡の中の自分を見た。贅肉《ぜいにく》がついていないせいもあって、鏡から離れると、一層若く見えた。ついこの間、ある宴会で、

「こちらお若いのに、もう教授になられたのですか」

と、料亭のおかみに言われた。年齢を言うと、

「五十ですって？　そんな、これでもわたくし、人の齢はすぐわかりますのよ」

その言葉を今康郎は思い出した。

「五十か」

年齢というものが、何か不思議に思われた。自分が二十の時には、三十歳の先輩が大変な年上に思われたものだ。五十代などと聞けば、全く別の世界に生きている人間のようにすら、思ったものだ。しかし、自分自身が五十代となっても、格別に老いたとは感じられなかった。二十代の時の若々しい思いがまだ胸の中に燃えているような気がする。

（一体、人間はいつの日を境に年を取っていくのだろう）

昨日と今日と、さして人は変わらぬと思う。昨日と変わらぬと思っている日が、幾百日も幾千日も重なって、年を取る。そのことが康郎には今不思議に思われたのだ。世界の歴史も、日本の歴史も昨日と今日の姿が、特にきっかりと変わることは滅多にない。が、い

つの間にか時代は移り変わっていく。それに似ていると、康郎は自分の片頬を、鏡の中になでてみた。

階下から夕起子のうた声がした。夕起子がうたうのは珍しいことだ。歌声も死んだ緋紗子に似ている。やはり富久江がいないからだろうと、康郎はうたっている夕起子をふっと哀れに思った。康郎と富久江は、寛夫婦と住むことに満足しているが、夕起子の歌声を聞くと、康郎は、夕起子と寛に二人だけの生活をさせてやるべきではなかったかと思った。

夕起子が、自分の起きるのを待って、朝食を既に調えている筈だ。康郎はいつものようにパジャマのまま洗面に降りて行こうとして、ためらった。夕起子一人の所に、パジャマのまま降りて行くことがためらわれたのだ。ガウンを重ねようと手に取ったが、ガウンを重ねるには、今日は暖か過ぎた。思いきって和服に着替えてしまおうと、康郎は衣桁《いこう》に近寄った。が、

(今日だけ着物を着て顔を洗うのもおかしい)

康郎は思い返してガウンを羽織り、スリッパの音を少し高く鳴らしながら、階段を降り始めた。いつも富久江に、スリッパの音が大き過ぎると、康郎は注意される。けれども、これは康郎のひとつの礼儀であった。

去年夕起子が、この家に来て、どれほども経たぬ頃、康郎はひっそりと音もなく階段を

降りて行ったことがある。まだ康郎の起きる時間でないと安心していたのか、夕起子はソファに横になって新聞を見ていた。降りて来た康郎を見て、夕起子はあわてて立ち上がり、

「すみません、お行儀を悪くして……」

と顔を赤らめた。

そんなことがあって以来、康郎はスリッパの音を立てて階段を降りることにした。特に今日は、大きな音を立てて降りて行った。

三

「鬼のいない間に、命の洗濯ね、夕起子さん」

　なぎさは焼けたマトンを、鍋から自分の皿に移しながら言った。

「おいおい、鬼とは誰のことだ」

　康郎はわざと咎《とが》める顔をして、

「お母さんが札幌から帰って来たら、なぎさが鬼だと言っていたと言ってやるぞ」

　と笑った。なぎさの夫の佐山兼介はにやにやしながら、コップのビールを飲んでいる。

　ここは神楽岡《かぐらおか》公園である。公園には、花見に来ている人たちが幾組かあった。康郎たちと同じように、ジンギスカン鍋を囲んでいる者、紅白の幔幕《まんまく》を張りめぐらして、踊ったり、歌ったりしている者、様々である。この公園には小運動会ができる程のグラウンドと、それに接して、ニレ、ナラの大樹や数多くの桜があった。旭川の花見の名所の一つである。桜に交じって、コブシの花も、白く清い。

　この公園は、康郎の住む緑が丘の西の外れにあって、こんもりと木々の茂る丘の下にあった。まるで丘の一部を削り取ったかのように、この公園のある平は大きく湾曲していた。

公園に沿って、水の清い忠別川《ちゅうべつ》が流れ、遠く彼方には頂に雪を置く大雪山が青空の下にくっきりとそびえていた。

「ここから見る大雪山もいいですね」

兼介が大きな目を細めて言った。

「ほんとだね」

康郎も肉を焼く手をとめた。夕起子は体をねじってうしろを見、

「ほんとね。木立越しの大雪山って、素敵だわ」

と言ったが、なぎさはふり向きもせずに、

「花見と言い、旭川と大雪山と言い、どうも陳腐だわ」

と鍋を突ついた。

(陳腐か)

康郎は、今朝のなぎさの電話を思い浮かべた。康郎からなぎさに電話をすることは滅多になかった。が、今朝は珍しく康郎から電話をかけた。花見時の天気のよい日曜日に、嫁の夕起子と二人家にこもっているのも、夕起子に気の毒だと思った。なぎさたちは康郎の家から車で五分程の、大正橋《たいしょう》を渡ったすぐ傍に住んでいた。夕起子と二人で花見に出かけるのも面映《おもは》ゆかったから、近くに住むなぎさに電話をかけたのである。

康郎が電話をかけたのは、遅い朝食をすませた十時半頃であった。ダイヤルを廻すと、コールサインが一度鳴っただけで、すぐに加菜子が出た。

「ハイ、さやまです」

加菜子は大人っぽい声を出した。

「加菜子？　ほんとに加奈子かね」

なぎさがふざけているのかと、康郎は聞き返した。

「うん、かなこ。おじいちゃん？」

加菜子の声が幼い声になった。

「なんだ、加菜子か。何をしてた？」

「なんにもしていない」

「なんにもしていない？」

「うん、おなかがすいた」

「おなかすいた？　まだ朝ご飯を食べないのかね」

「うん、たべない」

「ママはいないの」

「ママ？　ねてる」

「なんだ、まだ寝てるのか。困ったママだな。パパはどうした？」

「ママとだっこしてねてるの」

康郎はちょっと狼狽したが、

「ママにだっこして寝てたのは、加菜子だろう」

と笑った。

「ううん。かなこはね、ひとりでねるの。パパとママはいつもだっこしてねるの」

加菜子は乾いた声で言った。そう言えば、なぎさたちは大きなダブルベッドに寝ているのだと気づいて、康郎は苦笑した。幼い加菜子が「パパはママとだっこしてねている」と言った言葉に、勝手な推量をしたことが、自分でもおかしかった。加菜子には、人形を抱いて寝るのと同じ気持ちなのだと、康郎は思いなおした。

「あのね、加菜子、ママにもう起きなさいと言っておいで」

言った時に、不意に加菜子からなぎさの声に変わった。

「もしもし……あら、お父さん？　珍しいわね、朝早くから」

眠そうな声だった。

「朝早くからはご挨拶だな。もう十時半じゃないか」

「え？　十時半？　ほんと。でもね、眠ったのが今朝五時なのよ」

「五時？　どうせまたマージャンだろう」

「そうよ、テツマンよ。わたしちょっと儲《もう》けちゃった」

「徹夜して三千や五千儲けたって、仕方ないじゃないか。どうもなぎさの生活は感心しないな」

「あらいやだ。今時の若い者が、テツマンもしないなんて言ったら、それこそ気味が悪いわ。なんならお父さん調べてごらんなさい。昨夜旭川でテツマンをした者がどの位いるか。わたしたちの年代なら、七割や八割やってるわ。昨夜は土曜日なのよ」

「困ったものだな、なぎさにも」

「あら、でも、覚醒剤はまだやってはいないわよ。そろそろ試してみようとは思ってるけど」

「おい！　なぎさ！　覚醒剤はいかん、覚醒剤は」

　なぎさの笑う声が長々とひびいて、

「世話が焼けるわね、お父さんも。今のは冗談よと、一々言わなければ冗談もわからないんだから」

「つまらん冗談はやめなさい」

「それよりお父さん、何の用なの、朝から」

「先ず加菜子に朝飯を食べさせなさい」

「あら、内政干渉？　それから？」

　なぎさはさらりと体をかわした。

「実はね、お前たちと桜でも見に行こうかと思ってね」

「ああ、わかった。お母さんが札幌に行ったから、夕起子さんをつれてってあげたいのね」

「…………」

「でも、夕起子さんと二人で行くのは、何となく妙な心地なんでしょう。それでわたしたちをダシにするというわけ。ね、そうでしょう」

　なぎさは頭の回転が早い。康郎には苦手な娘だった。

「ま、何とでも言いなさい。とにかく、今日あたり桜が満開だろうと思ってね」

「お花見か。陳腐なことが好きなのね、お父さんも」

「陳腐かね。年々歳々花また同じでもね、歳々年々人同じからず、と言うじゃないか。花見が陳腐になるかならないかは、その人の心次第だな」

「なるほどね、来年の今頃は、お父さんがあの世に行ってるかも知れないし、わたしがお先に失礼しているかも知れないわね。一期一会の花見と行きましょうか」

「なぎさ！」

「ほら、また本気にする。ジンギスカン鍋はわたしが用意して行くわ。おにぎりだけ作って来てって、夕起子さんに言っておいて。そして、ハイヤーで迎えに来てね。お酒を飲むから、わたしも兼介も運転はしないわよ」

電話を切ってから、康郎は妙に不安な思いに襲われた。なぎさと言葉を交わすと、いつもどきりとするような思いをさせられる。それが今日は、なぜか特にこたえた。富久江が札幌に行っているためかも知れなかった。来年の今頃は、確かに誰かが一人欠けていそうな、いやな気持ちだった。

今、なぎさが、花見を陳腐だとくり返したので、今朝の電話を思い出して、康郎の心はかげった。

「そうかね。旭川に大雪山は陳腐かね」

「陳腐よ。旭川と原発なんて言うのと、ちょっとちがうわ」

兼介は康郎の顔を見て苦笑したが、

「なぎさ、大雪山は絵になる山だよ。どこから見てもね。絵になる存在はね、これは永久に陳腐にはならないんだな」

「あらそうかしら。絵に描かれる回数の多いものほど、陳腐だとわたしは思うのよ。富士山を見てごらんなさい。わたし富士の絵を見て、心を突き動かされたことなんか、ないわ。ね、夕起子さん」

加菜子のために、にぎり飯を二つに分けたり、加菜子の好きな物を鍋の上から取ってやったり、加菜子のために何くれとなく面倒を見ていた夕起子が顔を上げて、

「わたし、むずかしいこと、何もわからないのよ。富士山も大雪山も好きですけど」

と、にっこり笑った。兼介が、

「夕起子さんは素直でいい」

と、やさしく夕起子を見た。

「お父さん、兼介の今の言葉に怒らないの。夕起子さんが素直でいいと言うのは、なぎさはしょうのない女だと言ってることなのよ。あなたの娘は、しょうのない女だと、こきおろしていることとなのよ」

言いながら、なぎさが康郎のコップにビールを注いだ。康郎と兼介が声を上げて笑った。加菜子までが笑った。が、夕起子はうつ向いて困った顔をした。

「それはそうと、この公園はなかなかいいですね」

あぐらをかいていた兼介が片膝を立てて、光にけぶる木立を見渡した。釧路に育ち、札幌の大学に学んだ兼介は、この公園に来たのは初めてのようだった。

「ああ、なかなかいいね。特にここの木立がいい」

と、康郎は芽吹き始めた木々の枝に目をやった。

「あの丘のすぐ下には、水芭蕉《みずばしょう》まで咲いていますしね」

兼介は立て膝をしたまま、丘の下を指さした。そんな姿も、ものの言いようも、どこか野性的な男を感じさせた。なぎさのような激しい気性の女が、なぜこのような男っぽい男に惹《ひ》かれたのかと、改めて康郎は思いながら、

「水芭蕉というのは、妙に心に沁《し》みる花だね。あの青みを帯びた白さのせいかね」

と、相槌を打った。

「この公園は、わたしたち幼稚園の頃から、少しも変わっていませんわ」

夕起子が誰にともなく言った。

「ほう、そうですか。それはいい」

兼介が大きくうなずいた。

「母も言ってますけど、神楽岡は母の小学校時代からおんなじですって、只、木が太くなり、伸びたりはしていても、ほとんど風情は変わっていませんて」

「夕起ちゃんのお母さんはそろそろ六十だったかね。すると、五十年近くこの公園は変わらないというわけか。五十年経って訪ねて行って、少しも変わらないというのは、うれしいことだね」

康郎はうなずいた。

「そうですよ、お父さん。こっちのほうで懐かしがって訪ねて行っても、昔遊んだ野っ原にビルが建っているなんて、全く味気ない。ところでこの、神楽岡の森は、どのぐらいの広さなんですか」

「確か、五十ヘクタールはあるって聞いたわよ」

なぎさは数字に強かった。

「へえー、五十ヘクタールか。街の中からこの丘の森を抜ける時はねえ、どんな山の奥に行くのかと思うほどだよ。それが、突き抜けると、また新しい街がある。街の中にこんな大きな森があるというのは、大したもんだね」

「うん。そうだね。この緑だけはぜひ残しておいて欲しいものだね。パリのブローニュの森のようにね」

「それにはわたしも素直に賛成するわ。ね、夕起子さん」

なぎさが夕起子のコップにサイダーを注いでやった。

「あら、すみません」

夕起子がビールをなぎさに注いだ。

「話は変わりますがね、お父さん。この間生徒たちに明治維新の話をしたんですが、もし幕末に生きていたとしたら、自分は開国側についたか、尊皇攘夷《そんのうじょうい》側についたかと思いましてね」

「なるほど。わたしは多分尊皇はともかく、攘夷の側についたかも知れないね。見たこともない外国というものに、只怯《おび》えてね。兼介君なら、ためらわずに開国というところだろうがね」

「いやいや、それほどぼくは先を読める人間じゃありませんよ。やっぱり、攘夷党だったでしょうね」

「そうかね、君も攘夷派かね」

「お父さん、兼介にはまだその先があるの」

「その先？」

「そうよ。兼介はね、自分が先を読める人間だったら、こんな女など、女房にしなかったって、言いたいのよ。それが兼介のおちよ」

なぎさがにやにやした。夕起子が加菜子にねだられて、川のほうに立って行った。と、なぎさがその二人を見送りながら、

「お父さん、お母さんが言ってたでしょ」

と尋ねた。

「何をだい」

「ニュー北海ホテルの前から、お父さん女の人と車に乗ったでしょ」

松村秋子のことだとすぐに気づいたが、康郎はとぼけて見せた。

「ニュー北海ホテルから？」

「ほら、天皇誕生日の日よ」

「ああ、講演会に行った日だね」

「わたしお母さんに言ったのよ。お父さんだってもてるタイプだから、気をつけなさいって。お母さん何も言わなかった？」

「ああ、何も言わないね」

「あら！　言わなかった？　どうしてかしら」

「気にもとめていなかったんだろう」

「お父さん、意外と、気にとめたから言わないということもあるのよ。女にはね」

兼介は二人の話を聞かないような顔で、ビールを飲んでいた。

芽吹き

ブザー

ブザー

一

富久江を乗せた寛の車が見えなくなると、夕起子は玄関に入って錠をおろした。

「忘れずに鍵をかけてくださいよ。この頃は物騒なんですから」

富久江が念を押すように言った言葉を、夕起子は素直に守ったのである。が、あけ放ったテラスを見て、夕起子は思わず微笑した。庭に面したテラスはあけ放っておきながら、玄関の錠だけは日中でもおろす。そのあり方に、夕起子は富久江の稚《いとけな》さを感じていた。

夕起子はサンダルを履いて庭に出た。

(おなかが痛いって……食当たりかしら)

急に腹痛を起こしたので、すぐ来てほしいとなぎさが電話をよこした。

「また、アイスクリームか何かの食べ過ぎでしょう。おなかをあたためて寝ていればなおるわよ」

口ではそう言ったものの、富久江は寛の車であわてて出かけて行った。

夕起子はふくらみかけた芍薬《しゃくやく》の赤い蕾《つぼみ》にかがみ込みながら、なぎさを羨《うらや》ましいと思った。

なぎさは、夫の佐山兼介と、娘の加菜子との三人暮らしである。舅《しゅうと》や姑への気兼ねもなく、いつでも実家の母を呼びつけたり、自由に訪ねて来たりする。

しかし夕起子にはその真似はできなかった。親を家に呼ぶのはむろんのこと、実家に電話をかけることさえ、富久江の目を憚《はばか》らなければならない。誰もいない時に急いでかけるか、勤め先の電話を使うか、いずれにしても、罪を犯すような思いで実家と関わっている。

一ヵ月程前のことだった。

「わたし、もう一人子供をつくろうかな」

と、なぎさがにやにやして、

「夕起子さんはまだ子供をつくらないの」

と尋ねた。夕起子は高原教授から、結婚後三年は勤めてほしいと言われていた。だから、子を産むのは三年後と決めていた。それだけに、もう一人産もうかと言ったなぎさの自由さが、夕起子には羨ましかった。

ライラックの紫が、夕色の中に気品を見せて匂っている。今、夕起子は、この家に一人だった。舅の康郎は、研究室にいる筈だった。昼食の時、大学の食堂で、今日は少し遅くなると言っていた。一人の時が滅多に与えられない夕起子にとっては、正に価千金のひと時であった。

(もうじき夏至《げし》だわ)

まだ明るい空を夕起子は見上げた。庭の片隅に夕色は漂っていても、北国の六月の空は明るい。八時過ぎまで空は暮れ残っている。そして午前三時には、もう夜は明ける。夜の短いこの季節が、夕起子はもっとも好きであった。

垣根に近くアヤメが咲いており、黒味を帯びた庭石の前には、白い牡丹《ぼたん》が二つ見事に咲いている。夕起子は胸一杯に息を吸った。実家の庭にも、白い牡丹が咲いている筈だ。元営林署長だった夕起子の父は庭の手入れが好きで、木材会社の社長になった今は、朝に夕に庭の手入れを怠らない。まだ年数の経たないこの邦越家の庭とはちがって、夕起子の実家の庭は庭木も花も比較にならない。比較するつもりはなくても、夕起子はつい実家の庭を思い出す。

（そうだわ。お母さんに電話をしてみようかしら）

しばらく庭にいた夕起子は、思い立って家に入り、電灯のスイッチを入れた。途端に電話のベルが鳴った。

（まあ！　電話のスイッチを入れたみたい）

微笑しながら夕起子は受話器を取った。富久江の声だった。

「もしもし、夕起子さん。ちょっとメモをして」

急《せ》き立てるような富久江の語調に、只ならぬものを感じて、夕起子は電話台の鉛筆を握った。

「ハイ、どうぞ」

「兼介さんの、今日泊まる熱海《あたみ》の宿の電話番号よ」

「あの……もしかしたらなぎささんに何か……」

「そうなのよ。まだはっきりわからないけど、只の腹痛じゃないのよ。今、山部産婦人科に来ているの。すぐに手術らしいのよ。兼介さんは昨日で研修会が終わっている筈だから、悪いけどすぐに帰るように連絡して。こっち赤電話だから」

いつもの富久江の語調ではない。

「わかりました。で、あのう……お父さんには」

「あ、お父さんにも一応電話しておいてちょうだい」

電話が切れた。

(流産かしら?)

流産ならば、手術の必要はない。

(もしかしたら……)

一命に関わるという「子宮外妊娠」を夕起子は思った。子宮外妊娠で、夕起子の実家の近所の若い主婦が、去年死んでいる。その日はちょうど日曜日で、夕起子は午前中に、その主婦とスーパーマーケットで顔を合わせていた。それが夕刻には死んでいた。子宮外妊娠の恐ろしさは、その時夕起子の胸に刻みこまれた。

夕起子は体のふるえるような思いで、兼介の宿のダイヤルをまわした。兼介は社会科の研修で東京に出張していた。研修は昨日で終わった筈であった。今日の土曜は熱海に一泊の予定だった。今連絡を取れば、明日の一便で羽田を発ってくることができる。コールサインが少し長くつづいて若い男の声がした。交換手もいない小さな宿らしい。佐山兼介の名を告げると、

「あ、佐山様でいらっしゃいますか」

と、妙に機嫌のいい声で、

「只今夕食を終えられて奥さまと街にお出かけになりました」

(奥さま!?)

夕起子は耳を疑った。

「多分十時頃にはお帰りになると思いますが」

相手は、夕起子の驚きに気づかぬようであった。夕起子は、電話番号を伝え、帰り次第電話をするようにとの伝言を頼み、受話器を置いた。

しばらくの間夕起子はその受話器から手を離すことができなかった。

（奥さまとご一緒に！）

電話の男は、佐山兼介と、そしてもう一人の女を、夫婦と信じて疑ってはいないようである。

（あの兼介さんが……）

兼介はかげりのない男らしい男だと、今の今まで思っていた。磊落《らいらく》な笑い声が明朗な人間性をそのまま表していると思っていた。その兼介に女がいた。一夜だけの遊びの相手であれば、夫婦という雰囲気は出ない筈だ。

（それとも……）

行《ゆ》きずりの間であっても、男と女というものは何年もつれ添った夫婦のような雰囲気を持つことができるのか。

（もしかしたら、寛も……）

出張の多い寛を思って、夕起子は恐ろしい気がした。が、はっとして、夕起子は大学に電話をかけた。康郎の声を一刻も早く聞きたい思いだった。

しかし、康郎はいなかった。今、帰途についているのかと、夕起子は受話器を置いた。いつの間にか、外は暮れていて、向かいの家の門灯が眩《まばゆ》いばかりに明るかった。

立ち上がった夕起子は、テラスのガラス戸を閉め、厚手のカーテンを引いた。不意に夕起子は孤独を感じた。と、猫のドミーがソファに座りこんだ夕起子の膝の上に、ひっそりと上がって、一声鳴いた。

「ドミー、いてくれたのね」

夕起子はドミーを胸に抱いた。ドミーが再び鳴いた。

「わかる？　わたしの気持ちがわかる？　ドミー」

ドミーは鼻を鳴らして、夕起子の顔を見守った。

「なぎささんがね、おなかが痛いのよ。手術するのよ」

子宮外妊娠なら、手術室に入っている筈だ。ふだんは自分勝手ななぎさだが、しかし夕起子はなぎさを嫌いではなかった。底意のないものの言い方が、夕起子をかえって気楽にさせていた。

「ドミー、ちょっと待って。大学にもう一度電話をしてみるわ」

ソファの上にドミーを置いて、夕起子は守衛室に電話をした。

「ああ、邦越先生ね。先生は確か二時間くらい前に帰りましたよ」

顔見知りの守衛が事もなげに言った。

（二時間も前に!?）

夕起子は複雑な思いで礼を言った。守衛の受話器を置く音を聞いても、夕起子はまだ受話器を耳に当てていた。康郎は確かに、調べ物があるから今日は遅くなると言った筈だった。夕起子は、電話が切れていることに気づいて、のろのろと受話器を置いた。

不意に、野中で、四囲《しい》に風のざわめきを聞いたような不安が、夕起子を襲った。突然のなぎさの手術と言い、佐山兼介の行為と言い、康郎の不在と言い、すべてが夕起子の不安をかき立てた。

（いったい、どうしたらいいのかしら）

夕起子は先程聞いたなぎさのいる病院に、ひと先《ま》ず電話をかけなければならないと思った。が、それがひどく苦痛だった。

夕起子は、病院の電話を一度かけちがって、再びかけた。夕起子は寛を呼び出した。が、寛が出ずに富久江が出た。

「あの、夕起子ですけど、なぎさささんはいかがですか」

「やっぱりね、子宮外妊娠だったのよ。危なかったわ」

「まあ！　子宮外妊娠！　それは大変ね、お母さん」

「でもね、夕起子さん。なぎさは運がいいんですよ。土曜日だというのに、先生がいてくださってね。しかもすぐご近所でしょ。今、手術室に入ってるわ。もう大丈夫だと思うけど、輸血しなくちゃならないし、大変なのよ」

「まあ！　輸血！」

「で、兼介さんに連絡が取れた？」

「それが……」

用意していた言葉が、なめらかに出なかった。

「それが？　それがってどうしたの。留守だったの？」

「ええ、街にお出かけになっていて、十時か十一時でないとお帰りにならないんですって」

「仲間同士の旅行だからねえ。……女房が病気だって言うのに、のんきな話だわねえ」

「申し訳ありません」

「あら、あんたがあやまることはないわよ。いやな人」

最初の電話より、富久江はかなり落ち着いていた。

「あのう……それから、お父さんは急に、ほかの先生がたと、何かお仕事でお出かけになったようなんですけど」

「まあ！　お父さんまで？　これだから男はいやになるわ」

「いいえ、お父さんはお仕事だと思います」

「何もかばわなくていいわよ。ま、手術さえすれば、なぎさの命には別条がなさそうだから……。夕起子さん、わたしほんとになぎさが死ぬかと思ったのよ」

富久江は、なぎさが助かったということで、寛大になっていた。

「あの、加菜子ちゃんは、お夕食終わってるんでしょうか」

「それでね、寛が近くのラーメン屋につれて行ったわよ。しばらく加菜子は、うちに預かりますからね」

「はい、そのつもりでおりますけど。お母さんは……」

「仕方がないわ。わたし付き添わなくちゃ。わたしの着替えや布団を、寛に持たせてくれない。詳しくは寛に言ってありますからね」

受話器を置いて、夕起子は少し自分を取り戻した。することの多いのが救いだった。夕起子は洗面道具の用意から、手をつけ始めた。と、不意に、いつか聞いたなぎさの言葉を思い出した。康郎がニュー北海ホテルの前で、和服姿の美しい女性と一緒に車に乗ったという話である。夕起子は富久江の洗面道具を持ったまま、部屋の中に立ちすくんだ。

二

邦越康郎は、高原教授と酒房「あつ」の前で別れた。活きのよいソイの刺し身も、おでんもうまかった。銚子二本で、康郎はほどよく酔っていた。

実のところ、今日は研究室で本を読む予定であった。が、六時頃高原教授から電話がかかってきた。

「今夜久しぶりにどうですか」

高原教授の体があいている時と、康郎が時間に余裕のある時とは、滅多に一致しない。

「ああ、いいですね」

夕起子には、仕事で遅くなると、昼のうちに言ってある。本を読むのは、必ずしも今日でなければならぬことはない。高原教授の誘いに康郎は応じた。

同じ大学でも、臨床医学の教授である高原芳明と、歴史の教授である康郎とは、研究室の階がちがっていて、顔を合わせることが稀《まれ》であった。廊下ですれちがうこともほとんどない。今夕、康郎は、高原教授のゴルフの話や、学生時代の話などを聞いているだけだったが、それでも友人同士で酌《く》みかわす酒は楽しかった。高原教授に世話をしてもらった夕起子の性質のよさも、別れる間際に康郎はほめて、気持ちのよいひと時だった。

去って行く高原の、少し丸くなった背を康郎は見送っていたが、人群れの中に高原教授の姿が消えた時自分の立っている地点がどこであるか、わからなかった。酒のせいでも、齢のせいでもない。若い頃から康郎には方向音痴のところがあった。学生時代、映画館を出て、帰る方向とは逆の方向に歩き出したことがよくあった。

苦笑しながら康郎は、赤や青のネオンの点滅する看板を見上げた。が、旭川に移って来て日の浅い上に、飲み歩くことの少ない康郎は、盛り場の地理に不案内だった。康郎は、ネオンの看板から目を上げて、暗い空を見上げた。星がいくつかまたたいていた。それを見ながら、なぜか康郎はふっと孤独を感じた。何の脈絡もなく、若い日に戦艦の上で見た夜空を思い出した。海のまっ只中には、ネオンサインの看板など、ある筈はない。只々暗い空がひろがっていた。そこに光る星は、ひどく康郎の心に圧《お》し迫るものがあった。

康郎は、高原の去った方向とは反対のほうに歩き出した。と、傍らの小路に、「食事の店まつむら」という軒灯《けんとう》のあるのが目に入った。康郎は、はっとしてその軒灯に目をとめた。確かに松村秋子の店の名の筈であった。

康郎の胸がとどろいた。それは、秋子に対する感情の故ではない。緋紗子につながる思い出の故であった。自分の講演を聞きに来てくれた秋子の店に、すぐにも返礼に訪ねたいと思っていた。形式だけの仲人とはいえ、隣人として尽くしてくれた松村秋子への、それは当然の礼儀でもあった。にもかかわらず、康郎は今日まで電話すらかけていなかった。決して忘れていたわけではない。むしろ、絶えず心にかかっていたことであった。

康郎は、「食事の店まつむら」と筆太に書かれた白い軒灯を見つめながら、逡巡《しゅんじゅん》した。秋子を訪ねることは、緋紗子の思い出を訪ねることであった。少したためらってから、康郎は思い切って狭い小路に足を踏み入れた。店に入ろうとすると中から、若い男が二、三人、元気な笑い声と共に出て来た。客種は悪くはなさそうであった。白く染め抜かれたのれんをくぐって、康郎は店の中に入った。

「いらっしゃいませ」

気持ちの良い男女の声が二つ三つ同時に飛んだ。が、その中に秋子はいなかった。奥行きの深い店で、左手のカウンターには、七、八人の男たちが座っていた。それでも椅子はまだ三つ空いていた。右手に小上がりが五つ程あって、どの部屋の前にも男や女の靴がひしめくように並んでいた。従業員たちは、それぞれ小ざっぱりした白い半纏《はんてん》を着、健康な雰囲気であった。カウンターの前に腰をおろし、オンザロックを頼んだ時だった。

「あら！　いらっしゃいませ」

驚く声がして、秋子が調理場の奥から姿を見せた。

「いやあ、その節はどうも」

康郎は思わず首をなでた。と咄嗟《とっさ》に秋子が言った。

「邦越先生、お約束の部屋、取ってございます」

康郎は秋子の意を察して、

「それはありがとう」

と立ち上がった。

「十一番にご案内」

秋子の涼しい声が店の中にひびいた。

通された部屋は、二階の一番奥にある四畳半の部屋だった。置き床の水盤にアヤメがすっきりと活けられてあった。

「まあ、本当によくお出でくださいましたわね。あれ以来、今日か、明日かとお待ちしてましたのよ」

氷とウイスキーを盆に載せて入って来た秋子がそう言いながら座って、両手をぴたりと畳につき、

「先日は失礼いたしました」

と折り目正しく礼をした。

「いやいや、こちらこそ」

康郎も改まって頭を下げた。

「お出でくださらないのかと、諦めかけておりましたのよ」

「いやあ、そんな……」

言いかけて康郎は、講演の日から一ヵ月半経っていることに気づいた。

「ふしぎですわ」

秋子はまじまじと康郎の顔を見つめながら言った。

「邦越さんのお顔を見ていたら、たちまち三十年前に戻ってしまったような気がするんですもの」

「わたしも今それを言おうとしたところですよ。まるでタイムマシンのようですね」

「ほんとうに」

二人はお互いにお互いを見た。康郎は視線を外すと、造作のいい部屋を見まわしながら、

「それはそうと、よくこんな立派なお店を……。偉いですねえ」

女手ひとつで、と言おうとして、康郎はその言葉をのみこんだ。ずっと独身で来たと聞いてはいたが、どんな道筋を通ってこの店を築き上げたか、わからないことであった。が、秋子は、

「息子がいたからでしょうね。女って、子供がいると、本当に強くなれるものですのね。子供がわたしを支えてくれたのですわ」

「女性のほうがその点偉いですね。いや、女性の中でも、奥さんのような人は珍しいと思いますよ」

　昔呼んでいたように、康郎は秋子を「奥さん」と呼んで、コップに口をつけた。

「あら、店で奥さんなんて呼ばれるの……珍しいことですわ。いつもママとか、おかみとか、言われてばかり……」

「失礼。つい昔の癖が出て」

「いいえ、たまには奥さんと呼ばれるのも、悪くはありませんわ」

　運ばれてきた毛蟹《けがに》の身を、細いフォークで器用に引き出しながら、秋子はにっこり笑った。

　話はしばらく江田島当時に移り、やがて秋子は言った。

「わたしやっぱり、今でも松村の妻だと思っていますのよ。わたしの目の前で、松村の乗っていた軍艦が沈没したんですもの。二十のわたしには、あの榛名の沈没は、言葉に表せない大きなショックでしたわ。自分の夫の乗っている船が目の前で沈むのよ。それを、沈み終わるまで、松の木にしがみついて泣きながら見つめている。駆け出して行くこともできない。助け出すこともできない。戦争って……もういや、いやよ邦越さん」

康郎は深くうなずいた。その秋子の傍で、緋紗子も軍艦榛名の沈没を見つめていた筈だった。砲台長である康郎は、あの日陸上にあって、死をまぬがれたのであった。

「ねえ、どうして松村たちは軍艦と運命を共にしなければならなかったんでしょう」

康郎は、半分になったウイスキーを手に持ったまま、自分が責められているような気がした。

「全くですねえ。残酷なことです」

「そうよ。海の真っ只中ならともかく、榛名は岸壁に横になっていたのよ。どうして艦だけ沈んじゃいけないの。なぜ、人も一緒に死ななければいけないの。それがわからぬうちはわたし、松村以外の人と結婚する気にはなれませんの」

康郎は、空が暗くなる程の、あの日の空襲を思い浮かべた。あの日のあと、緋紗子もくり返し言っていた。

「わたし、日本の滅びを見たのよ。そして胸がずたずたに切り裂かれたのよ。人がたくさん死んだのよ。わたしの目の前で。ね、この戦争を起こしたのは、一体誰なの。ね、誰なの」

あの日から緋紗子は、無気力になっていったような気がする。そして、美しいものが見たいと、うわごとのように言い始めた。その美しいもの、夜光虫を見に行って、その船が機雷に触れて緋紗子は死んだ。

「どうぞ、召し上がれ。こんな話をして、お酒まずくなるかしら。でもね、あの日のことを記憶している者が思い出してあげなければ、誰が思い出してあげることができるでしょう」

　秋子は目頭をおさえたまま、

「わたし、本当に緋紗子さんて好きな方でしたわ。空き家のように、ほんとうに何もないお家の中で、とても意欲的に生きてらしたわ。誰にでも力を与えることのできるような、そんな方でしたわね」

「しかしね、奥さん。緋紗子がそうだったのは、あの空襲の日までですよ。あの頃の日本人の誰もが、戦争に勝つと思っていた。若い緋紗子も、無邪気にそれを信じていました。けれども、その後の緋紗子を奥さんはご存じないでしょう。緋紗子はあの空襲の日に死んだも同じです」

　秋子は深くうなずいた。

（あの日……）

　緋紗子の死んだ八月十四日を思い出しながら、康郎は秋子の取り分けてくれた毛蟹を口に運んだ。当時江田島では米は一粒も手に入らなかった。しかし軍隊では麦飯の食事が出た。その与えられた麦飯の半分を残して、時折康郎は緋紗子に届けた。あの八月十四日の夕べも、康郎は麦飯を家に届けた。小さな鰯《いわし》が二匹と、二切れの沢庵《たくあん》漬けがお菜《かず》だった。その鰯一匹と沢庵漬け一切れと、麦飯半分とを残して、康郎は家に届けた。が、緋紗子は家にいなかった。軍務に忙しい康郎は、麦飯の入った飯盒《はんごう》を玄関の敷台に置いて、急いで砲台に戻った。が、あの飯は、遂に緋紗子の口に入ることがなかった。

「ね、邦越さん。わたし、何だか、あなたが今でも緋紗子さんと住んでいらっしゃるような気がするわ。緋紗子さんと只二人で」

康郎はちょっと黙ってから言った。

「緋紗子との生活は、もう前世のことと思っています。今は、富久江という、気のいい女房と、寛という、やや無鉄砲な息子と、なぎさという手のつけられない娘と、それが今のわたしの生活です」

「それでいいのよ。それでわたしも安心ですわ。でもね、わたしには、邦越さんと緋紗子さんを分けては考えられませんの」

「……ああ、言い忘れましたがね。息子の嫁が夕起子というんですがね。この娘の声が、恐ろしい程緋紗子に似てるんです」

「まあ！　それは……複雑なお気持ちね」

秋子はまっすぐに康郎を見た。康郎はその視線を受けとめかねて、

「ちょっと電話貸してください」

と立ち上がった。

「あ、部屋の前に電話がありますわ。まさか、もうお車をお呼びではないでしょうね」

見上げる秋子に、

「少し遅くなると、家に電話を入れようと思いましてね」

と、康郎は廊下に出た。

三

「やあ、参った参った」

　ぐったりと腕の中に眠りこんでいる加菜子を、ソファの上に寝かせながら、夫の寛が言った。

「で、なぎささんはどうなの」

「もう大丈夫だ。すっかり驚かされたけどね」

　寛は、用意してあった富久江の布団や着替えや洗面道具などを車に運びこむと、夕起子の頬を運転席から手を伸ばしてちょいと突ついた。夕起子の頬を突つくことによって、夕起子の労を寛なりにねぎらったのだ。

「あの……」

　夕起子が言いよどんだ。夜と言っても、まだ九時半を過ぎたばかりだが、この辺りは深夜のように静まりかえっている。人声もなく、通る車もない。蛙の声が聞こえるばかりだ。

「あの？　何だい？」

「ううん、何でもないの。寛さん、あなた何時頃お帰りになる？」

なぎさの夫佐山兼介のことを言おうとして、夕起子は言葉をのみこんだ。言うには時がある。が、夕起子はたった今言いたかった。妻のなぎさが子宮外妊娠で手術台に臥《ふ》せっている時、その夫兼介がどこかの女と、熱海の夜を楽しんでいるのだ。若い夕起子は許せない気がした。

「今夜はおふくろさんと交替でついていなければならんかも知れんな」

言いよどんだ夕起子の胸の裡《うち》には気づかずに、寛はもう一度手を伸ばして、今度は夕起子のあごをなで、ギアを入れた。

寛の車が暗い夜道に、赤い尾灯を見せ、百メートル程の先を曲がって消えるまで、夕起子は家の前に立って見送っていた。何かひどく心ぼそかった。

部屋に戻った夕起子は、ひと先ずソファの上に寝かされていた加菜子の傍に寄って行った。唇の端を少し汚して、加菜子は口をかすかにあけ、無心に眠っていた。

(加菜子ちゃん、かわいそうね)

夕起子はそっと加菜子の頭をなでた。加菜子の髪が柔らかくあかかった。夕起子は本当に加菜子が哀れだと思った。たった今母親は、病院にあり、父親は妻のことも子供のことも忘れて、他の女と自分一人の楽しみにふけっている。それは一夜の遊びかも知れない。が、もしかすると、もう長いつきあいの相手かも知れないのだ。そしてある日、その女に子供が出来、兼介が気の強いなぎさに飽き、幼い加菜子も共に捨てて、その女のもとに去って行くかも知れないのだ。夕起子は何となく、その女はなぎさとは反対に、兼介の言いなりになる女のような気がした。

(大丈夫、そんなことにはならないわね)

夕起子はそっと加菜子を抱き上げて、自分たちの寝室に運んで行った。眠っている加菜子の体が今日はひどく重く感じられた。

(この加菜子ちゃんができたのは……)

確かなぎさが結婚する前だった。なぎさは兼介の激しい情熱にまきこまれるように、この加菜子を妊《みごも》ったにちがいない。

(でも……人間の愛なんて、いつまでも変わらないというわけにはいかないいんだわ)

夕起子はやりきれない気がした。寛と結婚して、まだ一年と経たない夕起子には、今の寛の愛に不足はなかった。だがそれだけに、兼介の裏切りはひどく身にこたえた。なぎさは少々気が強いとはいえ、よそ目には兼介との仲も睦《むつ》まじかった。

(おやすみ、加菜子ちゃん)

スモール・ライトに切り替えながら、夕起子は加菜子のために、先程の電話が、何かのまちがいであってほしいと、ねがわずにはいられなかった。

居間に戻って、夕起子は受話器を取った。なぎさの入院を、実家に知らせておかなければならないと思った。ダイヤルをまわすと、珍しく父が出た。

「何だ、夕起子か。元気かね」

柔和な父の声が、夕起子を包みこむようであった。

「元気よ。お父さんは？」

「ああ、お父さんもお母さんも元気だ」

「そう。今、テレビを見ていたの？」

「いや、詰め将棋を考えていた」

父の望月由夫は将棋三段の腕前である。

「あら、ごめんなさい」

夕起子も父に習って、駒の動かし方ぐらいは覚えている。だが、この家に来てからは駒にさわったこともない。寛と舅の康郎がたまに指すのを、さりげなく眺めているだけだった。

「いや、将棋よりお前の声を聞くほうが楽しいよ。何か用事だったかね」

「ええ、あの……なぎささんがね。子宮外妊娠で、今夜手術したのよ」

「何!?　手術？　そりゃ大変じゃないか」

「でも、無事に手術が終わったから、大丈夫なんですって」

「大丈夫なんですってなんて、まだお前、病院に行ってないのか」

「だって、加菜子ちゃんを預かってるし、こちらのお父さんはまだお帰りにならないし……」

夕起子はあいまいな語調になった。舅の康郎が研究室にいる筈なのに、三時間も前に大学を出ているとは言えなかったし、熱海にいるなぎさの夫兼介への電話の件も、語れることではなかった。

「お母さん、お母さん。夕起子から電話だよ」

母を呼び立てる大きな声が、受話器にひびいた。婚家に関わる一大事を、己がこととして、律儀に受けとめている父親の声であった。

「今、お母さんが出るからね」

「お母さん、おふろか、おトイレ?」

「ふろだよ」

「あら、それなら後でかけるわ」

「いや、出て来たよ」

言うまもなく、母の声に変わった。

「なぎささんが、手術なさったって?」

ブザー

「ええ、でもお母さん、おふろに入っててていいのよ。裸でしょ」

「大丈夫よ。大事なところには、ちゃんとバスタオルを巻いてますからね。そんなことより、大変じゃないの。子宮外妊娠ですって?」

「そうなの。すごく急なのね」

「で、どこの病院? 母さん明日すぐにお見舞いに伺うわ」

「大正橋のすぐ傍の山部産婦人科よ。なぎささんの家のすぐ近くなの」

「ああ山部病院。あそこは評判がいいから、きっと大丈夫だわ。うちの近所でも、子宮外妊娠で死んだ人いるでしょ。夕起ちゃん覚えてる?」

「うん、覚えてる。わたしも、あの人のことすぐに思い出したのよ。……ねえ、お母さん、なぎささんのご主人がねえ……」

夕起子は母にだけは兼介の不行跡を言っておきたいような気がした。

「なぎささんのご主人がどうしたの?」

「お母さん、何か着てる?」

「着てますよ。お父さんがかけてくれましたよ。で、ご主人がどうかしたの」

「旭川にいないのよ、今。研修で」

夕起子はやはり、母にではあっても、口に出して兼介のことを告げることはできなかった。

「それは大変ねえ。でも、手術がうまくいけば、大事に至らないから……。ところで、あんたはまだ出来ないの?」

「お母さんったら……三年間は高原教授の所で働く約束でしょ」

「でも、子供を産むなら若い時ですよ。約束だったけど、出来てしまいましたと言えばいいでしょ。まさか高原先生怒りはしませんよ」

それもそうだと、夕起子は苦笑した。

電話を切ってから、夕起子はしかし、今、子供を産みたいとは思わなかった。子供を産むということは、その子の一生の責任を持つことであった。万一、自分が子供を産んだあと、寛の不貞に遭ったとしたら、果たしてそれに耐えて行けるかどうか、自信がなかった。どうしても寛を許せずに別れるような事態になった場合、子供は一体どうなるだろう。兼介のことを知った今、考えるだけで恐ろしい気がした。

(もし、なぎささんが、今夜の兼介さんのことを知ったとしたら……)

なぎさは決して許すまいと、夕起子は思う。すると加菜子は、どちらに引きとられるにしても父か母か、その何れかを失うことになる。

(恐ろしいことだわ)

寛という人間を、しっかりと見極めた上でなければ、子供を産んではならないような気がした。寛と自分の生活は、まだ小犬がじゃれ合っているような、体のふれあいの生活でしかない。ゆっくりと何かについて話し合うということなど、結婚以来今まで、まだ一度もなかったような気がする。出張の多いせいもあって、夜毎に求められ、激しく愛撫されているだけの生活とも言えた。夕起子は自分でも知らないうちに、自分の心の中に、かすかな隙間がひろがりつつあることに気づいた。

夕起子は時計を見上げた。いつのまにか十時を過ぎている。

(まだ宿に戻らないのかしら)

宿に戻り次第、電話をかけるようにと、熱海の宿に頼んでおいたのだ。兼介のかげりのない、いつも明るい表情を思って、夕起子は人間というものが、わからなくなったような気がした。

(あるいは、何かのまちがいかも知れないわ)

兼介はどう見ても、人にかくれてこそこそと、ことをなす男には思えなかった。いつも堂々としていた。なぎさの激しさをも、がっしりと受けとめている男性に思われた。論理は常に明快であり、彼の思想は社会主義に根ざしていた。

宿のフロントが、兼介と誰かをまちがえて、

「只今、奥さまとご一緒にお出かけになりました」

と、告げたのではないかと思った。夕起子はもう一度熱海に電話をしてみようと思った。が、先程のメモを眺めながら、夕起子はためらった。気が進まなかった。

（帰ったら、連絡してくれる筈だわ）

落ちつきなく夕起子はソファに座った。術後のなぎさの姿が、目に見えるようだった。

（おとうさんも遅いわ）

「ね、ドミー」

ドミーはちょっと尾を動かした。

「ドミー。お前は今夜どこで寝るの。おとうさまと寝るの？　わたしと寝るの？」

ドミーは低く一声鳴いた。

「ドミー、あんただけ覚えていてね。兼介さんがなぎささんを裏切ったらしいのよ」

ドミーは鳴かなかった。と、その時電話のベルが鳴った。夕起子は素早く受話器を取った。

「もしもし邦越様のお宅でしょうか。只今、佐山様がお戻りになりましたので、おつなぎいたします」

先程の変に愛想のいい男の声だった。

「もしもし、なぎさかい」

いつもと変わらぬ兼介の声音であった。

「いいえ、あの、夕起子です」

「ああ、お姉さん。なぎさは？　何か電話をするようにと言われたんですが」

少し酒の入った声であった。

「え、あのう、実はなぎささんが、急に手術をなさって……」

「え!?　手術？　それは一体……」

「子宮外妊娠なんです」

「子宮外妊娠？　何ですか、それ」

「ええ、大変な、恐ろしい病気なんですけど、でも一命は取りとめました」

「一命は取りとめた？　そんな恐ろしい病気なんですか」

「手遅れになると、危険なのよ。で、急ですけど明後日のお帰りを明日にしていただけませんか？」

「明日ねえ」

一呼吸あってから、

「しかし、危険は去ったんでしょう？」

と、気の乗らぬ様子で兼介は言った。

「兼介さん、明日すぐにお帰りになってください。危険が完全に去ったかどうか、わたしにはわからないんです。加菜子ちゃんはわたしが預かっていますす。なぎささんがお待ちになっています。すぐにお帰りください」

夕起子はおのずと切り口上になった。

「わかりました。帰りますよ、お姉さん。しかし、一緒に来た仲間に悪いな。……ま、明日中には帰ります。お父さん、お母さんによろしく言っておいてください」

兼介は電話を切った。夕起子は受話器を戻しながら、確かに兼介の傍らには、誰かのいる気配があったと思った。声は聞こえなくても、兼介の声の中にそれが感じられた。

「しかし、危険は去ったのでしょう?」

兼介の言った言葉を、夕起子は口に出して呟いてみた。この言葉だけで、兼介を許すことは出来ないと思った。

(男って、そんなものかしら)

夫の寛も、もし妻の自分が何かで入院した時、

「しかし、危険は去ったのでしょう」

と、自分の楽しみを優先させるような言葉を吐くのだろうかと思った。

夕起子は、つと立って、病院にいる寛に電話をした。兼介への連絡がついたことを告げるためではあったが、無性に寛の声を聞きたかったからだ。先程会ったばかりなのに、俄《にわか》

に寛が遠くに行ってしまったような不安を感じたのである。

四

邦越康郎は、タクシーの背に深くもたれて、昂《たか》ぶりをおさえるように目をつむっていた。三十年も前に死んだ緋紗子が、松村秋子との話の中で、鮮やかに康郎の胸に甦《よみがえ》ったのだ。

富久江と結婚してから、康郎は緋紗子についてほとんど語らなかった。職場でも、康郎が再婚者であることを知らぬ者が多かった。かなり親しい友人でも、いや、親戚の中にさえ康郎と緋紗子の結婚を知らぬ者があった。緋紗子は、空襲の最中《さなか》を、札幌から広島のすぐ近くの江田島まで、着替えを入れたリュックサック一つを背に、康郎の胸にとびこんで来た。松村秋子夫妻が仲人となり、二人は江田島の海軍官舎で、ささやかな結婚式を挙げ、披露宴をひらいてもらった。そしてその年の八月、緋紗子の乗った船が機雷に触れて、あっけなく死んでしまった。僅か四ヵ月のあまりにも短いこの結婚生活を知る者がなかったのは無理もない。結婚に至るまでの恋愛、そして婚約期間のほうが長かったことになる。

今日はその緋紗子の思い出を、松村秋子と共に思う存分に語ることが出来た。そんな中で、いつしか康郎は、自分が海軍士官の服を着ていた二十代の若さに戻っていた。

秋子と康郎が、寸分たがわず記憶していた緋紗子の言葉があった。それは、軍艦榛名が、目の前で沈むのを見た日から言いつづけた緋紗子の言葉であった。

「ねえ、誰がこんな戦争をしてもいいと許したの。戦争を許す権利が、人間にあるのかしら」

秋子はこの言葉を、榛名の沈むのを共に見た日に聞いたと言った。榛名には秋子の夫が乗っていた。それだけに、秋子には緋紗子のその言葉が胸に刺さって、その後今日まで、幾度思い出したかわからないと秋子は言った。

「軍人の妻であるわたしには、緋紗子さんの言葉が、大胆不敵に聞こえました。もし憲兵《けんぺい》にでも聞かれたら、大変なことですもの。でもね、わたしたちがあの時代にあって、思うことも出来なかったことを、緋紗子さんは口に出すことが出来たのね。時が経つにつれて、緋紗子さんの偉さがわかって来たんです」

「緋紗子って、そんな奴でした。彼女は直感的に、人間にとって一番大事なものは何かを知っていました」

そう答えた時、不覚にも康郎は涙がこぼれた。今も車の中で、康郎はその時のことを思っていた。そして、帰り際に聞いた秋子の言葉が、康郎の胸に重かった。秋子は言った。

「緋紗子さんの赤ちゃんも、一緒に死んだのねえ」

「え!?　緋紗子の赤ん坊が?」

「あら、ごぞんじなかった?　緋紗子さんは妊っていらしたのよ」

昼も夜もほとんど砲台に詰めていた康郎に、緋紗子は告げる機会を失ったのであろうか。康郎は、三十年を経て、初めて緋紗子の妊娠を知った。軍艦榛名が沈んで以来、美しいものを見たいと緋紗子が言い出したのは、胎教のためであったろうか。その美しいもの、夜光虫を見に行って、緋紗子は死んだのだ。

（そうか。緋紗子は、それで美しいものが見たかったのか）

緋紗子の妊っていたのは、男の子だったろうか、女の子だったろうかと、康郎はひどく痛ましい思いがした。

「またいらしてくださいね」

秋子の言葉に深くうなずいて、康郎は店を出て来た。

（富久江が待っているだろうな）

康郎は車に揺られながら、何かうしろめたいような気がした。先程秋子の店で、家に電話をしようと思った。が、話し中で、康郎は秋子の待っている部屋に戻った。

車は、明るい街の中を通り過ぎ、いつしか暗い神楽岡の坂にかかっていた。左手の広大な神社の境内は、自然林の深い森になっていて、森閑としている。まるで山の奥にでも入っていく心地だが数百メートル走って左に折れると、水銀灯の街灯が立ち並ぶニュータウンの通りに出る。車はなおも左手に暗い森を見ながら、しばらく走ってようやく両側に家の並ぶ緑が丘の団地に出た。アパートの高層ビルの灯が近づいて来た。康郎は、毎月十四日には、必ず秋子を訪ねて、緋紗子について語り合ってやりたいと思った。敗戦の前日、八月十四日が緋紗子の命日だからだ。そのぐらいのことをしてやらなければ、余りに緋紗子が哀れに思われた。もし緋紗子の乗った船が機雷にさえ触れなければ、自分と緋紗子は今も共に暮らしている筈なのだ。

（緋紗子との生活……）

それは、活気に満ちた楽しいものであるような気がする。富久江との生活は、康郎には少し退屈であった。心の底で触れ合うような、胸に迫るいとしさを富久江には抱けない。と言って、格別富久江に不満があるわけではなかった。

（何れにせよ……）

やっぱり緋紗子がいとしく思われる。

車は間もなく康郎の家の前にとまった。

「やあ、ありがとう」

康郎は少しチップをはずんで車を出た。そして、はっと息をのんだ。蛙の声が、丘のすぐ下の田んぼから、湧き上がるように聞こえて来た。康郎はふっと斎藤茂吉《さいとうもきち》の短歌を思い出した。

死に近き母に添寝のしんしんと
遠田のかはづ天に聞ゆる

有名な茂吉の歌集『赤光《しゃっこう》』の中にある歌である。

(わが家には、死に近い者はいないが……)

今夜の蛙は、天を圧するような大合唱であった。と、不意にぱたりと蛙の声が途絶えた。が、次の瞬間、再び蛙の声があたりを圧した。康郎は言い難い満足感を持って、玄関のブザーを鳴らした。

夕起子が中からドアをあけ、

「お帰んなさい」

と、声低く迎えた。

「やあ、遅くなってしまって……。実はね、高原教授に誘われてね、飲みに行ったんだ。『あつ』という店でね、酒も肴もうまかった。あそこのママはいいママだったなあ、清潔で」

康郎はいつになく饒舌《じょうぜつ》になっていた。その康郎を、夕起子は少し硬い表情で見守った。

「店から電話をしたんだけどね。家の電話が話し中でね。明日、高原教授に会ったら、君からもお礼を言っておいてほしいね」

康郎はそう言って居間に入った。康郎は、高原に別れて秋子の店に寄ったことを言いそびれた。

秋子のことを語ることは、緋紗子のことを語ることになる。それは、富久江にも寛にも語りたくないことであった。いや、語るべきことではないように思われた。夕起子は軽く唇を噛んだまま、黙ってうなずいた。夕起子の胸はなぎさの夫兼介のことで一杯になっていた。それはなぎさにはもちろんのこと、富久江にも寛にも語れないことであった。実家の母にさえ告げることがためらわれた。そんな思いの中にあって、康郎の帰宅の遅れたことにも、夕起子はこだわっていた。が、たった今、康郎は高原教授と街に出たことを夕起子に告げた。夕起子は康郎に裏切られなかったことを知って、深い安堵《あんど》を覚えた。研究室にいると思っていた康郎が、いつのまにか大学を脱け出ていた。その上に、兼介のことがあった。夕起子は、耐えていたものが一度にあふれて来そうな思いになった。

「どうしたんだね。富久江も寛もいないようだが……」

「お父さん……なぎささんが……」

言いかけて、夕起子は涙ぐんだ。

「何、なぎさが？　なぎさがどうした」

車を運転するなぎさが、交通事故でも起こしたのかと、康郎は顔をこわばらせた。

「あのう……子宮外妊娠で、手術なさったんです」

夕起子の目から涙が盛り上がった。

「えっ!? 手術? いつだね? どこの病院かね」

康郎がソファから立ち上がった。

「夕方です。病院は、なぎささんのご近所の山部病院」

「で、経過は?」

「命はとりとめたそうです」

「命はとりとめた……」

康郎はふっと蛙の声を思った。

「それは大変だった。悪かったねえ、わたしの行き先がわからなくて、夕起ちゃんはおろおろしていたんだろう」

夕起子の涙を、康郎はそのように解釈した。

「ええ、研究室だとばかり思ったものですから」

「勉強などと言って、こっそり遊びに出かけたかと、さては腹を立てていたね」

「いいえ、そんな……」

「とにかく車を呼んでもらおうか」

　夕起子はいつも呼ぶハイヤー会社のダイヤルを廻した。

「兼介君は研修会だったね」

「はい」

　思いをこめて夕起子は康郎を見た。

「連絡はついたの」

「つきました。……でも……」

「でも？　でも何だね」

「いいえ、何でもありません」

　再び夕起子の目から涙があふれた。夕起子は、康郎に何もかも言ってしまいたい衝動にかられた。男というものは、妻が病気でも、兼介のように平然としていられるものなのか、と聞きたかった。旅先で、妻にかくれた遊びをするのが男の常なのか、と尋ねたかった。信頼し合っているようなふりを見せて、実は裏切りながら、それで子供を産んでもよいのかと聞きたかった。康郎は学生に人気のある教授であり、夕起子自身、康郎に憧れを抱いていた。寛と結婚したのは、寛が康郎の息子であるという事実に、大きなウエイトが置かれていたような気がした。

ブザー

「お父さん」

夕起子は無性に、康郎に甘えたかった。康郎には何を言っても、心配がないような気がした。その激しい目の色に、康郎がはっとした時、家の前にタクシーの着いたらしい音がした。

雲の影

雲の影

一

夕起子は、鏡台の前に座って顔をマッサージしていた。網戸から入る夜風が湯上がりの肌に快かった。先程まで床の中に腹這いになって週刊誌を読んでいた寛が、その夕起子のうしろ姿を眺めている。薄いネグリジェを透して、夕起子の体の線がくっきりと見える。絞ったような細腰につづく線が、結婚前より豊かになったと、寛は微笑した。そんな寛の表情を、鏡の中に夕起子は見た。マッサージをする夕起子の手がのろくなった。鏡台に置かれた一輪挿しの都わすれの花が、夕起子の手の動きと共に、かすかにゆれる。

「いやよ、そんなに見つめちゃ」

「いいじゃないか。俺の女房を眺めるんだ。誰にも文句の言われる筋合いじゃない」

夕起子は首のマッサージに移る。きれいな手つきだと寛は思う。寛は、女の首筋というのは、胸や腰に劣らず男の心を誘うものがあると思う。すんなりとした夕起子の首筋は可憐で、首筋を見ただけで寛は抱きよせたくなる。

首筋のマッサージが終わって、夕起子は髪に櫛を入れる。頭の上にまとめてあった長い髪がはらりと肩にかかると、洗ったばかりの髪がいつもより一層黒く見えた。

「夕起子、何だか今夜の君は変だな」

「そうかしら」

櫛を持った手が、ちょっととまった。

「変だよ。いつもなら、もっと何かしゃべっているからな」

「そうかしら」

再び夕起子の櫛を持つ手が動き始めた。

「またなぎさが何かつまらんことを言ったのか」

今夜、なぎさたちが、手術以来初めて、揃って遊びに来た。

「いいえ」

「じゃ、どうしたんだ。何だか機嫌が悪いよ」

「そんなことないわ」

くるりとふり返って、夕起子は寛に笑顔を見せた。

「じゃ、早く来いよ」

寛が起き上がって、夕起子の手を取った。夕起子はそっとその手を外した。

「何だ。やっぱりおかしいじゃないか。いつもの夕起子らしくないよ」

夕起子は膝に目を落とした。盛り上がるような太股がネグリジェの下にあった。夕起子は、今夜なぎさと共にやって来た兼介の顔を思い浮かべていた。入って来るなり、兼介は明るい声で言った。

「いやあ、すっかりご迷惑をおかけしてしまって。お陰さんで命拾いをしました」

手術以来半月は過ぎていた。もう幾度も、誰もが兼介と顔を合わせていた。同じ挨拶をその度に聞いていた。が、今夜は快気祝いの大きな箱を抱えて兼介はやって来た。なぎさは、

「お父さんとお母さんの夏掛けよ。でもこれはほんの形だけ。これでごまかすつもりはないわ。そのうち、層雲峡かどこかの温泉にでも案内するわ」

と、朗らかだった。少し痩せたが、なぎさは病後とは見えない、いつものきびきびとした動きをしていた。その兼介となぎさを見上げて、加菜子もうれしそうだった。そのうれしさを加菜子は、けんけんとびで表していた。なぎさたちのために、富久江が作ったちらしずしを囲んで、和やかなひと時だった。ビールに酔った兼介の笑い声がひときわ高かった。

「兼介さん。ほんとにあの時だけは、あなたが旭川にいらっしゃらないんで、おろおろしましたわ」

富久江の言葉に、兼介は頭を深く下げて、

「申し訳ない。一生に一度かも知れないなぎさの一大事に、ぼくがいなかったなんて全く

「……」

「そうよ、わたしが痛い目に遭っている時に、あなたは楽しい旅をしていたのよ」

「楽しい？　研修だよ。朝から晩までかん詰めさ。しかも野郎だけの旅行だからねえ」

のどぼとけを見せて、兼介は大きく笑った。その笑いが夕起子の神経を逆なでた。人の笑いというものは、油断のならないものだと思った。愉快な時に人は笑うが、不愉快な時にも笑うのだ。ごまかす時にも笑うのだ。夕起子は兼介の笑いが磊落にひびけばひびくほど、あの手術の日の熱海の宿との電話が思い出されてならなかった。

「たった今奥さまとお出かけになりました」

そう言ったフロントの男の声が、なまなましく思い出される。兼介は、夕起子が聞いたその言葉を知ってはいまい。しかも兼介は、あの夜遅くホテルに帰ってから電話をよこした時にこう言った。

「明日ねえ……しかし危険は去ったんでしょう」

明日すぐ帰ってほしいと言う夕起子に対する答えだった。あの時、気の乗らぬ兼介の声に夕起子は傷ついた。たとえ危険は去ったとしても、妻のなぎさが手術をしたというのに、帰宅をためらうその語調に、ひやりとするような冷たさを感じた。

その兼介は何事もなかったように今夜もふるまっていた。なぎさは充分に潑剌《はつらつ》としていたし、兼介は一段と上機嫌であった。だが、何もなかったことと、何もなかったようだ、ということとは、全くちがうと夕起子は今、鏡台に向かって思っていた。いつものように、すぐに夫の誘いに従う気にはならなかった。

「来いよ。いい加減に」

寛はじれていきなり夕起子の肩を抱いた。夕起子は身をよじって顔をそむけた。

「何だ、やっぱりおかしいじゃないか」

結婚以来、寛を拒んだのは初めてであった。夕起子から寛を誘うことはなかったが、決して拒みはしなかった。が、今夜は夕起子は兼介にこだわっていた。いや、兼介にこだわるというより、男性なる者にこだわっていた。

「野郎だけの旅行だからねえ」

ぬけぬけと兼介はそう言った。それがやり切れなかった。あの時兼介は、別のことを言ってもよかった筈だ。

「ほんとうだねえ。君が痛い目に遭っている時に、ぼくは楽しく飲んでいたよ」

せめてそう言ってくれたなら、夕起子はまだ兼介に対して、絶望を感じないですんだような気がする。兼介が常々明朗な男性であるだけに、夕起子のやり切れなさは大きかった。

「何を怒ってるんだ?」

「怒ってるんじゃないの。考えてるの」

「何を考えてるんだ?」

「…………」

簡単に言えることではなかった。自分がもし、兼介のことを寛に告げたら、寛は怒ってなぎさに告げるかも知れない。なぎさに告げないまでも、親の康郎や富久江に言うかも知れない。夕起子はそう思って、ただ寛の顔を見た。大きなまるい目、血色のよい唇、これが自分の夫の顔だと、夕起子は初めて見るような思いだった。それはただ健康なだけの顔だった。

「何だ、お袋に叱られたのか?」

「ううん」

「おやじに何か言われたのか」

「まさか。お父さんは優しいわ」

「じゃ、やっぱりなぎさだろう。あいつは、前後を弁《わきま》えず何でも口に出す馬鹿だからな」

「あら、なぎささんは決して前後を考えない方じゃないわ。むしろ考えて、わざとあのようにふるまっているのよ。あの人の内心は、わたしたちが思っているより、優しいと思うの」

「加菜子をいつもお前に押しつけてもか」

「あの人、わたしの子供好きを知っているのよ。わたしに加菜子ちゃんを預けることで、わたしを楽しませて、わたしの立場をよくしてくださっているのよ」

夕起子は事実この頃そう思っている。

「君はお人好しだな。それじゃ、原因は俺か」

のぞきこむように寛は顔を突き出した。

「あなた？　あなたはわたしの大事な旦那さまよ。とてもいい方だわ」

「じゃ、何が原因なんだよ。勿体ぶらずに言ってみろよ」

「言えることと言えないことがあるわ」

「俺とお前は夫婦だろ」

「そうよ、夫婦よ」

「夫婦の間で、隠しごとは俺は嫌いだな」

「隠しごととはちがうわ。夫婦だからって、何を言ってもいいということにはならないわ」

「こら！」

寛が夕起子を抱きしめて、床の上に押し倒した。

「さあ言え。言わないか、こら」

寛はふざけ半分に、夕起子を脅した。夕起子は黙って、輝く蛍光灯の輪を見上げていたが、

「ねえ……」

　と、声を落とした。抱きしめていた寛の手がゆるんだ。

「何だい？」

「誰にも言わない？」

「言わないよ」

「約束してくれる？」

「するとも。こう見えたって、俺はそうおしゃべりじゃないぜ」

「そうね。じゃ言うわ」

　布団の上に横座りになって、夕起子は思い切ったように寛を見つめた。が、ふと立ち上がって窓を閉め、カーテンを引いた。

「兼介さんのことなの」

　夕起子は声を落とした。

「兼介君？　奴がどうかしたのか」

「……………」

「まさか、お前に手を出そうとしたんじゃあるまいね」

「いやな人。そうじゃないの。なぎささんが手術をしたでしょう。あの日、兼介さんの宿に連絡してちょうだいって、お母さんに言われたの。あの日は兼介さん、研修が終わって熱海の宿にいたでしょう。電話したらね、宿の人がね、只今奥さまとお出かけになりましたって言ったのよ」

真顔で夕起子の話を聞いていた寛が、不意に笑った。

「只今奥さまとお出かけになりました？　へえー、やるねえ奴も」

声を上げて笑う寛を、驚いて夕起子は見た。

「何がおかしいの、寛さん」

「いや、別におかしくはないけどさ。痛快じゃないか」

「痛快!?　あなた、なぎささんのお兄さんじゃないの？」

「ああ、そうだよ」

「腹が立たないの？」

「腹が立たないかって？」

寛はまた笑った。

「いやだわ、笑ってばかりいて。寛さん、あなたにとって、兼介さんの裏切りは、何でもないことなの？」

「裏切り？　夕起子、大げさなことを言っちゃいけないよ」

「あら、妻以外の人と一つ部屋に泊まって、それで裏切りではないというの?」

「裏切りなんかじゃないよ。裏切りなんて、そんな大そうなもんじゃないよ夕起子。遊びだよ、遊び」

「遊び!?」

　夕起子には不可解だった。

「そうさ、遊びさ。兼介君だって、なぎさを裏切ったなんて思っちゃいないよ。男ってそんなもんだよ、夕起子」

「………」

「しかし、俺は別だよ、俺は」

　夕起子の表情に、あわてて言ってから、

「そんなことにいちいち驚いていたら、男が半分のこの世に、生きてはいけないぜ、夕起子」

「わからないわ、わたし。もし妻を本当に愛しているなら、絶対に出来ないことだとわたしは思うわ」

「愛しているだの、愛していないだの、そんなことは関係がないんだよ」

　腹這いになった寛は、枕もとの電気スタンドを点けたり消したりしながら言った。

「まあ! 関係がないですって? 寛さん、わたしたち女にとって、夫の浮気くらいいやなことはないのよ。そのいやなことをする男なんて、わたしは許せないわ。裏切りだと思うわ。愛していないことだと思うわ」

「困りましたなあ、お嬢さん。とにかく男というのはねえ、そんなややこしい動物じゃないんだよ。妻は妻で、これは一番大事なんだ。しかしね、他の女にもちょっと手を出してみたい。ただ、それだけなんだよ」

「寛さん、あなたも同じ気持ちなのね」

「いや、俺は別だと言ったろ」

夕起子はすねた。

「あなただけが別なわけないわ。もし男がそういうものだとしたら」

「俺は一生そんなことはしないよ。しかし、万一、一度や二度そんなことがあったって、愛情とは関係ないんだよ。生理的なものだよ。小便するのと大差はないんだよ、男にとってはね」

夕起子はじっと寛を見つめた。女性の生理と男の生理がちがうことを、夕起子も知らないわけではない。が、夕起子があれほどに傷ついた兼介の熱海での行動に、寛がいささかも驚かないことに、夕起子は衝撃を受けた。男性と女性が全く別物のような気がした。寛にとっては、兼介の浮気が、

「へぇー、やるねえ、奴さんも」

と、笑いとばすことでしかなかったのだ。そしてそれは恐らく、今後の寛のあり方を暗示させる言葉でもあろうと思った。

「そんな恐ろしい顔をするなよ。夕起子らしくないよ」

夕起子は、ほっと深い吐息をついて言った。

「じゃあね、寛さん。わたしたち女が、ほかの男の人と一夜を過ごしても、へえー、やるねえと笑っていられるのね」

「冗談じゃないよ。そんなことをしてみろってんだ。俺は殺すぜ」

寛は再び布団の上に起き上がった。

「あら、それは勝手じゃない？　男なら他の女と遊んでもいい、女ならいけないというの、おかしくない？」

「おかしくはないよ。女と男はちがうんだ。女は子供を産むように出来ている」

「男だって子供を産ませるように出来ているわ」

「……しかし、とにかく男と女のはちがうんだ」

「それは勝手よ。男の浮気の相手は女でしょ。その女の人が誰かの人妻だということだって、あり得るのよ。男は一人で浮気は出来ないのよ」

「君も理屈を言うねえ。とにかく夕起子はぼくだけの妻だ」

　寛は夕起子を再び抱きしめた。

「いやよ。男の人がいやよ」

「ぼくは別だと言ったろう」

「別じゃないわ。別じゃない」

　言いながらふっと、夕起子は康郎もその男の一人だろうかと不思議に思った。康郎だけは誰をも裏切らないような気がしてならなかった。

（いやだわ、わたし……寛さんよりもお父さんのほうを信じている）

　そう思った時、夕起子は寛に組みしかれていた。

二

いつものように、康郎はそばを食べて病院の食堂を出た。大学のほうにも学生食堂がある。が、付属病院の地下にあるこの食堂のそばは康郎の口に合った。そばの好きな康郎は、昼食はほとんどここで取ることにしていた。康郎の研究室からは長い廊下を伝って、病院の食堂まで三百メートル程の距離がある。

食堂を出た康郎は、すぐ傍らの売店に買い物をしている夕起子のうしろ姿を見た。その夕起子に、二、三人の学生が目をとどめて、何かささやき合っているのが、同時に目に入った。夕起子は人の目を惹く何かを持っていた。特別に華やかな顔立ちではない。が、思わず人をふり返らせるような雰囲気を持っていた。歩き方や表情に優しさがあふれていた。それはいわゆる女らしさともちがっていた。優しく清潔であった。今までにも、康郎は夕起子と歩いていて、男たちの視線を夕起子の上に感じた。いや、男たちだけではなかった。女性もまた夕起子に目をとどめた。

「何を買っているの?」

康郎の声に、夕起子はふり返って、ぱっと頬を染めた。

「便箋です」

赤くなるほどの品物ではなかった。耳まで染めた夕起子に、康郎は戸惑ったが、

「買い物は終わったの」

と、釣り銭をもらった夕起子に尋ねた。

「終わりました」

「そう」

康郎が歩き出すと、夕起子が肩を並べてついて来た。昼食時で、白衣を着た医局員が幾人も食堂に向かって行った。エレベーター・ホールに来ると車椅子の男が看護婦に付き添われてエレベーターを待っていた。中年のその男は、和やかな表情をしていた。長いこと日に当たらない顔色が、男の病気の長さを物語っていた。

(それにしても、平安な表情だ)

康郎はここまで来る間の何十メートルかを、夕起子と黙って肩を並べて来た自分の心の中を思った。康郎は今しがた夕起子の染めた頰を思っていた。それは、若い女性特有の単なる反射的な動きかも知れない。そうは思っても、何か心が落ちつかなかった。車椅子の男が、車椅子専用のエレベーターに吸いこまれるのを見て、二人は大学と病院を結ぶ、長い渡り廊下のほうに歩いて行った。

「あの……」

大学の棟に移って、二人はエレベーターに乗った。夕起子は、康郎の階のボタンを先《ま》ず押しながら、言いよどんだ。

「何かね」

「お父さんの研究室に、ちょっとお邪魔してもいいでしょうか」

夕起子は、康郎の一階上の八階の高原教授の部屋に働いている。

「ああいいよ。夕起ちゃんのほうさえ、時間がゆるせばね」

康郎は腕時計を見た。まだ十二時半である。

七階で降りると、エレベーター・ホールの大きな窓ガラスの向こうに、七月の山が西に低くなだらかにつらなるのが見えた。山際の遠い青田に雲の影がゆっくりと流れている。

「今日の山はきれいですわね」

思わず康郎は夕起子を見た。ふだんから、亡き妻の緋紗子に似た声だと思ってはいたが、声が弾むと、同一人のような錯覚さえ起こさせた。

「きれいだね。自然はいいな」

壁面一杯のガラス窓から見る夏山は、そのまま一幅の絵のようであった。そのガラス窓に二人は歩みを寄せた。その近くで、クーラーの音が低く唸っていた。大学の建物は、どの階も何かしら機械音がひびいている。それが、時には物憂《ものう》く、時には侘《わ》びしく、時にはうるさく思われた。しかし今、康郎にはその音が深い静かさをつくり出しているように思われた。康郎は青田の中の真っ赤な屋根を見つめた。

「赤い屋根ね。熱いような感じだわ」

夕起子は窓ガラスに額をつけるようにして眺めている。その稚《いとけな》い感じも緋紗子によく似ていた。康郎は自分の年齢が、江田島兵学校の砲術教官をしていた二十代に戻ったような、甘い錯覚をおぼえた。真ん中のエレベーターのドアがあいて、一人の男が廊下のほうに足早に歩み去った。それに誘われるように、

「部屋に行こうか」

康郎が促した。康郎の部屋は、長さ百メートルはあるこの棟の一番右端にあった。部屋に入ると、康郎は二脚ある来客用の椅子の一つを夕起子に勧めた。夕起子は立ったまま、珍しそうに研究室の中を見まわした。十二畳程の部屋は、両側の壁が本棚に占められて、一層細長く見えた。洋書や和書の歴史の本が、本棚にびっしりと並べられている。

「高原教授の部屋とちがって、狭いだろう」

同じ大学に勤めながら、夕起子は康郎の部屋に以前一度来ただけだ。

「ええ。でも、このお部屋のほうが落ちついてお勉強ができますわ」

窓の向きは、高原教授の部屋と同じ東向きで、大雪山の全容が見えた。

「コーヒーをいれようか」

康郎は、自分の心が優しくなっていることに気づいていた。

「わたしがいれますわ」

いち早く片隅のガス台に行き、夕起子はコーヒーポットの蓋を取った。高原教授の部屋は二間つづきだ。一方が応接室になっていて、その応接室の一画で、夕起子は仕事をしていた。夕起子の仕事はタイプライターを打つこと、電話や来客の応対をすること、郵便物の整理や、資料のファイルをすることなど、雑多だった。時には高原教授のために、軽い夕食を調《ととの》えることもあった。だから小さな冷蔵庫には、卵やチーズやビールなどがいつも用意されていた。だが康郎の部屋には、コーヒー用具と、緑茶用の茶器のセットがあるだけだ。

「お砂糖はいつものように?」

「うん、一つでいい」

「はい。かしこまりました」

家にいる時とは、どこか夕起子の言葉の調子がちがった。多分、高原教授にこのように対しているのだろうと、康郎は微笑した。毎日同じ屋根の下に顔を合わせているのに、こうして研究室にいると、なぜか二人共ぎごちなかった。

「なぎささんお元気になってよかったですわね」

「ああ、おかげでね。あの夜は君にもすっかり心配をかけたね」

行き先を知らせずに、康郎はあの日街に出た。高原教授の誘いで、「あつ」という酒房に行き、その帰りに図らずも見つけた松村秋子の店に立ち寄った。そして亡き緋紗子の話を心ゆくまで話し合って来た。が、そのことはいまだに妻の富久江にも語ってはいない。しかし今、康郎は不意にそのことを夕起子に話してみたいような誘惑に駆られた。

「夕起ちゃん」

コーヒーカップを小さなテーブルの上に置いた夕起子を康郎は見た。

「はい」

夕起子は椅子に座った。

「あの夜ね、ぼくは高原君に誘われたと言ったろう」

「はい。詳しくは高原教授に伺いました。すり身の団子や、おでんの味が特別なんですってね。それに、素敵なママさんがいるんですってね」

「うんおいしい店だよ。今度寛と行ってごらん。……実はね、高原教授とは、あの時店の前で別れたんだがね。もう一軒寄ったんだよ」

「ああ、それでわかりました。高原教授がお家に帰られた時間と、お父さんの帰られた時間が、どうも合わないと思いました」

「何だ。あいつは帰宅した時間まで、君に言ったのか」

康郎はコーヒーに口をつけ、

「おいしいよ」

と、ほめてから、

「あの『あつ』の傍にね、わたしの昔の知人が店を持っていてね。戦争中、その人のご主人がわたしの上司だった。『まつむら』という店でね」

「あら！『まつむら』ですか。わたしも何度か行ったことありますわ。ちょっと粋なママさんのいる店ですわね」

「うん。そう言えば粋かも知れない。実は、春にわたしの講演を聞きに来てくれてね、何十年ぶりに再会した人なんだ」

話しながら康郎は、やはり緋紗子のことにはふれなかった。夕起子に緋紗子のことを語るのは、自分の心の底に夕起子を招き入れることだと思ったからである。

三

「まあ、何十年ぶりの再会ですって?」

　夕起子の言葉に、

「うん、敗戦の年からだからね。今年は昭和四十九年か……とすると、三十年目ということになるね」

　康郎は松村秋子のすらりとした姿を思い浮かべた。それは三十年前の秋子ではなく、ついこの間会った秋子の姿だった。

「まあ!　三十年目?　ずいぶん遠い昔のことですのね」

　二十三歳の夕起子には、僅か三十年前が、遙か昔のことに思われた。自分の生まれていなかった敗戦当時を、夕起子には具体的に捉える手がかりがなかった。かつて日本が戦争をしていたということすら、遠い徳川時代のことのように思われるのだ。

「遠い昔か。なるほど、夕起ちゃんたちにはそうだろうね。だがね、わたしたちの年代の者にはね、つい昨日のことに思えるよ」

　松村秋子夫婦の俄《にわ》か仲人で、緋紗子と三三九度の盃をかわしたのは、全くの話、ついこの間のことに思われる。空襲を恐れて、日本全国どの家も、夜は暗幕を窓におろし、電灯も墨で塗った新聞紙や、黒い布で覆っていた。そして、一部分にだけ円錐形に光を落とす電灯の下で、人々は食事をしたものであった。あの披露宴の夜も、花嫁の緋紗子はそんな電灯の下で、銘仙のモンペをつけ、筒袖の国防服と称する半纏《はんてん》様の上着を着ていた。そのモンペと上着は対で、紫地に白蘭の花模様だったと覚えている。その白蘭が、緋紗子の白い顔によく似合っていたことも、今もまざまざと目に浮かぶ。康郎にとって、三十年前は決して過ぎ去った昔ではない。それは昨日のことと同じように近い過去なのだ。だが夕起子には、その康郎の感覚がわからなかった。三十年前はあくまで遠い昔なのだ。昨日のことに思えると言われても、あくまで遥かな、遠い昔なのだ。手にふれるものが何ひとつないのである。

「お父さん、どこでお知り合いだったの？　『まつむら』のママさんとは」

夕起子に康郎の重い感情がわかる筈もない。単純な問いであった。

「うん……江田島だよ」

「江田島？　江の島じゃないわね」

「江の島？　江の島じゃないよ夕起ちゃん、江田島だよ」

康郎はちょっと苦笑した。寂しくもあった。あの地で、あの頃の若者たちがどんな過酷な青春を送ったか、この若い夕起子の上には何ひとつ影をとどめていないのだ。

康郎は立ち上がって、本棚から百科事典の日本地図を取り出し、机の上にひらいた。

「この島だよ、夕起ちゃん」

夕起子はコーヒーテーブルのそばを離れ、康郎の大きな机の横に立った。

「あら、広島のすぐそばなのね。蟹《かに》の鋏《はさみ》みたいな形の島ね」

無数の島のひしめき合っている瀬戸内海《せとないかい》の地図の上に夕起子は身を屈めながら言った。

「蟹の鋏か、なるほど。Y字型の島だとわたしたちは言っていたがねえ。このY字の右手の枝が江田島で、他の部分を能美島《のうみしま》と言うんだよ」

「あら、一つの島なのに、二つも名前があるんですか」

夕起子が驚きの声を上げた。

「二つと言うより、三つだね。能美島は更に西能美島と東能美島にわかれているからね」

康郎は江田島の地図を見ているだけで胸が熱くなった。段状に耕されたあの江田島の丘陵、あの平和なたたずまいを見せた小島に、どれだけの兵隊たちが、戦争のために苦しんだことだろう。空が暗くなるほどの爆撃を受けた日を、康郎は思った。

「きれいな所でしょうねえ、こんなにたくさん島があるんですもの」

夕起子の声は明るかった。

「うん、きれいな所だった」

　ここに緋紗子は、リュックサック一つ背負っただけで、札幌から自分のふところに飛びこんで来、茶ダンスや戸棚さえない生活の中で、僅か四ヵ月、明るく生きていたのだ。そのことを康郎は夕起子に告げたい思いがした。すべすべとした夕起子の頬、まろやかな肩、それらが眩しいほどに若く美しい。

　が、緋紗子は、この夕起子より四歳も若いままで死んだのだ。電気炊飯器、電気冷蔵庫、電気洗濯機、三面鏡、和ダンス、洋ダンス、応接セット、それらを備えていない新家庭は、現代全くと言ってよいほどないのだ。鍋や釜、そして一組の布団を、広島の旅館「もみじ」の女主人から恵まれて、急遽緋紗子を迎えた新家庭は、見事な程に何もなかった。だが、敵機の襲来に怯えながらも、一日一日が生きているという充実感に満たされて、あの江田島の何もなかった家の中で二人は生きていたものだ。しかし康郎は、その生活を夕起子に語ることができなかった。息子の寛でさえ、康郎が再婚であることを心にとめてはいない。富久江も、緋紗子のことは尋ねたこともない。緋紗子は邦越家にとって、存在しなかったも同様の人間なのだ。夕起子に告げて、そこに新たに緋紗子を存在させてはならないのだ。

「お父さん、『二十四の瞳』の小豆島《しょうどしま》はどこかしら」

　夕起子には、江田島は、単に瀬戸内海に群がる島の一つに過ぎないのかと思いながら、康郎は小豆島を指さした。

「まあ、ずいぶん離れているのね。わたしね、お父さん。『二十四の瞳』の映画を、母と一緒に見たことがあるの。大分昔に作られた映画だって聞いたけど、きれいな景色だったわ。子供のわたしでも泣けてくる映画だったわ」

「ああ、あの映画はわたしも見たよ。封切りの頃にね」

確かあれは昭和二十九年の頃だったと思う。康郎は札幌の映画館に入って、只一人で見た。再婚して既に七年目にはいっていたが、康郎は富久江を伴っては行かなかった。舞台が瀬戸内海の小豆島だというだけで、とめどもなく涙がこみ上げて来たものだった。目はスクリーンに向かいながら、江田島が思い出されてならなかった。アメリカ軍の空襲を受けた軍艦榛名の姿が目に浮かび、江田島兵学校の教え子たち一人一人の姿が思い出されてならなかった。『二十四の瞳』の映画の中では、女主人公である小学校教師大石先生を囲んでのクラス会があった。そのクラス会には戦争で失明した青年が出席していた。その青年がそこに映っているだけで、康郎は言いがたい胸苦しさを覚えたものだ。その青年に扮した田村高広は、戦死した自分の部下にそっくりであった。声を殺して嗚咽《おえつ》する康郎の傍らで、若者がチューインガムを噛みながら映画を見ていた。映画が終わって夜の巷に出た時、康郎が思ったのは、あの失明した青年は、その後をどのように生きているだろうかということであった。

『二十四の瞳』のみならず、戦争に関わる物語は、康郎にとって架空の出来事ではなかった。部下や戦友が戦死したこと、多くの兵が目や、足や腕を失ったこと、それらは決して、架空の出来事ではなかった。恐らく、自分と同年代に生きた男たちの胸の中には、同じ思いがひそんでいて、ともすれば折にふれて、とどめようもなく火を噴き出すのではないか。康郎は今もそう思っている。そして、歴史を学ぶ者として、近頃しきりに思われるのは、自国の将兵たちのことだけではなく、世界各国の犠牲者たちのことであった。どの国の者たちも、本当に戦うべき相手が誰であったか、それを知らなかったように康郎は思う。いや、庶民にとって、戦うべき相手などはいない筈であった。戦争は一部支配者の飽くなき欲望から起きて来るとしか、康郎には思えなかった。

「お父さん、わたし、江田島という所に、一度行ってみたいわ」

何か考えこんでいる康郎に気づかず、しきりに瀬戸内海の島々を地図の中に追っていた夕起子が言った。

「どうして?」

「だって……」

ちょとはにかんで、夕起子はちらりと康郎を見、

「お父さんの住んでいらした所だから……」

と、口ごもるように言った。

(お父さんの住んでいた所だから?　……)

康郎は久しぶりに、心に沁《し》みるやさしい言葉を聞いたような気がした。

「そうか。お父さんのいた江田島を見たいと言ってくれるのだね」

「ええ……あの、お父さんはこの島に何年ぐらいいらしたの」

「うん、一年いたか、いないかだよ」

「あら、そんなに短い間でしたの。お幾つの時」

「敗戦の年だよ。二十一だったね」

「二十一?　そんなに若かったの、お父さん。わたしより若かったのね。うちの大学の学生ぐらいの時だったのね」

「うん、若かった。若かったよ、全く」

考えてみると、二十一歳という年齢を経たことが、自分でも信じられないような気がした。二十一歳!　それは自分をも社会をもつかみ得ぬ混沌《こんとん》とした若い年齢であった。ただ国のために戦うという、あの時代の若者が持っていた情熱に、自分もまたつかれたように身を委ねた時代であった。

「そこで勉強してらしたの、お父さん」

　江田島の話など、ほとんどしたことのない康郎であった。

　江田島と言えば、海軍兵学校と、誰もが持った連想は、現代にはもう生きていないことを改めて思いながら、

「江田島にはね、有名な海軍兵学校があったんだよ」

「じゃ、お父さんはそこの学生さんだったわけね」

「いや、砲術の教官だった」

「あら⁉　二十や二一一で？」

　目をみはった夕起子に、

「そうだよ、わたしは砲術を教えていたんだよ」

「どうして？　お父さんは戦争がお嫌いな筈でしょう。お父さんは平和主義者ですよね」

　康郎は答えに窮した。嫌いも好きもなかった。天皇のために、国のために、命を捨てる！

あの純粋な情熱を夕起子に説明ができるだろうか、危惧を覚えながら康郎は答えた。

「あのね、夕起ちゃん、あの頃の若い者はみな、進んで死のうと思ったものだよ。天皇陛下のためにね。天皇陛下のために死ぬことは最も生き甲斐のあることだと思っていたんだよ」

「天皇陛下のために？」

康郎が冗談を言っているのだというふうに、夕起子は笑った。戦後五年を経て生まれた夕起子には、そんな問い方しかできなかった。

「そうだったんだよ、夕起ちゃん。これはねえ、日本の歴史の中で、最も大事な要だから、夕起ちゃんも覚えていて欲しい。そして生まれて来る夕起ちゃんの子供にも、ぜひ教えておいてほしいと思う。わたしの若い頃は、すべてが天皇を中心に動いていた。天皇は、日本国民にとって神だったのだよ」

「それは……聞いたことはありますけど……わたしにはよくわかりませんわ。とにかく天皇は人間に過ぎないわけですよね。人間から生まれた人間に過ぎないわけですよね」

「そうだよ。初めから人間だった。わたしたち一般の者と同じように、食欲もあれば、性欲もある。笑いもあれば怒りもある。地上の人間は、一人として例外なく人間なんだ」

「でしょう? それなのに、どうしてその頃の人たちは、天皇を神さまだなんて思いこんだのかしら。わたしたちにはナンセンスに思えるけど」

「それが、何と言ったらよいかねえ。むろん、国民が愚かだったといえば愚かだった。しかし、日本国民である以上、天皇に対しては絶対に服従しなければならないと教えられていたし、旧憲法には天皇は神聖にして侵すべからずとうたわれてあってね」

夕起子は再び笑って、

「学生時代、そのことが何よりもわからなかったことなのよ、お父さん。神聖にして侵すべからずなんて、そんなの無茶ねって、みんなで話し合ったの。だって、人間が神聖なわけないんですもの。人間は神さまではないんですもの。それなのに、そんな憲法を定めたなんて……明治の人たちってわからないわ。そんなことみんなでわいわい話し合ったものよ。でもね、お父さん、わたしたちがもっとわからないのは、その憲法に服従した人がたくさんいたということなの。本当に人間をなんと考えていたのかしら」

「……なるほど」

夕起子の言うとおりなのだ。学生たちが時折この部屋に来て、戦争時代のことを話すことがある。学生たちもまた、結局は夕起子と同じことを言う。

「召集令なんか来たって、行かなきゃよかったじゃないですか。無視すればよかったじゃないですか」

そう言う学生もいる。

「学徒出陣なんて、無茶ですよ。どうして学生たちは戦争反対ののろしを上げなかったんですかね」

そんな言葉も幾度か聞いた。言われればこれまた確かにそのとおりなのだ。だが、そう言う学生たちも、もしあの時代に生きていたならば、黙ってペンを捨て、その手に銃を取って出陣したにちがいない。

当時、天皇という言葉を口に出す時、言う者も聞く者も、不動の姿勢を取ったものであった。そうした絶対的存在であった天皇と国民の関係を理解しない限り、あの時代のことはわかりようがないのだ。どんなかすかな声であっても、戦争に反対することは許されなかった。そのように国民は教育された。つまり洗脳されていた。しかも当時の国家権力は、思い出すさえ恐ろしい程に強力であった。反政府発言をなすことは、即ち投獄と拷問、あるいは死すら覚悟することにほかならなかった。日本全土を覆っていたあの熱狂的な国民の戦争協力は、天皇と国民の関係を理解できぬ現代の若者たちに、どれほど言葉を費やしても、愚かとしか受け取れぬであろう。しかし、それを愚かと思う若者たちの感覚こそが正常なのだと、康郎は今改めて思った。

(だが……)

確かに正常ではあっても、それは所詮あの時代を知らぬ者の正常さである。それは、現代という時代の中で得た感覚であるに過ぎない。言ってみれば、戦争協力をした当時の若者たちの国民的感情と、質的には同じものなのだ。両者は時代を超え得ないという点において同一なのだ。もし国家権力が戦争を志向するとしたら、現代の若者もたちまちその流れの中にまきこまれて、同じあやまちを繰り返すにちがいない。その危険に気づいて欲しいからこそ、康郎は学生たちに戦争時代の話を繰り返し語るのだが、語る度に康郎はむなしさを感じて来た。時代を隔てる壁というものは、意外に固く厚かった。

「お父さん、コーヒーもう一杯いかが」

「ああ、ありがとう」

今も康郎は、自分の気持ちを夕起子に伝え得ぬもどかしさを感じながら、しかしやさしく答えた。

その時、ドアをノックする音がした。

四

ノックは必要以上に強い音に思われた。康郎が返事をすると、

「こんにちは」

と、なぎさが屈託のない顔で入って来た。

「やっぱりなぎさか」

「何がやっぱり？」

なぎさは夕起子を見て、軽くウィンクをして見せた。

「ノックの仕方で、わかるよ」

康郎は父親の顔になった。その微妙な変化に夕起子は気づいた。

「珍しいわね、お姉さんとここで会うのは。時々来るの？」

今まで夕起子の座っていた椅子に、なぎさが当然の如く座った。

「いいえ、今日で二度目よ」

「二度目、同じ棟にいて？」

信じられないという顔を、なぎさは露骨にして見せた。

「お互いに忙しいからね」

康郎の言葉に、なぎさは引きしまった足を軽く組んで、

「嘘おっしゃい、お父さん。この人が忙しいのはわかるけど、お父さんは暇だと思うな、わたしたち労働者から見ると」

そんな言い方をするなぎさが、夕起子には羨《うらや》ましかった。

「それより体のほうはもうすっかりいいのかね」

「取ってしまえば、どうってことないのよ」

なぎさは軽く笑って、夕起子の出したコーヒーの香りをちょっと嗅いだ。

「ではわたし、失礼します」

夕起子は気をきかした。今日は高原教授は三時まで外出しているし、格別急ぐ用事はなかった。が、席を外すべきだと思ったのだ。

「いいじゃない、まだ」

と、自分の腕時計を見、

「わたし、あなたにも聞いておいて欲しいことがあるのよ」

と、なぎさは夕起子を引きとめた。なぎさは嫂の夕起子を、時によって「お姉さん」と呼んだり「あなた」と呼んだり、「夕起子さん」と呼んだり、まちまちであった。それは康

郎をその時々で「お父さん」と呼んだり、「パパ」と呼ぶのに似ていた。夕起子もまた、自分より一つ年上のなぎさにお姉さんと呼ばれるのはなじまなかった。

「何か面倒な話かね」

康郎はタバコに火をつけた。なぎさはそれには答えず、

「まあ、大雪山がきれいに見えるわね。ね、お父さん。死ぬ時は、冬の大雪山の純白の雪の中っていうのは素敵ね」

と、康郎の肩越しに見える大雪山に目をやった。

「ああいいね」

死という言葉を康郎はわざと聞き流すふうをした。夕起子はふっと、熱海の宿のフロントの男の言葉を思い浮かべた。

「只今、奥さまとお出かけになりました」

あの声がまだ夕起子の耳に残っている。もう一ヵ月以上も経つというのに、夕起子はまだあの言葉にこだわっていた。いつまでもこだわっている自分が、少し異常なのかと思うことさえあった。大学の廊下を歩いていて、買い物に寄った店先で、茶碗を洗っている台所で、何の脈絡もなくあの男の言葉が思い出されるのだ。幾度か訪ねて来たなぎさの様子には、以前と何の変わりもなかった。その変わりのなさが、夕起子にはまた恐ろしいもの

に思われた。

なぎさの変わりのなさは、即ち兼介の変わりのなさを意味していた。兼介自身には確かに変わりがあったのに、何食わぬ顔で、今までどおりの生活をつづけている。それが夕起子には、ひどく恐ろしいことに思われた。

それとも、あのフロントの男は、何か勘ちがいをして、あのように伝えたのかと、幾度も思いもした。だが、一度耳に入った言葉は、魔物のように大きな作用をするものだ。夕起子は兼介を信じたいと思っても、信ずることができなかった。あれ以来、夕起子は人と人との信頼関係の脆弱《ぜいじゃく》さを思うようになった。

(もし、あの時……)

旅に出ていたのが夫の寛であったとしたら、フロントの男の言葉を否定できたであろうかと、夕起子は思う。夫だけは信ずることができるかと自分を顧みる。信じられないと夕起子は思う。そしてそれが、夫や兼介ばかりではなく、高原教授であっても、舅《しゅうと》の康郎であっても、同様に疑ったであろうと思う。自分との関係が近ければ近い程、疑いも強いと夕起子は思うのだ。

と言うことは、人間はお互いを信頼しながら生きているようで、つまりは疑いの中で生きていることになる。それが恐ろしいと、あれから夕起子は思うようになった。自分とは無関係の一人の男の言葉に、信頼関係を突き崩されることが恐ろしいと思う。

（でも……）

何日か前、夕起子は兼介のことを考えながら思ったことがある。もし夫の寛であれば、夕起子が命にかかわる手術をしたと聞けば、女を置き去りにしてもその場から飛んで来るように思われる。おそらく康郎も高原教授も、同様にその妻のために駆けつけるにちがいない。なぎさの夫兼介のように、

「しかし危険は去ったんでしょう」

などと、冷たい言い方を決してしまいと思った。たとえあの夜、兼介が女性を伴っていなかったとしても、あの言葉の冷たさは、夕起子には許せない気がする。

大雪山を見ていたなぎさが言った。

「まあお父さんったら、あっさりと聞き流してくれるわね。わたしが大雪山で死にたいと言っても……」

なぎさは視線を康郎に戻した。

「なぎさは、殺されても死ぬような女じゃないからね」

康郎は笑い、コーヒーをいれ終わった夕起子に、自分の座っていた椅子を勧めた。

「わたし、ここでいいんです」

夕起子は本棚のために備えられている踏み台に腰をおろした。

「殺されたって死なない、か」

男のような言い方でなぎさは言い、

「そりゃあそうよね、お父さん。人間を完全に殺すっての、むずかしいわよね。キリストさまだったかしら、肉体を殺し得ても魂を殺し得ぬ者を恐れるなって言った人。この言葉、何かで読んだことあるけど、わたし意外と好きよ。刃物や銃で、肉体の命は奪えても、人間、魂までは奪えないんだなあ」

なぎさはコーヒーをひと口飲み、

「あら、おいしいじゃない？　夕起子さん」

と、夕起子を見た。

「そうだ、いい言葉だね。人間の良心、人間の魂、人間の自由、それまで奪えると思ったら、それは思い上がりだね」

聞きながら夕起子は、肉体の命は奪わずとも、人間の魂を亡ぼし得るという何かがあることを感じた。恐るべきものはそれかも知れないと思いながら、夕起子はなぎさが何をこれから話そうとしているのかと、気がかりだった。

「ところで、話って何かね」

康郎の言葉に、

「話ってほどじゃないけど、この間久しぶりに幼稚園の母の会に出かけたのよ」

夕起子は思わずほっとした。兼介の話かと思ったら、どうやら加菜子の話らしい。

「加菜子がどうかしたのか」

「ううん。どうかしたのというのと、ちょっとちがうんだけど……幼稚園の講堂の壁画をね。園児たちがみんなで作ったのよ。卵の殻でモザイクふうにね。ネッシーのような怪獣が立ち上がっている図柄なのよ。それはいいんだけど、お日さまが二つ、空に輝いているのよ」

「なるほど。それで?」

「はじめはね、お日さまがひとつだったんだって。ところがね、加菜子がね、お日さまは二つなければいけないって言い張ってね、それで二つになったんだって」

「なるほど、おもしろいじゃないか。子供らしい発想じゃないか」

「それがねえ、先生の話だけど、この頃の加菜子の絵には、必ずお日さまが二つあるんだって」

「ほほう、ま、そんなこともあるだろう」

「先生もね、最初はそんなふうに思っていたんだって。でも壁画にお日さまが二つなければいけないっていう言い方が、激し過ぎたんですって。それで先生が心配したらしいのよ」

加菜子が太陽を二つ描くようになったのは、なぎさの手術直後の頃からだと気づいて、夕起子はぎくりとした。

雲の影

壺

壺

一

七月の午後の明るい雨だ。加菜子が猫のドミーを膝に抱きながら、テラスのガラス戸の傍で独り言を言っている。

「ドミーちゃん、雨ふりは好きですか」

ドミーは黙って抱かれている。

「加菜ちゃんはね、雨ふりがきらいですよ。ドミーだってきらいだわね」

ドミーは只目を細めただけだ。

「ドミー、ちゃんとおへんじしなさい」

その語調が母親のなぎさにそっくりだった。テーブルの上で花を活け替えていた夕起子の肩を、盆の小豆を選《ょ》っていた富久江が軽く突ついた。富久江はあごで加菜子のほうをしゃくり、目くばせした。大学は休みに入っても、夕起子には学生のように夏休みはない。夕起子を使っているのは高原教授である。医学部の教授である高原には、付属病院の仕事があった。

「病人には、休みもお祭りも日曜もない」

と、高原教授はよく言っている。それでも学生たちが休みになると、大学のほうの仕事は減るから、夕起子の仕事も少なくなる。それで一週間の夏休みを今年ももらうことになっている。特に今年は、家庭もあるということで、夏の間は土曜日も休みをもらうことになった。今日はその土曜日である。

だが保険の外交をしているなぎさにとって、土曜日曜は平日より忙しい日であった。そのため、加菜子は、土曜日になると当然のごとく、幼稚園からまっすぐこの家にやって来る。加菜子の父兼介もまた、なぜか土曜日は忙しいようであった。

「ドミー、おへんじをしなさい。いいおへんじをしない子は、大きくなっても、ろくなものになりませんよ」

富久江がくすりと笑った。今の言葉は、富久江がなぎさや寛によく言い聞かせた言葉だった。答えをきちんとしない子には、責任感は育たないと、康郎もよく言っていた。その康郎にならって、富久江もそう言って育てたのだが、どうやらなぎさは、同じことをわが子に言って聞かせているらしい。だから富久江はくすりと笑ったのだ。が、笑ってから富久江は夕起子に小声で言った。

「なぎさだって、ろくなもんじゃないわね」

見事な白百合を青磁の壺に活けていた夕起子は、

「いいえ、なぎささんは立派ですわ」

と、首を横にふった。

「なにが立派なもんですか」

富久江はそう言ったが、悪い気はしないようであった。加菜子が、きっとした顔でふり返った。つぶらな目がまっすぐに富久江に注がれている。ドミーが加菜子の手を逃れてテレビの上に上がった。ドミーが逃げ出したことにも気づかず加菜子が言った。

「おばあちゃん、いま、ママのわるくちいったでしょ」

子供らしくない語調だった。

「言いませんよ」

富久江はちょっとあわてた。

「うそ！　ママのことなにかいったわ、おばあちゃん」

「言うわけないでしょ。加菜子のママはおばあちゃんのおなかから生まれたんだからね。ね、夕起子さん」

「そうよ、加菜子ちゃんのママは立派ですもの」

加菜子は富久江と夕起子の顔をかわるがわる見つめていたが、

「ほんと？　ママりっぱ？」

　と、子供らしい声になった。

「ああ立派だとも。加菜子のようないい子を産んで、お金をたくさんもうけて」

　富久江はすまして言った。

「おかねをたくさんもうけて？　したらおばあちゃんもおかねもうける？」

「おばあちゃんはもうけませんよ。おじいちゃんがもうけてくるから」

「なんだ。したらおばあちゃんはりっぱじゃないの」

「ああ、立派じゃないねえ。ママよりねえ」

　富久江はしょげて見せた。加菜子がにこっと笑った。夕起子は花鋏をテーブルの上に置いて、

「加菜子ちゃん、おばあちゃんはおうちで一所懸命働いているでしょ。だから立派よ」

「おかねもうけなくても？」

「そうよ、お金はおじいちゃんがたくさん持ってくるもの」

「そしたらおじいちゃんのほうがえらいよね」

　夕起子は困った。先程の富久江の言い方が悪かった。金をもうけてくるからなぎさは偉いのだという言い方をした。幼い加菜子はそれを鵜呑《うの》みにして、金を持って来る者が偉い

と決めこんだようである。人間の偉さは、金を得る高に無関係だと、今加菜子に教えるのは大切なことだった。が、それを富久江の前で言うことは、夕起子にはできなかった。

と、富久江が言った。

「あのね、加菜子。何でも一所懸命働いてね、人に親切にしてね、人の迷惑にならないようにしていたら、立派なの」

「ふーん、ひとのめいわくにならなきゃね。したらさ、パパがさ、ママにいってるよ。おまえはひとにめいわくばかりかけるって」

富久江は大声で笑った。

「負けたねえ、加菜子には」

夕起子はふと思い立って、紙とクレヨンを持って来た。加菜子の気をそらすためだった。

「加菜子ちゃん。おばちゃんに絵を描いて見せて」

「うん」

加菜子はやはり子供だった。目を輝かせて、ジュータンの上にきちんと座り、小さなテーブルの上に屈みこんで絵を描き始めた。

「言葉に気をつけなきゃねえ、夕起子さん」

富久江は小声で言った。夕起子が微笑して、

「お母さん、どうでしょうか。ちょっとなおしていただけますか」

活けた白百合を富久江のほうに向けると、富久江はちょっと見てから、

「あ、よく入りましたよ。玄関に飾ってちょうだい」

と、やさしく言った。時計が二時を打った。階段に足音がして、康郎が降りて来た。富久江は選っていた小豆の盆を膝からテーブルの上に移して、

「どこかへお出かけ?」

と、康郎を見上げた。

「いや、もう一杯お茶が飲みたくなってね」

「おひるのおそばのたれが、少しからかったかしら」

ひるのそばは富久江が打ち、たれも富久江が調えた。

「からくはなかった。おいしかったよ」

昼食後、康郎はいつものように二階で本を読んでいた。眠気を催したので、何となく階下に降りてみたのだが、どこへ出かけるかと聞かれると、女たちの中へ降りて来たことが、何か悪かったような気がした。読書中康郎は滅多に降りては来ない。二階にいれば、勉強しているものだと、富久江は勝手に決めている。夕起子が手早く茶の用意を始めた。

「おや、加菜子。絵を描いているのかね」

康郎は着物の帯に両手を挟んで、加菜子の傍に寄って行った。加菜子は机の上にかぶさるようにして、クレヨンを走らせていたが、

「うん」

と答えて康郎を見上げ、

「おじいちゃん、雨は誰がまいているの？」

と言った。

「誰が？」

康郎が問い返した時、富久江が勝手元から大声で言った。

「雨はね加菜子、誰かがまくんじゃないのよ。雲が雨になって降って来るのよ」

康郎は思わず苦笑した。加菜子は、誰かが雲の上で雨をまき散らしていると思ったようだ。だが富久江は、童心を解さない常識的な説明をした。何か加菜子が哀れな気がした。

「ふーん、雲がどうして雨になるの？」

「そんなこと、おばあちゃんにはわかりませんよ。うちへ帰ったらパパにでも聞いてごらん」

おばあちゃんと言っても、富久江はまだ四十代だ。一人で街を歩いていれば、孫のいる年齢には見えない。だが加菜子と話し合っていると、年より老けて見える。

康郎は加菜子の傍にあぐらをかいて絵をのぞきこんだ。加菜子は雲の上に、鬼の子のよ

うな子供を描き、柄杓《ひしゃく》で水をまいている絵を描いていた。漫画か何かで見たことがあるのだろう。雨にとじこめられて、一人絵を描いている加菜子が哀れで、康郎が言った。

「うまいうまい。おもしろい絵だよ。雷さまの子かな、水をまいているね」

言われて加菜子はうれしそうにうなずいた。雲の下に大きなみどりの木が一本立っている。その木の根元に、女の子が一人黄色い傘をさしている。傍に、子供より大きな黒猫らしいものが眠っていた。年の割におとなな絵であった。

「うまいうまい」

康郎がくり返した。と、加菜子は赤いクレヨンで右上に太陽を描き始めた。つづいて左上にも、更に大きな太陽を描いた。二つの太陽から幾本もの光が線状に描かれた。

「まあ、お上手ねえ加菜子ちゃんは」

茶を運んで来た夕起子が、康郎の前に茶碗を置きながら言った。加菜子は太陽を描き終えると富久江の傍に持って行った。

「おばあちゃん、これ」

「おや、おもしろい絵だわね。だけど、これなあに？」

「お日さまよ」

「おや、雨ふりにお日さまが照っているのかい」

途端に、

「おじいちゃん！」

と、加菜子の鋭い声がした。茶碗を持ったまま、

「何だい、加菜子」

康郎がおだやかに答えた。

「あのね、おじいちゃん、雲の上にお日さまあるよね」

「うん、あるある」

「ほうら、おばあちゃん。雲の上にお日さまがあるじゃないの。加菜子ね、ずーっとせんに、ママと飛行機に乗った時、雲の上にお日さまがあったよ」

「なるほどねえ。これはおばあちゃんが一本参ったわね」

富久江は楽しそうに笑いながら、加菜子の頭をなでた。

「だけどね、加菜子、お日さまは二つもいらないよ。一つでいいのよ」

「ふーん。一つしかないの。でもねおばあちゃん、うちゅうにはね、たいようが何十もあるって、パパがいってたよ」

加菜子は父の兼介から、星の話を聞いた時のことを覚えているのだ。

「だけど、ここからは一つしか見えませんよ」

そう言い返す富久江を、康郎は子供のような人間だと思った。

「みえなくてもいいの。加菜子はお日さまが二つあるほうが好きなの」

加菜子が強い語気で押し返した。

「ふーん、この暑い夏に、太陽が二つもあってごらん。人間はみんな焼け死んでしまうわよ」

「でもさ……冬になったら、二つあったらストーブがいらないでしょ」

「そうだね。冬なら二つあってもいいわね。なるほどそれにはおばあちゃんも賛成だわ」

康郎は雨のふる庭を眺めながら二人の会話を聞いていた。都忘れが庭の片隅にむらがり咲いていて、雨にぬれている。その横にあやめが蕾《つぼみ》を持っている。一週間程前のことだった。康郎の研究室になぎさが来て、加菜子が太陽を二つ描く話をしていた。それを今康郎は思い出していた。

「それにさあ、お日さまが二つあるとね、雨のふる日がなくなるの。お日さまがかわりばんこにでてくるから」

「加菜子は雨降りが嫌いなの」

「だいっきらい。だって外であそべないでしょう。いつかえんそくに、雨がふったでしょう。雨ふりはお日さまのお休みでしょ。二つあったら、かわりばんこにやすめばいいでしょう」

「でもね、加菜子。雨が降らなきゃ、お米もトマトも、西瓜《すいか》もお花もできないのよ。第一雨がなかったらね、お水を飲むこともできないのよ」

　蛇口をひねって、富久江は水を出して見せた。

「ふーん、おみずものめなくなるの」

「そうよ、飲めなくなるわ」

「でもね、おばあちゃん、お日さまが二つあったらね、やっぱりいいよ、かわりばんこにおきてるからね、夜がなくなるの」

「毎日おひるばっかりかい」

「うん、おひるばっかり。よるがないといいなあ。加菜子、くらいのだいっきらい」

　何となく康郎は夕起子のほうを見た。テーブルの上を拭いていた夕起子も康郎の顔を見た。雨の日の絵にも太陽を二つ描く。そんな加菜子の心を、真剣に受けとめてやらねばならぬと、康郎は空になった茶碗の中に目を移した。

二

夜になって雨が止んだ。

「韓国旅行ですって?」

富久江が寛の顔を見た。

「うん、メーカーの招待さ」

寛は、ちらりと夕起子の顔をうかがうように見た。夕起子が、

「あら、いついらっしゃるの」

と尋ねた。ソファに康郎、富久江、なぎさが座っている。そのなぎさの膝に頭をもたせて、加菜子がうたたねをしている。なぎさは九時を過ぎて加菜子を迎えに来た。五、六分遅れて今寛が帰って来た。なぎさが来るまで、加菜子は時々カーテンをもたげては、ガラス戸に額をつけるようにして、なぎさを待っていた。その度に、暗い夜が嫌いだという加菜子の言葉を夕起子は思った。加菜子がこのように母のなぎさを待つようになったのは、なぎさが手術を受けてからだ。子供心に、なぎさの手術はかなりこたえたのかも知れないと夕起子は思った。太陽を二つ絵に描くようになったのも、どうやらなぎさの入院後からである。

（だけど……）

加菜子が太陽を二つ描くようになったのは、単に夜が不安をもたらすからだけだと考えてよいのだろうか。先程から夕起子は、加菜子があどけなくなぎさの膝に眠る姿を見ながら考えていた。何となく、兼介となぎさの間が、しっくりいっていないのではないか、と夕起子は思った。

それともう一つ、夕起子の心にかかることがある。それは、この頃二、三度見た光景だったが、なぎさが迎えに来ると、加菜子がなぎさの腰にまつわりつく。するとなぎさがその加菜子を、ほんの僅かの時間だが、しっかりと抱きしめるのだ。先程もなぎさはそのようにした。以前のなぎさにはないことだった。せいぜい頭をちょっとなでるか、肩に手を置くかが、母親のなぎさの加菜子に示す態度だった。

「べたべたしないのよ」

と、以前は突き放すような言い方を、なぎさはよくしたものだった。が、この頃はちがう。なぜ変わったのか。それが夕起子には今日特に気にかかった。寛が韓国に旅行することなどは、夕起子にとっては富久江のように大きな声を上げて驚く事件ではなかった。常日頃から出張がちな寛である。韓国へ行くと言っても、いつもより少し足を伸ばすだけのことである。

「うん、来月の初めになるだろう。月末の忙しいのが過ぎてからだよ」

いつもよりやさしい声で寛は言い、自分の横に座っている夕起子の足先を、自分の足でちょっと突ついた。寛は時々、そんな形で夕起子への愛情を示す。

「そう」

夕起子は、かるくうなずいて、コーヒーカップにうつる明かりを見つめた。

「お姉さん、男が韓国に行くっていうのは、どんなことか知ってるの」

「どんなことって？　なあに、なぎささん」

「おいおいなぎさ、つまらんことを言うなよ、つまらんことを」

寛があわてて、今火をつけたばかりの煙草を灰皿におしつけた。

「あら、何をあわててるのよ、お兄さん」

富久江がたしなめて、

「なぎさ。寛はほかの男とはちがいますよ。お父さんの子ですからね」

「お父さんの子か。だけどどうやらお兄さんもわたしも、お父さん似ではないらしいわね」

「じゃ、わたしに似てるって言うの」

「お母さん、そんなうんざりしたような顔をしないでよ。自分の産んだ子じゃないの」

なぎさは富久江を横目で見、

「でも、お母さんにも似てないわね、わたしたち」

　と、真顔になった。

「似てくれなくて助かりましたよ」

　富久江が冗談めいた語調で言い、

「ねえ、夕起子さん」

　と、立ち上がって、誰も見ていないテレビのスイッチを切った。長い足を大きくひらいて歌っていた男の声と、バンドのひびきがさっと消えた。不意に部屋の中が静まり返った。

「韓国旅行って、何かいけないことがあるんですか、お父さん」

「あら！　お姉さんほんとうに何も知らないの？　これは驚きだわ」

　康郎が答える前に、なぎさが目を瞠《みは》った。なぎさの膝の上で、加菜子がかすかに顔をしかめた。何か夢を見ているようだ。

　康郎が言った。

「夕起ちゃんは、知る訳がないよ。週刊誌も読まなけりゃ、そんなことを教えてくれる悪友もいないようだからね」

「でもね、お父さん。お兄さんがいるじゃない。お兄さんは、俗なるほうにかけては、マージャンでこい、競馬でこい、その道でこい、相当なものなんだから」

遠慮のないなぎさの言葉に、

「なぎさ、そんな言い方はおよしなさいよ。まるで寛がプレイボーイみたいじゃない」

さすがにたまりかねて富久江が言うと、寛はニヤニヤしながら言った。

「なぎさ。俺はね、プレイボーイみたいかも知れないが、残念ながらプレイボーイじゃないよ。兼介君のようにはな」

夕起子ははっとした。

「あら、兼介がプレイボーイ？　うれしいことを言ってくれるじゃないの」

なぎさは軽くいなして、

「あのね、お姉さん。日本の男はね。怪《け》しからんのよ、韓国や東南アジアに旅行するのは、その大半の目的が女にあるのよ」

「まあ！　そうですか」

言いながら夕起子はしかしほっとした。寛は兼介をプレイボーイだと言った。その言葉をなぎさは軽くかわした。今、夕起子にとって最も気がかりなのは、熱海での兼介の行動が、寛の口から出るか出ないかということであった。男たちの韓国旅行が何を意味するかより、今この場で重大なのは、夕起子にとって兼介の問題であった。

「いいな、夕起子さんはのんきだな。大学で高原教授の秘書なんかしてると、世情には全くうとくなるのね」

「だって……寛さんは大丈夫ですわ。意外と純粋なんですよ。ねえお母さん」

夕起子の言葉に富久江は機嫌よくうなずいて、

「寛、ほらこのとおり、夕起子さんはあなたを信じ切っていますからね。裏切ることはできませんよ」

と、やや嵩《かさ》にかかって言った。康郎はコーヒーにも口をつけず、黙ってみんなのやりとりを聞いていた。多分寛は、夕起子を裏切るだろうと康郎は思った。まだ二十代の寛が、他の者たちと同じ行動をとらないことは、断言できないような気がした。人間がそんなに信頼できる存在だとは、康郎は思ってはいない。自分自身にしても、とうの昔に死んだ前の妻緋紗子を、心の中でどれほど想い返しては、愛しく思っていることだろう。そんな康郎の胸のうちを、富久江は想像もしたことがないにちがいない。一見康郎は、生真面目な学者タイプの人間であった。

(しかも、わたしは……)

康郎はさりげなく夕起子の顔を見た。亡き妻の声に似た夕起子の声を、自分はどんなに快く聞いていることか、夕起子と二人で話をしていると、妙に胸苦しくさえなってくるのを、康郎は近頃しばしば感じている。恐らく、さりげなく言ったにちがいない、いつかの夕起子の言葉を康郎は思った。

「お父さんの住んでいらした所だから……」

江田島に行ってみたいと夕起子は言ったのだ。その言葉を康郎は幾度もあたためなおすように思い出してきた。この感情の中に、息子寛に対する裏切りが全くないとは、言えない筈であった。息子の妻という存在は、最もタブーな存在なのだ。

「いやんなっちまうなあ。何だか俺にばかり集中攻撃がくるようだぜ。しかしなお母さん。なぎさだって、今夜誰と食事して来たものやら怪しいもんだぜ」

と、タバコの煙を大きく吐いた。

「お兄さん安心してよ。今夜の相手はね、ある会社の社長さんよ。大口にどんと入ってくれたのよ。しかも社員全員に勧めてね。今まで入っていなかった人が、大方入ってくれたのよ」

「うーん。お前も相当なやり手だなあ」

寛はさすがに驚いてまじまじとなぎさの顔を見、

「それでお礼に夕食をご馳走したのか」

「と、思うでしょう？　ところがご馳走してくれたのは社長さんよ」

「何？　お前が食事に誘ったんじゃないのか。それじゃ反対じゃないか」

「そこがわたしの人徳のしからしむるところよ。大口加入してやったんだから、飯ぐらいはつき合えよって言われたのよ」

「飯だけか」

寛は疑わしそうな顔をした。

「何よその言い方。お酒も飲んだわよ。ま、キスぐらいさせてあげたけど」

「何ですって⁉　なぎさ、キスをしたですって！」

驚く富久江に、なぎさが声を上げて笑った。

「これだから、お母さんの前じゃ、冗談も言えやしない。キスぐらいしたと言ったほうが、お兄さんが満足すると思ったからよ。誰があんな……」

もう一度大きく笑って、

「歯槽膿漏《しそうのうろう》でもありそうな男と、キスなんかするもんですか」

「それなら……いいけど。でも、なぎさ、もしその人に歯槽膿漏がなかったら、どうしたのあなた」

真剣な顔で尋ねる富久江に、一同が笑った。夕起子も笑った。その声に加菜子が目をさました。

「ママ、パパは？」

あたりを見まわして加菜子が言った。

「パパは今夜遅いのよ。ここには来ないわよ」

「ふーん。パパ来ないの？」

加菜子は大人たちの顔を順々に見ていたが、夕起子に視線が行くと、

「おばちゃん、加菜子の絵、ママにみせるから」

と、手を出した。夕起子はマガジンラックの中に入れておいた絵を、加菜子に手渡した。

「加菜子、たくさん描いたのね、えらいわね」

なぎさは一枚一枚確かめながら、太陽を二つ描いてあることにはなぜか触れなかった。

何枚目かの絵を指さして加菜子が言った。

「これ、パパよ」

男が、女と手を組んでいた。

「じゃ、こっちの人はママね」

富久江が言った。

「ううん、ママじゃない。よそのおねえちゃん。きのうパパとおててつないであるいていたの」

加菜子は無邪気に言ってのけた。

三

加菜子の言葉に夕起子ははっとした。寛はにやりとしてタバコの灰を落とし、富久江は激しくまばたきをした。康郎は聞かなかったように空になったコーヒー茶碗を取り上げた。一瞬、ぎごちない空気が流れた。が、なぎさが大声を上げて笑いながら言った。

「ふーんパパとお手々つないでくれるおねえちゃんもいるの、よかったわねえ加菜子」

加菜子はちょっと首を傾け、

「わかんない、加菜子」

と、呟くように言った。寛は一層にやにやして、

「おいおいなぎさ、そんな強がりを言っていて、大丈夫なのか」

吐いたタバコの煙が、明るい蛍光灯にまつわるように上がって行く。夕起子ははらはらと寛の脇腹を突ついた。

「お兄さん、大丈夫な男なんて、この世にいるわけないいじゃない。僅か一分の時間でも、女房の目をかすめてキスぐらいできるのが、男だもの」

「へえー、こりゃまた落ちついたもんだな」

「落ちついてるんじゃないのよ。男なんてそんなものだと思っていなけりゃ、一緒に暮らせるわけないでしょ。ね、お母さん」

「わたしはなぎさとはちがうわよ。何十年もお父さんのことを信じてきましたからね。この人は、わたしの目を盗んで何かできる人じゃありませんからね」

「ま、お父さんも男のうちだと思うけどなあ」

半眼を閉じている康郎に、なぎさはちらりと目をやってから、

「とにかくお兄さん、もしできたら韓国旅行は断ったほうがいいと思うわ」

と、年上のような言い方をして、いつのまにかなぎさの膝に寄って、再び眠りこんだ加菜子の頭に手をのせた。

「冗談じゃないよ、俺と一緒に入社した奴の中で、俺だけが選ばれたんだぜ。セールスの成績がいいからねえ。それを人に譲る手はないだろう」

「そう。夕起子さん、あなたもお兄さんが韓国に行くの賛成なのね」

「なぎさ、賛成も何も、出張じゃないか、出張だよ」

夕起子が答える先に寛が言った。

「出張か……錦の御旗ね」

夕起子には韓国旅行にこだわるなぎさが、不思議に思われた。確かになぎさは、韓国や

東南アジアに旅行する男の大半は、女が目的だと先程言った。だが、それが即ち寛とかかわりのあることとは夕起子には思えなかった。むしろそれより、加菜子の今の絵を問題にすべきではないかと思った。兼介が手を組んで歩いていたという若い女のことのほうが、現実として大きな事件ではないかと思った。それは、熱海のあの宿のフロントの男の言った言葉と、密接な関係がある筈だった。なぜなぎさは、女と兼介が手を組んだ絵には触れずに、韓国旅行を問題にするのか、夕起子には訝《いぶか》しく思われた。

「あのね、夕起子さん。わたし、保険の外交をしてるでしょう。だから男の人と話し合う機会が多いの。その話ではね、韓国や東南アジアに男たちが団体旅行をする場合ね、ホテルに着くと、もうそこには女の人たちが待ってるんですって」

「女の人たちが？」

「そう、体を売る人たちがよ。男の人たちはね、そこで自分の好みの女の人を決めてしまうんですって。そしてその後の三日間なり四日間なり、その女の人と行動を共にするんですって。女が毎日変わることもあると聞いたけど、日本人旅行者の九割までは、女を買うのが目的なんですって」

「ほんとうですか」

とは言ったが、心の中で夕起子は、まさかと思った。そんな恥知らずの行動を、団体で取るなどとは、想像もできなかった。なぎさが大げさに言っているのだと思った。

「そんなの嘘だよ。少なくとも俺を招待してくれるのは、一流メーカーだからな、そんな馬鹿な真似はさせないよ」

寛はわざと不機嫌に言った。

「そりゃあそうでしょうね」

富久江もうなずいた。

「一流メーカーは、悪いことをしないか」

なぎさは鼻先で笑い、

「お姉さん、今にこれ、大きな問題になるわよ。日本の女が、もう少し目をぱっちりとあけていなくちゃね。でないと、東南アジアや韓国の女性を、日本の男が慰み者にするのを手伝うことになるのよ」

康郎は黙ってみんなのやりとりを聞いていた。そしてふと、いつか何かで読んだ言葉を思い出した。

〈昔日本では、子供が泣くと、鬼が来たと言って泣きやませたものである。ところが韓国では、何と言って子供を泣きやませるか。「日本人が来る！」と言うのだ〉

これを読んだ時、康郎は日本が韓国に対してなした残虐行為の集約を見たような気がしたものだった。鬼が来ると言っても韓国の子は泣きやまない。しかし日本人が来ると言えば、その恐ろしさにおののいて、幼子はぴたりと泣きやむ。その韓国へ、今日本の男たちは、戦争を知っている者も、知らない者も、またもや韓国の人々をいたぶるために出かけるのだ。春を売る女がいるから買うのだと、うそぶく男たちもいる。が、買う男がいるから、そのような産業化された売春が広がっていくのだ。康郎はたまらない思いがした。特に、どこの国の者よりも日本人の旅行者にそれが多いということがたまらなかった。

(もし彼らが生き返って来たとしたら……)

ふっと康郎は、自分の代わりに死んだ親友の角多利雄を思い出した。角多利雄は、横須賀からサイパン島に向かって出発した。その第一便には、康郎が乗る筈だった。あの日に限って、集合時に康郎の靴の紐が解け、それを結んでいるうちに、いつも後列だった角多が前列に加わった。その前列の者が、第一便の船に乗った。そしてその第一便の全員が死んだ。あの頃の若者たちは、自分をも含めて、ひたすら国家の安泰を願って戦場に赴いたものであった。そこには何の私心もなかった。享《う》けた命を、戦いに散らすことに生き甲斐を感じていた。それが、ひと握りの財閥、軍閥の飽くなき欲望による戦争であったとは、夢にも思わぬことであった。買春目当ての旅行団体が、今他国を踏みにじって歩くのと同様の、醜く残酷な戦いだったと康郎は思うのだ。

（戦死した者たちが、今の日本を見たら、何と言って嘆くことか）

康郎の心は暗く沈んだ。この世は暗いと、改めて康郎は思った。一体どこに明るい部分があるのだろう。確か東京都の美濃部知事が、かつてこう言ったと聞いている。

「日本は今、明るい途上にあるように見えるが、実は暗い方向に歩いている。日本は再び十五年戦争への道を歩むだろう」

さすがに美濃部亮吉は学者だと、康郎は思った。この旅行団の頽廃《たいはい》が、その一つの前触れのように思われた。この世を支配しているのは、金と性への底知れぬ欲望であると思った。なぎさが今、寛に対して、韓国旅行をやめよと言ったのは、なぎさもまた社会的な見地に立って、この事実を見つめているのだと、康郎は感じ取った。

「おいおいなぎさ。お前、人の蠅《はえ》より、自分の蠅を追ったらどうだい。兼介君だって、熱海で何をしていたものか、知れたもんじゃないぜ」

夕起子の顔色がさっと変わった。一番恐れていたことを、寛は今口にしたのだ。

「熱海で？」

「そうさ。熱海で、かわいい女の子と、何をしてたか、わかんないんだぜ」

「お兄さん、逃げないでよ」

なぎさは切りつけるように、

「たとえ兼介が熱海で何をしたって、だからと言って、お兄さんが買春ツアーに加わることがいいということにはならないわ。それが目的の旅行団に加わることと、旅先で浮気をすることとは、ちょっとちがうとわたしは思うんだけどな」

「俺だって、何も妙な旅行団に加わるわけではないよ。メーカーの招待に加わるだけだよ。旭川の支社を代表してな」

ドミーが富久江の膝の上にひらりと飛び乗って二声鳴いた。夜寝る前に、ドミーはいつも二声鳴く。富久江はさすがに母親らしく、二人を制するように、

「ああ、ドミーが眠たいとさ。なぎさもそろそろ帰ったらどう？」

と、ドミーの背をなでた。

四

寛が韓国へ旅立って三日目である。夕起子は今、高原教授から頼まれて英文タイプを打っていた。ガラス越しに、真っ白な入道雲が東の空高く見える。絞られた青いカーテンの裾をなびかせて時折風が入る。誰か廊下を通る足音が、八月の午後の静かさを深めた。

寛を送り出すまでは、夕起子は余り不安を感じてはいなかった。が、寛が出発した後、妙に落ちつかなくなった。

（まさかとは思うけど……）

なぎさの言った言葉が、日一日と夕起子の心にのしかかってくる。

「女だけが目的の旅行よ。それでもいいの、お姉さん」

あの夜帰り際に、なぎさはその大きな目を夕起子に注いで、念を押すように言った。寛は気にするなと言ったが、寛が旅立つと、気にするなと言った言葉までが、妙に気になった。

（いくら何でも、そんな旅行に招待するなんて……そんなことがあるかしら）

若い夕起子には信じられなかった。が、次第に、もしかしたら……という疑念に変わった。寛が傍にいるかいないかで、こんなにも気持ちが変わるものかと、自分で自分が不思議だった。寛もまた、夕起子から離れて、心の底まで変わってしまうのではないかと、それがまた不安になる。一昨日、朝早く千歳《ちとせ》空港を発《た》って、夕刻には韓国に着いた筈だから、寛は既に二泊したことになる。シングルのベッドに一人横たわっている寛の姿が目に浮かんだかと思うと、韓国の女性とベッドの上にもつれ合っている姿が迫ってくる。

「あ」

夕起子は小さく叫んだ。またタイプを打ち違えたのだ。急がぬ仕事だからよいものの、夕起子は自分自身を情けないと思いながら、レターペーパーをタイプライターから外した。教授室には高原教授はいない。午後の手術に出ているのだ。大学は夏休みでも、高原教授は忙しかった。

夕起子は窓に寄った。少し頭を休めようと思った。広い青田が大学の敷地につづいて右手に広がっている。その畦道《あぜみち》を、捕虫網を持った小学生が数人走って行く。小学校もまた夏休みに入っているのだ。からりとした旭川の夏だ。が、それでも今日は三十度を超えているだろう。

(寛さんは、わたしを裏切るだろうか)

思いはつい、寛にいく。旅立つ前夜、寛は夕起子を激しく抱きしめて、

「ぼくは夕起子のものだ。何も心配することはないよ」

と、くり返し言った。夕起子は今、不意にその言葉を信じていいような気がした。が、青田の上を風が影のように渡るのを見ると、またしても不安が頭をもたげた。夕起子は康郎に会いたいと思った。康郎は研究室に来ているかも知れない。あるいは、今日は暑いから と家で横になっているかも知れない。康郎の傍にいると、なぜか心が安らぐのだ。それは夫の寛からは受けることのできない安らぎだった。自分より二十数年先に生まれた人間の深さなのだろうか。しかし、康郎の年代の者全てが、同じ安らぎを夕起子に与えるとは限らない。康郎という人間が持っている一種独特の雰囲気なのだ。せめて声だけでも聞きたいという思いにかられて、夕起子は受話器に近づいた。が、夕起子は少しためらった。とその電話のベルが鳴った。康郎からかも知れぬと、夕起子は受話器を取った。

「はい、高原教授の研究室でございます」

「あ、あなたは邦越夕起子さんですね」

「はい、さようでございます」

聞いたような声だと思ったが、すぐにはわからなかった。

「お姉さん、ぼく、兼介」

急に砕けた語調になり、いつもの兼介になった。夕起子はふっといやな予感がした。

「あ、兼介さん」

ややうろたえて挨拶する夕起子に、兼介は部屋に誰かいるかと尋ねた。いないと答えると、

「全く暑いですね、今日は三十二度だそうですよ」

と屈託なげに言った。

「まあ！　三十二度も？」

「そうですよ。大学は冷房が利いているでしょう。涼しくて羨ましいなあ」

「いいえ、残念ながらここには冷房はありません」

「何？　なあんだ、大学でも冷房はないんですか。案外お粗末なんだな」

明るい笑い声が耳に響いた。何の用かと尋ねようとした時、兼介が言った。

「今日はなぎさと加菜子が、プールに行きましてね。ぼくは暑い部屋の中で、おひるねです。ところで、今、お忙しいですか」

「は、あの……タイプの仕事が二、三通ありますので」

「ということは、仕事の量として、多いということですか、少ないということですか」

「多くはございませんけど……」

「じゃ、あと二時間程して、お訪ねしてもよいでしょうか。大学の中には喫茶店がありましたね」

「ええ、ありますけど」

夕起子は当惑げに答えた。

「よろしいですか、伺っても」

「すみません、勤務中ですので、勤めが終わってから、家のほうにでもいらして下さいませ

ん？」

「家のほうに……」

しばらく考えているようだったが、

「じゃ、十分程、今電話で話してもいいですか」

「ええ、十分位なら……どんなご用でしょうか」

兼介から大学に電話がかかって来たことはほとんどない。二、三度加菜子の連絡のことで、短い電話があった程度だ。

「どんな用事と言われると、ちょっと困るんですけどね。実はこの頃、なぎさがひどく機嫌が悪いんですよ」

「はあ」

「それがね、どうやらお宅に伺ったいつかの夜からなんですよ、考えてみると」

「はあ」

「何か、心当たりはありませんか」

「心当たり？　さあ……」

　なぎさがどこまで言っているのか、見当がつかない。うかつな返事はできなかった。俄かに、脇の下に汗が滲《にじ》んだ。

「さあって、お姉さん本当に心当たりがないんですか」

　心当たりはあり過ぎる程ある。兼介の熱海旅行のこと、加菜子の描いた「パパとよそのおねえちゃん」の、手を組んだ絵のこと、それだけでもう心当たりは充分である。だがそれを口に出してはならないのだ。

「お姉さん、今、どんな顔をしてます？　電話だと表情がわからないんでねえ。それでぼくは会いたかったんですよ」

「あら、どんな表情もしてませんわ」

「まあいいでしょう。ところでね、なぎさの奴も焼きがまわったんですなあ。以前はあんな女じゃなかったんだが……。実はですね、加菜子が描いた一枚の絵を、まるで証拠写真のように突きつけましてね。馬鹿馬鹿しい。四、五歳の幼児がですよ、ぼくとどこかの女の子が、手を組んで歩いている絵を描いた。しかしですよ、四、五歳の幼児から見たら、十の子もおねえちゃん、十三の子もおねえちゃん。ね、そうでしょう。それをまるで、一人前の女性とべたべたしていたかのように、なぎさは思っているらしい」

「はあ」

なるほど、幼い加菜子から見たら、小学校三年の子でも、おねえちゃんかも知れない。だが熱海の電話はどうなるのだろう。

「ね、そうでしょう。加菜子は子供ですよ。幼子ですよ。いつからなぎさの奴、やきもちをやくようになったんですかねえ。その上、寛兄さんが、兼介だって熱海で何をやっていたかわからないなんて、焚《た》きつけたそうじゃないですか。無責任にそんなことを言ってくれては、困るんですなあ」

「すみません……わたし、よく聞いていませんでしたけれども……」

「へーえ、あなたは聞いていなかったんですか。なぎさの話では、お姉さんも何かうなずいていたという話ですがねえ」

じわじわと締め上げるように、語調が粘ついて来た。まるで、法廷で尋問でも受けているような、いやな心地だ。しかも熱海の一件は、夕起子が聞いた電話に始まるのだ。夕起子は不安だった。

「そうですか。わたし、もう忘れましたけど、寛さんがなぎささんをからかったんじゃないんでしょうか」

「からかった?」

「ええ。韓国旅行に行くということで、なぎささんに、旅行を中止するように言われたのよ。それで寛さんが、売り言葉に買い言葉で、兼介さんだって、熱海で何をして来たか、わからないと言ったのかも知れませんわ」

「なあんだ、そんなことだったんですか。いや、それで話はわかりました。ぼくはまた、動かぬ証拠のようなものをでっち上げられたかと思いましてねえ。いささか憤然としていたんですよ」

しつこく追求されると思っていた夕起子は、意外にあっさりと引き下がった兼介に、ほっと胸をなでおろした。そして、兼介も案外単純な男だと思った。と、兼介が言った。

「そうですか。韓国旅行に端を発したことですか。さもありなんですな。しかし、韓国旅行は危険ですよ。お姉さんはそのことを、納得の上で出してあげたんでしょうね」

「大丈夫ですわ、寛さんは」

「なるほど、寛さんは大丈夫ですか。わが女房もそう言ってほしいものですね。妻が夫を信ずる、これは最大の美徳ですよ。欺《だま》されたっていい。信ずればいいんですよ、信ずれば。いるかいないかわからない神さまを信じて、殉教したキリシタンのようにね」

兼介は笑ってから、不意に暗い声になり、

「しかし、そうかなあ、只、お兄さんがそう言っただけで、なぎさの奴がぼくを疑うかなあ。

何かもっとほかに言ったんじゃないですか。とにかくね、あいつは手術のあと、少し人間が変わったように思うんですがねえ、お姉さんはどう思いますか」

「さあ、わたし、ぼんやりなものですから、別段なぎささんが変わったとは思いませんけど……」

と、さり気なく答えた。が、確かになぎさは少し変わった。特に加菜子に対する態度が変わった。迎えに来るや否や、加菜子を抱きしめるようになったこと、これは意外と大きな変化とは言えないだろうか。もしかしたらなぎさは、この自分が知っている以上の事実をつかんでいるのではないか。夕起子はそう思った。自分の聞いたあの電話は、その一部に過ぎないのではないか。勘の鋭いなぎさは、兼介が研修旅行に出発する前に、既に何かを感じ取っていたのかも知れない。だからこそ、寛の韓国旅行を強く制したのかも知れない。

受話器を握りしめながら、夕起子は今それに気づいた。

「お姉さんて、利口なんだからなあ。利口過ぎるんだなあ。誰をも傷つけまいと、必死になっているような、そんな感じですねえ。いや、お邪魔しました。ぼくから電話があったことを、なぎさに黙っていてください、とは言いませんよ」

「申しませんわ、兼介さん」

「言わないでくれたほうがありがたい、しかし口止めはしませんよ」

受話器の向こうで、にやりと兼介が笑ったような気がした。単純だと思った兼介が、不意に老獪《ろうかい》に思われた。

電話が切れてから、夕起子は複雑な思いに打ちひしがれた。全神経を緊張させていたせいか、兼介との電話は夕起子をひどく疲れさせた。なぎさと兼介との間に亀裂が生じたことも憂鬱《ゆううつ》だった。常日頃見せない兼介の姿が、今の電話にはあったと思う。磊落そうでいて、陰険な感じを拭《ぬぐ》うことができなかった。

夕起子は、のどがひりつくように乾いていることに気づいた。濃いコーヒーでも飲みたいような衝動を覚えた。部屋隅の冷蔵庫をあけると、今朝入れたコーヒーポットがあった。淡いピンクの小さな花を散らしたコーヒーカップに、冷たいコーヒーを注ぎながら、なぜか夕起子は涙ぐんだ。

(いやだわ)

生きていることが、何かむなしく思われた。と、そこに高原教授が入って来た。手術をしてシャワーを浴びた高原教授の体から、石鹸の匂いがした。

「お疲れさまでございました」

あわてて夕起子は立ち上がった。

「治る病人を手術するのは、気持ちがいいなあ」

高原教授は明るい声で満足そうにそう言った。夕起子は用意していた冷たいお絞りとコーヒーを、教授のテーブルに運んだ。

「そうでしょうね。同じ手術でも……」

今の高原教授のひとことが、妙に心に沁みた。治る見込みのない患者でも、手術をしなければならないことがある。一時の苦痛を抑えるために、開腹しなければならない時がある。そんな時の手術は、医師にとっても、さぞかし辛いことだろうと思った。

「今日は四日か」

高原教授は目を細めてカレンダーを見、

「ということは、明後日は八月六日ということだ」

と、感慨深げに言った。

「は?」

今日が四日で、明後日は六日ということは、余り当たり前に思われて、夕起子はこっけいにさえ思えた。が、高原教授の顔がまじめに引きしまっているのを見、夕起子は笑うのを止めた。高原教授は怪訝《けげん》そうな夕起子の表情に気づいて、

「八月六日、と言っても、君たちの年代にはぴんと来ないんだねえ。八月六日は、世界で初めて、原子爆弾によって、大量の殺戮《さつりく》がなされた日だよ、夕起ちゃん」

「ああ、八月六日でしたわね」

　毎年八月六日に記念行事があることを、夕起子は思い出した。

「無理もないなあ。君はまだ生まれていなかったんだ」

「すみません」

「謝ることはないよ」

　高原教授はうまそうにのどを鳴らして、冷たいコーヒーを一気に飲んだ。大きなのど仏が上下に動いた。

「毎年ぼくは、夏休みが始まる時、学生たちに言うんだよ。八月十五日は何の日かってね。お盆ですかって言うのが一番多い。ずばり敗戦の日だと答える者は、優秀な学生の中にもそう多くはいない。それだけ、時代というものは移り変わるんだなあ。原爆の日がわからなくても仕方がないんだろう。しかし、仕方がないとは言ってはならないんだなあ」

　遠くを見るように、窓の外を見る教授を、康郎と同じ年代の人だと夕起子は思った。

　寛は九日に帰って来る。もしかしたら、原爆記念日の六日の夜も、寛は韓国の女と遊びたわむれて夜を過ごすかも知れないのだ。夕起子は何か肌寒い思いがした。

原爆忌

原爆忌

一

　会場は旭川の中心部、北峰ビル三階の一室だった。百人も入れば一杯になる小ホールである。

「あなたは戦争をどう考えるか」

　青い絵の具で大きく横書きした紙が正面の壁に貼られている。今日の会合のテーマである。その下に高さ二十センチ程の壇があって、教卓のようなテーブルが一つ、壇上に置かれてあった。会場には、十数人の若者たちが所在なげにパイプ椅子に腰かけていた。勢いこんで出かけて来た康郎は幾分気ぬけがした。

　七月の初め、康郎の研究室に一人の学生が訪ねて来た。昨年教えた大槻という学生だった。康郎の受け持つ歴史の講義は、大学一年生だけが対象である。大槻は言った。

「先生、実はぼくたちの仲間で、戦争体験を聞く会というのを企画したんです。三人の方にお話し頂いて、ぼくたちが質問するという趣向なんです」

　ひょろりと背の高い、顔色の青白い学生だが、目には光があった。

「ほう、戦争体験を聞く会か。それはいい企画だ。戦争のことなら、こっちから頼んで聞いてもらいたいほどだからね」

康郎は快く承諾した。旭川は文化活動の盛んな都市で、康郎も時々講演の依頼を受ける。赴任以来平均月一度は頼まれてきた。

「わたしのほかにどんな人にお願いするのかね」

康郎が尋ねると、大槻は脂っ気のない髪を掻き上げながら、

「実は先生が頼み初めなんです。ほかは未定なんです……」

大槻はそう言い、それでも、戦争中思想犯として投獄された体験を持つ五十田久一《いそだきゅういち》という活動家と、もう一人は広島で被爆した市内在住の女性を考えていると言った。大槻たちの仲間というのは、学生だけではなく、公務員や民間会社のサラリーマンや、建築士などもいる若い男女のサークルということだった。発足して三年、会員はまだ二十名程度であるとも大槻は言った。

「戦争のことは大事な問題だから、たくさん集めようと張り切っているんです」

大槻はそうも言っていた。

その「戦争体験を聞く会」が、八月六日原爆記念日の今夜ひらかれることになったのだ。

「先生も誰か誘って来てください」

講師である自分に聴衆を誘って来いと言われたのは初めてだった。しかし邦越康郎はいやな気はしなかった。それで、妻の富久江と夕起子を誘ったのだが、

「いやですよ。あなたが話をするのを、どんな顔をして聞いていたらいいんですか。あほらしい」

富久江は取り合おうともしなかった。結局康郎は夕起子一人をつれて来る結果になった。

「すみません、邦越先生」

部屋の入り口の受付にいた大槻が、康郎を見ると、立ってペコリと頭を下げた。

「どうも出足が悪いようです」

大槻と並んで立っていたポロシャツ姿の、日焼けのした若者が愛想よく顔を向けた。大槻はその若者を館山という建築士だと紹介した。本来ならすまなそうな顔をすべきところを、館山は楽しそうに笑っている。が、その笑顔にいかにも邪気がなくて、康郎も不思議に気持ちがなごんだ。

「いいよ、いいよ。本気で聞いてくれる人が一人でもいればね。数の多少は問題ではない」

言いながら康郎は、自分の言葉に肯く思いだった。

会場の左手に、講師席として椅子が三脚並べられてあった。その席には、既に二人の講師が先着していた。時折新聞紙上で見かける五十田久一であり、他の一人は見知らぬ小柄

な中年の女性であった。大槻は先ず五十田を紹介した。康郎が名刺を出すと、

「ご高名はかねがね伺っております」

と、五十田は柔和な微笑を浮かべた。噂に聞くとおり、闘士とは思えぬ好紳士であった。被爆体験者であるという住吉敏子にも、康郎はていねいに挨拶した。被爆体験者と聞くだけで、深く頭を垂れずにはいられなかった。

定刻六時半を十分過ぎて、先ず五十田久一が壇上に立った。いつしか、会場には七十人程の若い男女が集まっていた。五十田は壇上からゆっくりと場内を見まわした。二度、三度、五十田の視線が人々を点検するようにきびしく動いた。先程の柔和な五十田とはちがった、闘士の一面がそこにはあった。

「皆さん、わたしが今、場内を探るように見廻したのは、なぜであるのかわかりますか。それはですね、わたしは演壇に立つと、聴衆の中に刑事がいるような気がして、ついこのように会場を見廻すのです。と申しますのは、戦時中講演というと……いや、昔は講演と言わずに演説と言いましたが……。演説会場の一画には必ず警官席というのが設けられてあったものです」
三、四人の女性が遅れて入って来た。その女性たちの着席を待って、五十田は言葉をついだ。

「そこには大抵二人の警官がいて……そう、場外にも取りまくように警官がたむろしていたこともありますし、この壇上から聴衆を睥睨《へいげい》していたこともあります。更に聴衆の中には私服刑事もいましてね。講師……いや当時は弁士ですね、弁士が口をひらいて、二言三言するや否や、警官が『弁士中止！』と叫ぶ。いいですか、二言三言ですよ。例えば、『皆さん、お忙しい中をよくおいでくださいました。今年の桜は気候がよくて見事に咲きましたね』そんなたわいもないことを言っただけでもう『弁士中止！』です」

若者たちが笑った。

「皆さんはお笑いになったが、笑いごとじゃありませんよ。『弁士中止』の叫びにつづいて『解散！』と警官が怒鳴る。聴衆は騒ぎ出す。そりゃあ騒ぎますよ。演説会があるというから、みんなてくてく歩いて集まって来る。今のように旭川にはバスがなかった。タクシーなどは婚礼の時ぐらいしか使わない。ま、電車はありましたが、市内至る所に走っていたわけではない。とにかくてくてく歩いて来るのがほとんど。それがろくろく話も始まらないうちに『解散！』と言われては、聴衆が騒ぎ出すのは当たり前です。ところが待っていたとばかりに、騒ぎ出す者を警官が引き立てて行く。こんな馬鹿な話がありますか。もっとも、いくらか喋らせておいて、途中で『弁士中止』という場合もあったわけですが、何れにせよ、それが戦時中、いや戦前からの日本のあり方だったわけです。今日のテーマは『あなたは戦争をどう考えるか』ということですが、わたしは戦争とは、人権無視、人格無視、国民の意見を踏みにじる、恐るべき国家権力の一つの姿だと思いますね。国家権力が、武力を持っているからこそ戦争は起きるわけですよ。敵を武力によって攻撃する前に、先ず自国民を武力によって黙らせる！　これが戦争のさきがけであります。国民の口を封じておいて無理矢理戦争に突入する。このことをあなたがたは今、ここにしっかりと銘記して頂きたい。『戦争は起きるのではない。起こすものだ』と言った人があります。まことにそのとおりであります。

ところで、わたしの上に戦争の影が色濃く落ちたのは、昭和の初期でした。わたしはその頃、何も知らない一七歳の少年でした。その日わたしは、旭川見物に初めて出かけて来た。わたしは当時稚内に住んでいましてね。初めて旭川に来るわたしのために、わたしの兄は友人の小沢という人を紹介してくれた。宿に泊まるよりも友達の所に世話になるのは、何かと便利でもあり、安上がりだと兄は考えたのでしょう。わたしを駅に迎えてくれたのは、インテリ風な印刷工でした。詩や小説を書くというその人は一見芥川竜之介に似た青年でしてね、わたしを駅に迎えると、駅前の食堂に案内して、鍋焼きうどんをごちそうしてくれた。それが何とも言えずうまかった。そこまではよかった。

布団は一組しかないからその夜わたしは彼と一つ布団にもぐりこんだ。何せ稚内から旭川まで、当時八、九時間もかかった。一人旅の緊張でわたしはくたびれ切っていましてね、すぐにぐっすり眠りこんだ。

ところがその翌朝、階下でどんどんと激しく戸を叩き、怒鳴る者がいる。何事かと思う間もなく、階段を駆け上がる音がして、襖がさっとひらかれた。わたしは一瞬やくざ者かと思った。ところがその中の一人が、

『小沢昇三召し取ったあ!』

と矢庭に小沢さんに飛びかかった。

こうして一つ布団に寝ていたわたしも、警察に引き立てられて行った。しかしわたしは、別段何も悪いことをしていない。本署に行って話せば、すぐにわかってもらえると安心していた。小沢さんだって悪い人とは思えない。何かのまちがいだろうと考えていた。ところが署につくや否や、豚箱にぶちこまれる余裕もなく、一室につれこまれて取り調べが始まった。刑事は、

『小沢とはいつからつきあっていますか』

『何の用事で稚内から出て来ましたか』

『誰に頼まれて出て来たのですか』

などと、いやに丁寧な言葉で聞き始めた。わたしは小沢さんについては、その名前と、

住所と職業以外はほとんど知らない。ただ兄に紹介されただけだ。旭川に出て来たのは、旭川見物のためだ。わたしはありのままに言った。ところが刑事の形相がみるみるうちに変わった。

『この小僧、なめやがるな！　太い野郎だ！』

いきなり平手打ちを食わされた。わたしはふるえ上がった。ありのままに言ったのに、怒鳴られ、殴られたのだ。ありのままに言ったどこが悪かったのか、さっぱりわからない。怯えたわたしの顔を見てにやりと笑った刑事は、

『正直に言うんだ。な、正直に言ったらすぐに帰れる。お前な、小沢に呼び出されて来たんだろ。小沢の友達を何人か知ってるんだろ。どんな用事で呼び出されたか、どんな友達を知っているか、正直に話すんだ』

困りましたねえ。とにかく何も知らないんだから答えようがない。恐る恐る、またありのままに言った。と、

『この野郎！』

という言葉と共に、竹刀《しない》でしたたか肩を殴られた。いいですか、わたしは世間知らずの十七歳の少年ですよ。一体どうしたらいいのか、ただおどおどと、しかし正直に答えるより仕方がない。ありのままに答える度に拷問がきつくなる。靴で蹴る、指と指の間に鉛筆

を挟ませてこじる。これが骨身に沁みる痛さです。それでもわたしには答えようがない。

わたしはこの時まで、警察は正しい者の味方だと単純に信じていた。弱い者の味方だと素直に信じていた。つまり自分の味方だと信じていた。警察に訴え出れば、悪い者の手から助け出してくれると、心底信じていた。ところがそうではなかった。正直の全く通らぬ所であることをわたしは思い知らされた。この警察をどこに訴えればいいのか。わたしはその夜、殴られた痛みに耐えながら、豚箱の中で真剣に考えたものです。それ以来わたしは、自分の見た警察の姿を通して、この世の仕組みを考えるようになったのです。

とにかく、この時の逮捕が、わたしにとって戦争の始まりでした。日本の戦争を起こすべく、都合の悪い者は、社会主義者のみならず、教育者であれ、文筆家であれ、宗教家であれ、芸術家であれ、仮借なく引き立てて行きました。小林多喜二が拷問によって死んだのもその頃です。

皆さん、何が恐ろしいかと言って、思想信条の自由を奪われることほど恐ろしいことはありません。もし日本が戦争に勝っていたとしたらどうでしょう。依然としてあの旧憲法は生きていたことでしょう。するとどうなるか。今夜のように、『戦争をどう考えるか』などという会をひらこうものなら大変、主催者はもとより、ここに集まっている人たちすべて、拷問はおろか、死を覚悟しなければならない。これは決して誇張じゃありませんよ。

ところが恐ろしいことに日本は今また、いつか来た道へ戻って行こうとしている。そのことをあなたがたは今鋭敏に感じ取らなければ、大変なことになるのです。軍備を拡張しようとする時、必ず圧政が施かれる。圧政によって一番先に奪われるのは、思想の自由であり、集会の自由です。

現に今、日本では徴兵制度を復活させようとする声が起きている。そのうちに、国のために戦うのだという大義名分が、横行するかも知れない。しかし、戦争に正義の戦争や、聖戦などはない。戦争は先程も申し上げたように、起きるのではなく起こすのです。なぜ起こすのか、戦争によって必ず得をする者がいるからです」

低いが、熱のこもった声であった。ある時は怒りをこめ、ある時は声をおさえて、五十田は諄々《じゅんじゅん》と若者たちに訴えつづけた。戦争中、思想犯は弁護士を選ぶ自由もなく、控訴権も奪われていて、国家の側に都合のいい弁護士が、弁護といえない弁護をした。それは実に暗黒裁判とも言えるものだったと五十田は言い、更に当時の人の受けた拷問の実態を述べ、思想の自由だけは失ってはならぬものであると力説して、三十分の話を終えた。

康郎は、夕起子が一番うしろの席で、うなずきながら聞いている姿に目をやりながら、自分の用意してきた話の貧しさを思っていた。

二

蛍光灯の明るく点《とも》った会場には、いつしか百名を越える聴衆が席を埋め、幾人かは立っていた。大槻たちが熱心に友人たちを集めたのだろう。ほとんどが若者たちの中に、七十近いと思われる男や、五、六十代の女性の姿も見えた。

熱心な拍手を受けて五十田が壇から降りると、替わって住吉敏子が登壇した。住吉敏子は白いブラウスを着、白いスカートをはいていた。胸にオレンジ色のブローチがなければ、死《し》に装束《しょうぞく》を思わせるような雰囲気が、住吉敏子にはあった。細く、小柄な、そして血の気のない顔が、しかし不思議に人をひきつける力を持っていた。

「わたくしは住吉敏子と申します。わたくしが人様に会って、一番先に思うことは何か、おわかりでしょうか。それは、わたくしは被爆者だ。この人は被爆者ではない。ということです。今夜ここに、これだけ人が集まっておりますけど、この中におそらく被爆者の方はいらっしゃらないでしょう。もちろん、ほとんどの方が若い方ばかりで、皆さん戦後にお生まれになったわけですから、被爆するわけはないですね。でも、皆さんのご両親も、更にそのお父さまがたも多分被爆者ではないと思います。わたくしにとって被爆者か被爆者でないかということがどんなに大変なことか、どのように申し上げたとしても、皆さんにはおわかりいただけないような気がしてなりません。でも、少しの間わたくしの話を聞いてください。

忘れもしません。昭和二十年八月六日、つまり二十九年前の今日の午前八時十五分、原子爆弾が、初めてこの地球上に落とされたのです。わたくしは当時、まだ二十の娘でした。その日わたくしは勤めが遅番で広島の自宅にいました。爆心地の東方約一・五キロの所に、わたくしの住む土手町がありました。

わたくしは十時までに工場に行くので、そろそろ出かける準備をしていたのですが、母に焙《い》り豆を持ったかどうかと聞かれたものですから、防空壕《ぼうくうごう》に入って行きました。防空壕は家の裏手にあって、父母と弟二人、そしてわたくしの五人が並んで寝ることができるほどの広さでした。父は慎重な人で、万一焼夷弾《しょういだん》で家が焼かれたとしても、大きな防空壕があれば、当分は住むのに困らないと、近所界隈にはない立派な防空壕を造ってくれたのでした。そしてそこには、非常食糧や、夜具や、アルバムなどを置いてありました。

その防空壕の中に入った途端に、わたくしは異様な音響を聞きました。それは、後でわかったことですが、家の崩れる音でした。とっさにわたくしは、家が爆弾でやられたと思ったのです。驚いて防空壕を飛び出したわたくしは呆然としました。あたりにあった家がほとんど全壊していました。不思議に何の声も聞こえぬ静かなひと時でした。当時土手町には、百五十戸の家があったのですが、そのすべてが全滅したのです。土手町の人口は約五百八十人いました。そのうちの……三十五パーセントは即死したのです。そして、四十パーセントはひどい傷を受けました。残る二十五パーセントは奇跡的にかすり傷か、打撲ぐらいで難を逃れました。

ところで、先程まで縁側にいた母の姿はどこにもありません。父は勤めに行っていました。中学生の弟たちは夏休みで軍需工場に行っていました。わたくしは狂気のように母を呼びました。しかし母の返事はありません。一体何が起こったのかわからぬままにとにかく母を探すべく、落ちた屋根瓦を踏みながら、崩れた家に近づきました。でも、小娘のわたくしに一体何ができるでしょう。屋根を取り除き、梁《はり》を取り除くという作業は不可能でした。わたくしはそれでも少しずつ少しずつ、屋根をはぎ、軒をずらして、何とか母を助けようとしました。

十分も経ったでしょうか。あるいは三分程だったでしょうか。突如として、わが家のあちこちから炎が上がり始めたのです。気がつくと、突き出した柱から、軒先から、倒れた庭木から、火が噴き出しているのです。はっとしてふり返ると、向かいの家からも、その向こうの家からも、赤い炎がめらめらと燃え上がっているではありませんか。わたくしは大声で母を呼びながら……本当にあんな力がどこから出たのでしょう。庭の片隅にあった丸太ん棒を梃子《てこ》に、重い梁をこじ上げました。その時母の、『敏ちゃん』と言うかすかな声を耳にしました。

母は生きていました。わたくしは狂喜して、尚も母を助けるべく丸太に力を入れましたけれど、でも、魔のような火が見る見るうちに、わが家を、いいえ、土手町のすべての家を燃え上がらせました。逃げなければ、わたくしは焼け死にます。わたくしを呼んだ母がいる。どうしようもないわたくしを、どこの人かわからない人が、

『逃げるんだ！』

と、強い手で引っ張り、ぐいぐいとその場からつれ去って行ったのです。

『お母さん！　お母さんが！』

わたくしは叫びました。が、その人は、

『おれも子供を捨てて来た！』

と、怒ったように言って、わたくしの手を放しませんでした」

住吉敏子は大きく目を瞠り、空の一点を見つめていた。二十九年前のその日を見つめている目であった。

「ところで皆さん、皆さんはこんな人たちの行列を見たことがありますか。目玉が口の辺り

までぶら下がった人間、ちぎれた耳たぶから、どろりとした血が流れ出ている人間、頭の毛も眉毛も焼けて、その焼け跡が火ぶくれになり、レモン色にふくれた顔の人間、頬の皮膚がべろりとむけて垂れ下がった人間、指先まで剥がれた皮膚を土に引きずるまいとして両手を前に突き出しながら歩いている人間……そんな人間の行列を見たことがありますか。そして、その行列の中から、目玉の飛び出した人間が倒れ、背中の焼けた人間がうずくまり、次々と落伍者《らくごしゃ》が出ていきます。たった一時間前までは、皆さんと同じように、若く、健康な、汚点も、傷もない人々の、原爆に遭った姿です。

この時の被爆で、わたくしの父は、一ヵ月後に死にました。ある日髪の毛がぞくりぞくりと痛みもなく抜けたかと思うと、顔に体に、赤い斑点ができて、血を吐いて死にました。二人の弟は、何とか二十年は生きましたが、二十年目に下の弟が肝臓癌で死に、二十三年目に上の弟が同じく肝臓を侵されて死にました。

わたくしは被爆者のない世界に住みたくて、弟が死んでから北海道に渡りました。けれども、どこまで来たところで……あの日の、

『敏ちゃん』

と、呼んだ母の声から逃れることはできません。わたくしは、自分が被爆した上に、母を見捨てたという負い目を担って、一生を生きて行かなければならないのです。

わたくしは二十五歳の時に結婚しました。被爆者であることを隠して、大阪の人と結婚しました。でも、三度も流産したのです。子どもの欲しい夫は、ほかに女をつくってわたくしを離縁しました」

場内はしんと静まりかえっている。と、住吉敏子は、急に声を上げて訴え始めた。

「なぜですか！　なぜあの時、広島にいた者たちだけが、こんな苦しみを受けるのですか。生きながら、炎に焼かれて死んだり、目玉が飛び出して死んだり、原爆症に怯えたり、肉親を捨てた罪悪感に苛《さいな》まれたり……どうしてわたくしたちだけが、そんな苦しみを受けなければならないのですか。二度とくり返すことのできない一生を、どうしてこんなふうにして生きなければならないのですか。このわたくしが悪いのですか。広島や長崎に住んでいた人は他の人々より悪いのですか。

今、皆さんの中に、首を横にふってくれた方が幾人かいらっしゃいます。でも……被爆者と聞いたら、相手は結婚をためらうのです。途端に心が変わるのです。ケロイドのある人は、そのケロイドを笑われ、疲れ易い体になった人間は怠け者だと罵られる。皆さん、あの時広島にいた人は悪いのですか。わたくしたちは悪くはありません。悪いのは戦争を起こした人たちです。原爆を落としたアメリカも悪い。そのアメリカに向かって、真珠湾奇襲攻撃を仕掛けた日本も悪い。一体なぜ戦争を起こすのでしょう。誰のための戦争ですか。

正田篠枝《しょうだしのえ》という人が、こんな短歌を作っています。

　太き骨は先生ならむそのそばに
　　小さき頭の骨集まれり

原爆の時の歌なのです。この小さな子どもたちが悪いのですか。広島に原爆が落とされてから、毎年八月六日の今日、記念祭があります。しかし、大臣たちが、この平和記念式典に出かけたことは、一度だってありません。靖国神社には出かけても、記念式典には出かけられない。それは一体なぜですか。靖国神社を参詣することは士気の高揚のために、大いに力になるからでしょう。しかし、広島で死んだたくさんの人々の霊を慰めることは、

『再び過ちは繰り返しません』

と、頭を垂れることになるから行けないのです。戦争を起こす気だから行けないのです」

一同は深くうなずいた。靖国神社参拝と、広島の平和式典につらなることとのちがいを、若者たちは改めて知ったようであった。

「初めにわたくしは、人様に会うと、すぐに自分が被爆者で、相手は被爆者ではないということを思うと申しました。今のわたくしの話をお聞きくださって、皆さん少しは被爆者の

苦しみを感じ取ってくださったかも知れません。でも明日になったら、大方の人はもう原爆のことを忘れているかも知れません。十日も経ったら、思い出すこともないかも知れません。でも被爆者たちは、一日たりとも原爆のことを忘れることはできません。幾度夢の中に、母を置いて逃げている自分を見たことでしょう。朝、歯ぐきから血が出ると、今度は自分が死ぬ番かと、何度怯えたことでしょう。少し毛が抜けると、全身に鳥肌の立つ恐怖を感じます。わたくしの友人は、結婚して子供を産みました。その人は、少し子供の調子が悪いと、すぐに白血病ではないかと恐れるそうです。皆さんが何もかも忘れて楽しんでいる時に、心の底から楽しむことのできない悲しみを、そして今も原爆症のために現実の苦しみを負って生きている人間のいることを、皆さんに知っていただきたいのです。

それは単にわたくしたち被爆者のためばかりではありません。人類が二度と核兵器を使わないためなのです。今、世界には、広島に落とされた原子爆弾の百万倍分の核兵器が用意されているそうです。世界の人間の一人当たり、三トンの兵器だと言われています。今度戦争が起きたら広島と長崎程度で事は終わらないのです。皆さん、真剣に平和のために立ち上がってください。戦争反対のために、せめて一日十分間でも、なにかをしてください。おねがいです」

住吉敏子はいきなり座りこむと、壇上に両手をついた。若者たちは、拍手することも忘れて、その敏子の姿をしばし呆然と見つめていた。

三

北峰ビルを出た康郎と夕起子は、肩を並べて、七条通りの薄暗い遊歩道を西に向かって歩いていた。この遊歩道は七条通りの中央を占める緑地帯で、左右の狭い車道に挟まれている。花季のとうに過ぎたれんげつつじの茂みや、白樺、ナナカマドなどの植えこみが、車道からの人目を遮断し、所々にベンチが置かれていて、細長い小公園といった風情である。旭川市役所と常磐《ときわ》公園を結ぶ数百メートルに及ぶこの遊歩道は、彫刻公園とも呼ばれている。行く手の彫像に、水銀灯が青い光を投げかけているのを見ながら、康郎も夕起子も今黙って歩いていた。北峰ビルの講演会の亢《たかぶ》りが、二人を却《かえ》って無口にさせていた。

康郎は原爆を体験した住吉敏子のあとをうけて壇上に立った。康郎の話は、五十田久一が十七歳の少年の時に、突如警察に挙げられ、故もなくきびしい拷問を受けて、人生が変わったという話や、住吉敏子が広島で被爆し、母と家を失い、更に父や二人の弟を失った話とは、少しく趣がちがっていた。康郎の戦争への関わりは、二人とはちがった形で始まっていたからである。十九歳の時に、自ら学業を捨てて海軍に入った康郎である。それは積極的な戦争への参加であった。康郎はその自分自身の体験を中心に据え、当時学徒出陣した若者たちの、幾つかの痛ましい死を語った。語りながら、生きていればまだ五十そこそこの筈である学徒たちの顔が、圧《お》し迫って来るようであった。

三人の講演が終わって、質疑応答に入るや否や、鋭い質問が先《ま》ず康郎に投げられた。それは康郎が元軍人であったことに対する糾弾《きゅうだん》とも言えた。

「邦越先生に質問いたします。仮にも学生であった先生が、なぜ学生であることをやめ、軍に入ったのか、学生のぼくたちはその心境がわかりません」

その発言にうなずく若者たちが多かった。康郎が予期していた質問である。今まで幾度となく問われた事柄である。にもかかわらず、康郎には気の重い質問でもあった。それは、どのように説明しても、容易にわかってもらえないもどかしさを幾度も体験してきた事柄だからだ。が、康郎は、心新たに説明を試みようとして口をひらいた。

「なぜ学問を捨てて、軍隊に入り、戦争になど参加したのか、ということですね。現代の若い方が抱く、当然の疑問だと思います。今の日本には徴兵制もない。自由に好きなことを学べる平和な時代です。そうした現代から見ると、一体何を好んで学業を捨て、若い命を散らす道を選んだのか。仮にも学生であった身が、戦争そのものになぜ深い疑惑を持ち、強い反対をしなかったのか。当時の学生には、批判精神がひとかけらもなかったのか等々、様々な疑問がおありだと思います。わたしもあなたがたのように若ければ、多分同じことを問うにちがいありません。　しかし皆さん、正気の沙汰とは思えぬところに人間を追いこんでいくのが戦争なのです。

むろんそうなるには、それなりの時間がかけられていたわけで、これがまた恐ろしい。即《すなわ》ち誤った教育の恐ろしさです。わたしが小学校に入った年に、満州事変《まんしゅうじへん》が勃発《ぼっぱつ》しました。戦争の只中で学んだ当時の教科書は、すべてこれ天皇中心のもとに編さんされていたのです。現代のように読みたい本が本屋にあふれているという時代ではなかった。唯物論の本が売られているということはなかった。何しろそうした本を持っているだけで投獄された時代ですからね。天皇陛下のために死ぬ……これが日本人の生きがいであり、目的だと教育された。そうです。信じられないでしょうが、そのように幼い時から教えこまれ、叩きこまれた。今の言葉で言えば洗脳です。この恐ろしい実態を、わたしは皆さんにぜひわかって欲しいと思う。この問題については、先程五十田先生が貴重な体験を通して詳細に述べてくださったわけですから、ご想像いただけると思います。

とにかくあの戦争の恐ろしさの一つに、人間の思想を統一するという事実があった。もしそれ以外の思想を持つ者があれば、直ちに非国民のレッテルを貼られ、投獄されたわけです。むろんこの欺瞞に気づいていた学生も社会人もいた筈ですが、しかしそれを語る場を持てなかった。五十田先生の言われたとおり、あの強固な軍事態勢の中には、言論の自由は全くなかったのです。たとえ何万人の学生が集まったとしても、刃向かえない時代だったのです」

つづいて原爆投下についての質問や、特高警察《とっこう》の実態についての質問が、二、三あったが、再び康郎に質問が発せられた。靖国神社をどう思うかという問いであった。問うたのは、角刈り頭の、六十過ぎの男であった。年齢には少し派手な浴衣の胸がはだけて、日焼けした肌がのぞいていた。一見腹にドスでものんでいるような印象が、却って康郎の性根を据えさせた。

「わたしの年代より上の方たちは、多かれ少なかれ、級友を失い、戦友を失った痛みを背負って生きていると思います。靖国神社は、その級友、戦友たちが祀《まつ》られている神社です。日本人としての一般的な感情を持つわたしは、靖国神社という字を見るだけで、部下や戦友の顔を思い出さずにはいられません」

浴衣の男は得たりと大きく身を乗り出した。

「しかしわたしは、彼らを思うが故に、ここで立ちどまらざるを得ないのです。靖国神社という神社が、そのように戦友を懐かしむ感情を引き出す所であればある程、今騒がれている靖国神社問題を、腰を据えてじっくりと考えなければならないと思うのです。住吉さんは、大臣たちが靖国神社には出かけても、広島の原爆記念式典には出ないのはなぜか。それは、靖国神社への参詣は、自衛隊の士気の高揚につながるが、広島の記念式典への参加は平和を誓うことにつながるからだと言われました。わたしたちはこの言葉をいい加減に聞いてはならないと思います」

角刈りの男が、むっとしたように腕を組むのを見ながら、康郎は言葉をつづけた。

「戦死した人を祈念するなと言っているのでは、決してありません。しかしそれが、靖国神社でなければならないとは、わたしは思わない。今までも幾度か言われて来たように、大きな記念公園があって、死んだ方々の宗教に従って、東に仏教の記念碑があれば、西にキリスト教の記念碑がある。北に天理教の記念碑があれば、南に神道の記念碑がある。むろん無宗教の人の記念碑があってもいい。それぞれの前で、決して再び戦争を起こすまいという祈りがなされれば、尚結構だと思うのです」

そういった時、矢庭に立ち上がって男が叫んだ。

「記念碑では神にはならん！　国のために死んだ者を神として、国が祀るのがなぜ悪い！」

場内が一斉にざわめいた。

「ちょっとお待ちください。その前にわたしは皆さんに、改めて知っていただきたいことがあります。靖国神社に祀られる前に、彼らが軍隊でどのような扱いを受けたかということです。ここにわたしは『きけわだつみのこえ』という本を持って来ています。ご存じのように、日本戦没学生の手記です。五十七頁に、福中五郎という学生はこう書いています。〈一ヶ年の軍隊生活は、遂に全ての人から人間性を奪ってしまっています。二年兵はただ、我々初年兵を奴レイのごとくに、否機械のごとくに扱い、苦しめ、いじめるより他、何の仕事もないのです。……毎晩のように上靴がうなりを生じています。剣ざやでなぐられて四針も縫って入院した者さえいます。……先週の日曜、やはり便所の中で母へ手紙を書いた時は涙がとまりませんでした。……こんな手紙を書いたのを二年兵にでも見つかれば恐らく殺されるでしょう〉

以上は福中五郎が便所の中で、友人に書いた手紙です。死ねば神に祀るとは言っても、生きている間は、正に奴隷のごとく、牛馬のごとく、来る日も来る日も、殴られ、脅かされ、蹴り上げられる。これが彼らの生前の姿でした。彼らは、死ねば靖国神社に祀られるのだと聞かされて、入隊した者たちです。彼らは今、地下で欺かれた思いでいるのではないでしょうか。もうたくさんだ、神になど祀り上げないでくれと、悲痛な叫び声を上げているように、わたしには思われてならないのです」

男は口をへの字に結び、肩を怒らせていたが、とっさには言葉が出ないようであった。康郎はつづけて、一宗教を国家が護持することの危険を説いて腰をおろした。

幾人かの質問に、女性が立った。ノースリーブの豊満な腕をあらわにした若い女性だった。

紅をぬったやや大きな唇が、自在に動いた。

「五十田先生は、戦争には正義の戦争や、聖戦などはないとおっしゃいましたが、歴史学者の邦越先生はどうお考えですか。わたくしは、奴隷解放の南北戦争は、正義の戦争であったと思っておりますが」

康郎はおもむろに立ち上がった。聴衆が期待を持ったまなざしで、康郎を見守った。

「むずかしい問題ですね」

康郎は微笑して、若い女性に顔を向けた。

「第二次世界大戦の時、この戦いは聖戦であると当時の日本政府は国民に叩きこみました。しかし、聖戦とは何でしょう。戦争に聖戦などないというのは、結論から言えば、わたしも五十田先生に賛成です。わたしはキリスト信者ではありませんが、人間が人間を殺す権利はないと信じています。殺すなかれというモーセの戒めは、永遠の真理だと思います。今、あなたは南北戦争は正義の戦いだとおっしゃいました。確かにリンカーン側に分があったことはまちがいないでしょう。しかし、ただ一つだけ申し上げてお答えに替えたい。それはリンカーンが、南北戦争のあと、その勝利を人々から賞賛される度に、その顔は苦しみに歪み、悲しみに崩れたというエピソードです。多くの人の命を奪っては、もはや正しさは、その姿を失うのです。正義はかき消えてしまうのです。そのことを当のリンカーンは、誰よりも身に沁みていたのでしょう」

更に質問は活発になった。再軍備をめぐって五十田が立ち、住吉敏子が立った。興奮した三十代の男が椅子をがたがた音を立てて立ち上がり、

「今日の講師は、左がかっていると思う。三人とも軍備は反対だと言う。それでは誰が国を守るんですか。自分の国を自分で守るのは当然じゃないですか。どこの家でも戸締まりをして寝るでしょう。それともあなたがたは戸締まりもしないで寝るんですか。もし、どこかの軍隊が入って来て、自分の妻子を殺すとしたら、先生方は妻子を見殺しにすると言うんですか。冗談じゃない。軍隊を持たない国家なんて、どこの世界にありますか」

と噛みつくような言い方をした。司会者に促されて、康郎は再び立った。

「あなたのおっしゃることもわからないわけではありませんよ。しかしですね、ちょっとたとえが適切ではないと思いますよ。先ず戸締まり論ですが、これはどこかの国を泥棒に見立てる発想ですね。一般社会には確かにこそ泥や大泥が存在していますが、それとどこかの国を同列に談ずるのは、いかがなものでしょう。敗戦の日以来今日まで、三十年近く戸締まりらしい戸締まりをしていなかったことになりますが、泥棒は入らなかった。むろんアメリカという寝ずの番がついていたからだと、あなたはおっしゃりたいでしょうが、とにかくどこかの国を泥棒扱いにするのは、的確な例だとは思えないのです。武力の行使よ

り先に、話し合いという場が、国家間にはあることを忘れてはならないと思います。泥棒と予め話し合うということは、聞いたことはありませんが」

聴衆は声を立てて笑った。

「妻子が目の前で殺される時、黙って見ているかとおっしゃったが、軍備をそうした感情に訴えて肯定しようとするのは、どこか筋がちがっているとわたしは思う。世界が今、真剣に努力をしなければならないのは、軍備を縮小することであり、平和への希求を話し合うということではないでしょうか。わたしは元海軍軍人であった。当時の日本は、世界に誇る軍備を持っていた。その軍備で、一体何を守ることができましたか。軍備を持ったがために、広島、長崎は原子爆弾に見舞われた。もう少し日本が弱かったら、広島にも長崎にも、原子爆弾は落ちなかったにちがいない。一体日本が、その強力な軍隊によって、何を守ったとあなたはおっしゃるのです。東京も大阪も焼け野原になった。生まれたばかりの赤ん坊も、老いた父母も、家と共に焼け死んだ。軍備さえあれば何か守れるという妙な錯覚を、わたしはもはや持つことができないのです。それよりも、真剣になって、核兵器をこの世からなくすこと、軍備をできる限り縮小すること、このことを、原子爆弾を人類の真っ先に浴びた日本は、先ず世界に訴えるべきではないでしょうか。核を保有する現代、軍備を持っても持たなくても、戦争が始まれば終わりです。軍備を持てば持つほど、世界は悲惨におちいるばかりです。住吉さんを目の前にして、それでもあなたは軍備を持とうとねがうのでしょうか」

康郎が席に着くと、男は、

「ふん！　何が大学の先生だ！　軍備なしで国家が立ち行けると思っているのか！　敗北主義者もいい所だ」

と、大声で罵り、足音も荒く会場を出て行った。

それらのことを、今康郎と夕起子は思い出しながら、彫刻公園を歩いていた。

「あら！」

夕起子が低く叫んだ。

「どうしたの？」

「ドミーとそっくり……」

猫がひっそりと二人の前を横切って、丈低い五葉松の茂みの中に身をかくした。暗い茂みの中で目だけがぎらりと光って消えた。

四

「そうでしたか。それは大切な会でしたわね。お疲れさまでした」

松村秋子は康郎のくわえたタバコに、素早くマッチを擦《す》って差し出した。

康郎は、秋子に今日の講演会の模様を語っている。夕起子は運ばれて来た冷たい胡麻豆腐に箸をつけながら、耳を傾けていた。秋子は、「まあ!」とか、「それはひどいわね」とか、相槌を打ちながら熱心にうなずいている。その視線が、時折夕起子に流れた。見られる度に、夕起子は何かあたたかいものを感じた。細めに出した白い襟もとをすっきりと、秋子は紺の薄物を粋に着こなしている。素顔かと思われる程度の薄化粧も垢ぬけしていて、夕起子には好ましく思われた。

二人が家を出る時、まだ六時前であった。夕食を取って出かけるには、少し早過ぎた。

「あなた、たまには夕起子さんにおいしいものをごちそうしてあげたら」

富久江はそう言って二人を送り出した。康郎は、口の中で何やら言った。富久江にも夕起子にも聞きとれなかったが、二人とも聞きかえさなかった。その時康郎は、

「つれてってもいいが……」

しぶるように呟いたのだ。康郎は一瞬「まつむら」の名を胸に浮かべたのだ。そして夕起子をつれて行ってもよいと思ったのだ。が、それは、緋紗子の思い出につながるだけに、弾んだ顔を富久江に見せることはためらわれた。いつも康郎の心の片隅には、緋紗子が居すわっている。緋紗子とそっくりの声を持つ夕起子も、緋紗子と隣り合わせに住んでいた松村秋子も、康郎の胸にある緋紗子のそばに住んでいた。が、そんなことは康郎以外知る筈はなかった。

夕起子は、康郎のうしろの床の間に目をやった。白い腰高の壺に活けられたあじさいが、ひどくモダンでありながら、六畳の和室に調和していた。ここにも夕起子は秋子の優れた感覚を感じた。近くにキャバレーでもあるのだろう、賑やかなバンドの音が流れて来た。窓下を酔客が声高に過ぎるのが折々聞こえた。「まつむら」の店は繁昌しているらしく、客を送り迎える威勢のよい声が、店先に絶えなかった。

「あの……この胡麻豆腐、おいしいですわね」

康郎の話が一段落したところで夕起子が言った。

「ありがとうございます。お口に合って」

「お替わりしたいほどおいしいわ。どんなふうにして作るのかしら。教えていただけます?」

「おやすいご用よ。擦り胡麻二、葛粉三の割合でね、それを満遍《まんべん》なく掻《か》きまぜましてね、水が全体の半分と覚えていただけばいいんです」

「まあ、意外にやさしそうね」

「そうですよ。火にかけて適当に練り上がったら、バットに流しこんでおくんです」

「ほう、そんな簡単なことでできるんですか、ビールにも日本酒にも合いますね、これは」

康郎も感心して、胡麻豆腐を口に運んだ。

と、その康郎の傍に身を寄せて、

「ほんとに似てらっしゃるわ。そっくりのお声ね」

と、ささやいて秋子は夕起子を見た。康郎は、

「ええ、まあ……」

と、あごをなでた。

「え？」

夕起子が首を傾けた。自分のことを言われたと感じたからだ。

「あのね……」

言いかける秋子に、康郎はあわてて、

「困ったな、ちょっと待ってくださいよ」

「あら、どうして？　困るほどのことでもないじゃありませんか」

「わたしのこと？　お父さんがご迷惑ならうかがわないわ」

「いや、迷惑ということではないが……」

康郎は苦笑した。緋紗子のことは、寛やなぎさにも滅多に話したことはない。富久江と見合いする時に、緋紗子との短かった結婚生活を話しはしたが、富久江は何年か前に僅か四ヵ月の結婚生活をした康郎の過去など、深く心にとめるふうはなかった。それは康郎にとって気楽なことではあった。が、その後今日まで、八月十四日の緋紗子の命日を一度も尋ねたことのない富久江に対して、少し寂しい気持ちもあった。家に仏壇もないことも手伝って、富久江には後妻に来たという感覚が全くなかった。こうして邦越家の中に、緋紗子のことを語る場所はなかった。だから今更、緋紗子をここに呼び戻すようなことは、康郎は避けたかった。

「あのね、夕起子さん。あなたのお声やお話のなさり方が、緋紗子さんそっくりなの」

あっさりと秋子は言った。

「緋紗子さん？」

聞き返す夕起子に、康郎はビールを一口飲んで言った。

「初めの女房だよ」

「初めの？　ああ……」

夕起子は、一度そんな話を富久江から聞いたことを思い出した。

「わたしはね、二度目なのよ」

何かの折に、富久江はそう言って笑ったことがあった。

「夕起ちゃん、寛から聞いていた？」

「いいえ、いつかお母さんがおっしゃっていました。詳しいことは存じませんけど」

「そうか……富久江が言っていたか」

うなずいて康郎は、緋紗子との僅か四ヵ月の結婚生活を話して聞かせた。

「ねえ、惜しかったわねえ。まだ二十になるかならずで……」

秋子はしんみりと言った。女の子が呼びに来、秋子が席を外すと、夕起子が言った。

「お父さん。その方のお骨はどこにあるんですか」

「お骨？」

富久江は緋紗子の遺骨のことも口に出したことがない。緋紗子の遺骨は緋紗子の親が来て、再婚の前に引き取って行った。それまで康郎は、緋紗子の骨を寺にも預けず、墓にも埋めず、自分の下宿の机の上に置いていた。結婚生活があまりにも短かったために、せめて遺骨と共に暮らしてやりたかったのだ。再婚が決まって、緋紗子の親に知らせた時、親たちがその骨箱を引き取りに来て、

「こんなものを持っていては、次のお嫁さんが気味悪がりますよ」

と言った。が、康郎は、できることならその骨箱を手もとから放したくはなかった。今、緋紗子の遺骨は江部乙《えべおつ》のりんご園の傍にある墓地に埋葬されていた。

「そう、りんご園のそばのそのお墓に、わたしもお詣りしたいわ」

空き家同然の、家財道具の何もない新居で、明るく生きたという緋紗子を、夕起子は心の底から悼《いた》むふうであった。

「ありがとう」

康郎は言葉少なに礼を言った。しみじみと夕起子と自分の胸に通うものを康郎は感じた。

「お父さん。その方のおなかの中には、赤ちゃんがいたと、先程ママさんから伺いましたけど……お父さんは、奥さんと赤ちゃんを一度に亡くしたことになるわけですわね」

「ああ、そういうことになるね」

腹の中の子供のことは、今年の六月松村秋子から聞くまで、康郎は知らないことであった。その赤子にはまだ骨さえなかったにちがいないと改めてそのことも身に沁みた。

「その方の……」

夕起子はちょっと言いよどんだ。「前の奥さん」とも「前のお母さん」とも、ましてや「緋紗子さん」とも呼びかねて「その方」と呼んだだが、それもまた適切な呼び方ではないとた

めらいながら、

「あの……その、前の方は、敗戦の前の日に亡くなられたのですね」

今聞かされたことを反すうするように、夕起子は念を押した。

「そうだよ、八月十四日の夕刻に夜光虫を見ながらね、緋紗子は死んだんだよ」

「お父さん、今度の八月十四日に、わたし、江部乙までお詣りに行きたいわ」

江部乙は旭川から南に約四十五キロほどの地でりんごの産地として知られている。緋紗子はその中でも、一番大きなりんご園の、三人姉妹の末娘だった。両親も既に死に、長姉が婿を取って、りんご園を継いでいた。

「ありがたいがね、夕起ちゃん。緋紗子のことは聞き流してくれていいんだよ。富久江も、緋紗子の命日を知らないぐらいだからね」

「まあ!」

夕起子はちょっと驚いた声を上げたが、

「わかりましたわ。お母さんに……悪いですわね」

と、素直にうなずいた。

「いやあ富久江は根がのんきな性分だからね。それでこっちも気が楽なんだが……。お茶漬けでももらおうか」

「はい」

夕起子は傍らの電話で茶漬けを頼み、受話器を置くとすぐに言った。

「お父さん、その方は……船の中で亡くなったのですか」

緋紗子の死は水死だった。船が機雷にふれ、その衝撃で幾人かが海の中に放り出された。放り出された中には、船に泳ぎつくことのできた者もいたが、緋紗子と三人の男が死んだ。

しかし緋紗子の死に顔は美しかった。その緋紗子の死体が、まだ家の中に横たわっている間に、八月十五日の天皇の放送があった。死んだ緋紗子に、天皇の声を聞かせようと、康郎はラジオを入れた。敗戦の詔勅を死んだ緋紗子も聞いたと、若い康郎は信じたものだった。

「なぜ生きていなかった。なぜ生きていなかったのか」

死んだ緋紗子の肩をゆすりながら、号泣した八月十五日が、今年もまた近づいていた。

原爆忌

視点

視点

一

「お兄さん、なんだか浮かない顔をしてるじゃない？」

鮨《すし》をつまみながら、なぎさがからかうように寛に言った。わずか一週間の旅行であったが、寛にとって韓国旅行は、いわば生まれて初めての海外旅行であった。富久江が、その無事の帰宅を祝って、なぎさたち一家を夕食に招いた。が、兼介は同期会があるとかで姿を見せなかった。

「疲れたなあ……団体旅行なんぞするもんじゃないよ」

浴衣の胸を少しはだけた寛は、康郎のコップにビールを注ぎながら言った。

「そうね、団体旅行は疲れるわね」

夕起子の言葉に、なぎさが声を上げて笑った。

「お姉さん、団体旅行で疲れたのか、何で疲れたのか、わかりゃしないわよ」

「…………」

寛は答えずに庭に目をやった。まだ明るい庭だ。そよとの風もない庭に、グラジオラスの花が真っ赤だ。柱時計が六時を打った。

「ほら、黙りこんじゃった」

なぎさは夕起子の肱《ひじ》を突ついた。ソファやチェアーを片寄せたジュータンの上に、低いテーブルを置き、加菜子を加えた六人がくつろいだ姿で食事をした。

「なぎさ!」

康郎がたしなめた。なぎさはその片目を閉じて見せ、

「なあに? お父さん」

とうそぶいたが、

「韓国料理はおいしかったでしょう。お兄さんの好物だったから」

「うん、まあな。しかし辛いのには参ったな。口どころか、頭ん中までひりひりしたよ」

少し寛らしい陽気な表情が戻った。

「ね、寛、日本料理が食べたかったでしょう」

富久江は機嫌がよかった。寛が帰って来るまで、のんきな富久江も、さすがに神妙に、日に幾度か神棚に手を合わせていた。その張りつめていた気持ちが、一度にゆるんだようであった。

「いや、日本料理が恋しくなるほどの長い旅行じゃなかったからね。それに、食べようと思

えば、向こうに味噌汁もあれば鮨もある」

　夕起子はうなずきながら、寛の視線が、なかなか自分の上に向けられないことに気づいていた。寛と康郎が向かい合い、富久江と加菜子が並び、それに向かって、なぎさと夕起子が座っていた。なぎさと夕起子はキッチンに近い側に座っていた。庭に顔を向けている形になった寛が、自分を見ないのは、そばに手きびしいなぎさがいるからかと、夕起子は思った。が、それでも、夕起子は寂しい気がした。もっと自分を見てほしかった。

「ねえ、お兄さん、ほんとの話、お兄さんたちの今度の旅行、清廉潔白《せいれんけっぱく》だったの？」

　なぎさがずばりと言った。

「清廉潔白？　何だい、それ」

　寛がとぼけた。

「なぎさ、つまらんことを言うもんじゃないよ」

　再び康郎がたしなめた。

「あら、つまらないことかしら。ちょっとこのネタ、すごくいい活きじゃない。この暑いというのに」

　なぎさはホッキ貝をのみこんでから、

「ね、お父さん、われわれ女性にとっては、日本人男性の妓生《キーセン》旅行とやらが、すごく気になるのよ。実態を知りたいのよ、実態を」

「実態か」

寛はぐっとビールをのみ干して、にやっと笑った。そしてちらりと夕起子を見たが、すぐに視線を外して、

「妓生旅行はなかなかお盛んのようだぜ。まさしくそれが目当てで、はるばると群れをなして行っているようだな」

「ようだな？　ようだなって、人ごとみたいね」

「人ごとさ。俺にはね」

寛はまた庭に目をやった。夕起子は寛が目を外らしたような気がした。

「団体旅行、団体旅行っていうけどね、お父さん。ぼく、ソウルでばったりと知った男に会ったんだ。ソウルの銀座通りと言われる通りがあるんだけどね、明洞《ミョンドン》という、やけに賑やかな所だけどさ。それがぼくたちの習った大学の教授でさ、ひと目でそれとわかる韓国の女性をつれていたんだ。何せ真正面からばったり会ったんで、見逃すも何もできない。『あっ！先生』って言ってから、そばの女性に気づいたくらいだからねえ」

「ふーん、それでお兄さん、どうしたの？」

「あわてて目をつぶったって、はじまらないやね。奴さん、手を合わせて、黙っててくれよ

など、ぼくに哀願したのさ」

「ということは、お兄さんは一人で歩いてたっていうこと」

「そりゃあそうさ。俺はこう見えても、品行方正な亭主だからな」

　寛はにやにやした。富久江が言った。

「その大学教授の、手を合わせる顔を見たかったわね。その人は、団体旅行じゃなかったの」

「何か朝鮮民族の研究に来たようなことを言ってたけどさ、韓国女性の研究じゃなかったのかな」

　みんなが笑った。

「なにがおかしいの、ママ」

　おとなたちの話を聞いているのか、いないのか、黙々と鮨を食べていた加菜子が言った。

再びみんなが笑った。

「だけどね、俺たちの団体だって、妓生の侍《はべ》る料亭には行ったぜ。自由行動の時だけどね。ソウルに詳しい男がいてね、何という所だったかな。一流所じゃないんだ。妓生が何人かいてさ。わざわざ箸で口に入れてくれるんだ」

「あら、いやだわ」

　夕起子は思わず呟いた。妓生に箸で口に食べ物を運んでもらっている寛の姿が、鮮やかに目に浮かんだ。

「あれには参ったな。自分の箸で食べたほうがあずましい（具合がいい）よ。子どもじゃあるまいし、口をアーンとあけて待っているなんて、あずましくないよ」

「でも、満更《まんざら》でもなかったんじゃないの、お兄さん。日本ではそんなサービスをしてくれる所なんか、ないんじゃない？」

「うん、確かにな。彼女たちはやさしいんだな。親切と言うのかな」

「寛！　そんなこと言ってもいいの？　夕起子さんの前で」

　と、富久江は加菜子の小皿に醤油を注ぎ足した。

「何も悪いことしたわけじゃないよ、お母さん。ただ食べさせてもらっただけのことだからね。ここでさ、女と男の約束が成立するというケースもあったわけだけどさ」

「お兄さんは？」

　なぎさは追及の手をゆるめない。寛はちょっとなぎさの顔を見てから、

「あのなあ、なぎさ、そこの女たちのなあ、足袋《たび》の裏が真っ黒なんだよ。それを見たらな、何だか悲しくなってな、そんな気になどなれなかったよ。俺にはな」

「ふーん、足袋の裏がねえ……」

　みんなが押し黙った。が、なぎさはすぐに冗談を言った。

「もし足袋の裏が白かったら、どうしたかしら、お兄さん」

誰も笑わなかった。鮨を食べ飽きたのか、加菜子が皿の上で、飯を箸で突っついていた。

「それよりね、お父さん。韓国へ行って、ぼく、なんだか憂鬱になっちゃったよ」

寛がトロを素手で口に運びながら言った。

「憂鬱？」

「うん、確かになぎさの心配するように、日本からの団体旅行は、百のうち、九十九パーセントまで女を目的にしているかも知れないね。個人の旅行者も同じだけどさあ。変なたとえだけど、女ぶろへ入れられたような危険はあるよ。だけどねえ、その韓国の女性たちが、川べにずらっと並んでね、一所懸命洗濯してるんだ。田舎の小川のほとりなんかでね。ペチャクチャ早口でおしゃべりしながらね」

「うん。あの民族は別名白衣民族と言われるほどだからねえ、洗濯も好きなんだろうなあ」

「そう、確か白衣民族とかガイドが言ってたよ。そんなのを見て板門店《はんもんてん》に行ったらさ、何かたまらないんだよな」

板門店はソウルから北へ車で一時間程の地点にある。三十八度線のある所だ。一九四五年、日本が戦争に敗れるまでは、朝鮮に北も南もなかった。朝鮮が真っ二つに割れたのは、日本の引き起こした戦争に原因があった。もし日本が戦争を起こさなければ、二つに分かれずにすんだはずであった。

「板門店ねえ」

　康郎が吐息をついた。朝鮮半島の三十八度線から北はソ連、南はアメリカの勢力下に分割されたこの悲劇を、康郎は深い痛みなしに思わぬわけにはいかなかった。なぎさもまた、韓国の歴史には、鋭い痛みを感じていた。

「何せ、日本は韓国を苦しめて来たわね。豊臣秀吉の時代からだもの」

「全くさ。なぎさ、韓国にはね、秀吉時代の悲劇が、今でも語り伝えられているんだぜ」

「あら、どんな？」

「晋州《チンジュ》という古い町があってね。この町の真ん中に川が流れているんだけどさ。何て言ったっけなあ、楼閣がその川のほとりに立っているんだ。これは戦時中、日本軍の作戦本部になった所だけど、この楼閣は、加藤清正が秀吉軍の先鋒としてなだれこんだ時からあった楼閣だよ」

「待てよ、それは朝鮮動乱で焼けたはずじゃなかったかね」

　康郎が首を傾けた。

「さすがはおやじだねえ。そのとおり、朝鮮動乱で焼けたんだけどさ、一九五九年には復元されたらしいよ」

「その楼閣がどうかしたの、お兄さん？」

「うん、ここにね、清正時代に、論介《ノンゲ》という名妓がいた。この名妓が清正の家来のある武将と無理心中をしたんだ」

「あら、恋仲になったのかしら、お兄さん」

「ちがう。その名妓はな、できることなら、全部の日本人を殺したかったんじゃないのかな。清正のために、たくさんの同胞が殺された。それをこの論介はゆるせなかった。で、彼女は、その大将を川に突き落として自分も死んだわけだ。それでね、この名妓を、義妓と讃えて、今でも祀っているというわけだよ。その川でも、韓国の女性たちが洗濯をしていたよ」

「なるほど」

康郎はうなずいた。なぎさが言った。

「日本と韓国のかかわりは、日本の侵略から始まったのね。それから明治になって、日露戦争の時だったでしょう、お父さん。半島の支配権をポーツマス条約で、日本が得たのは」

「うん、正しくは優越権と言うのかね。その後、順々に、朝鮮の行政、軍事、司法、外交などの権利を手に入れて、遂に一九一〇年に日本に併合したんだ」

以来日本の支配のもとに、どれほど苦しんだか、朝鮮民族は身に沁みているはずだった。

「日本人が来るよ」という言葉は、子どもたちにとって「鬼が来るよ」と言われるよりも恐ろしく感じたと伝えられているが、それは日本と朝鮮の間を端的に表している。第二次大戦の日本の敗戦は、朝鮮を日本から解放した。が、結果は三十八度線を境に、朝鮮民族は二つに分割されるに至った。いや、それだけではない。北朝鮮と韓国が血を流し合う事態が惹き起こされた。悲劇の朝鮮動乱がこうして始まったのである。

寛は、その板門店休戦会議場を見て来たのだ。

「国境って、何だろうなあ、お父さん」

「うん、全くだね」

自由に往き来することができた自分の国が、もはや自由に往き来できない所となったのだ。

「近くに小高い丘があってね、北のほうを見ると、橋が見えるんだよ。ガイドはその橋を『帰らざる橋』と呼んでいたな」

「帰らざる橋？」

夕起子が呟いた。

「『帰れざる橋』ではないかね」

康郎の言葉になぎさがうなずいて、

「そうよね、『帰れざる橋』よね。帰りたくても帰れない」

と、眉を寄せた。

「だけどねえ、あそこへ行くまで、ぼくは知らなかったんだけれど、三十八度線を境に、南北に幅二キロの非武装地帯があるんだよね、お父さん」

「ああ、そうだったね。東西には何キロだったかな」

「二百五十キロとか言っていたよ」

「二キロの幅に二百五十キロの非武装地帯なの？」

「そうだよ、なぎさ。そしてね、南の非武装地帯には自由の村ってのがあるんだ」

「北には？」

「平和の村さ」

「そう、じゃ自由と平和の村が寄り添っているというわけね」

「そうだ。ここは北朝鮮でもなければ、韓国でもない。だから、税金もないんだって」

「まあ、それは天国ね」

「そうだ、天国だ。それが半島全体に及べば大したもんだけどな。とにかくここが、南の人間と北の人間が会うことのできる、ま、救いのような場所だな。日本に帰って来たら、何だか、妙な気持ちだったよ」

「寛、南も北もなくて、いい国だと思ったでしょう、日本は」

富久江の言葉に、寛が首をかしげた。

「いい国っていうのかなあ。朝鮮半島を真っ二つにしたのは、そもそもは日本の罪じゃないかと思うね、手放しで日本の国はいいって、言っていいのか悪いのか、妙な気持ちだな」

「お兄さんの言うとおりよね。北方領土のこともさることながら、日本は北朝鮮と韓国が一つになるように、努力する責任があるんじゃないのかなあ」

なぎさもまじめな顔だった。

いつのまに立って行ったのか、浴室のほうで加菜子の歌う声がした。水を出して遊んでいるらしい。夕闇が庭を包み始めていた。夕起子が立って電灯を点けた。明るい灯の下に白い皿が光った。

「お姉さん、どうやらお兄さんは、浮気をしないで帰って来たらしいわね。これでわたしも安心したわ」

寛は、夕暗む庭に目をやりながら、苦笑した。夕起子は何となく康郎の顔を見た。康郎も夕起子の顔を見た。八月六日の夜、「まつむら」の店を出た康郎と夕起子はタクシーを拾った。二人を乗せた車が半丁程走って赤信号の前にとまった。その車の前を、思いがけなく兼介と若い女の子が、絡み合うようにして歩いて行くのを見た。

「あら！」

夕起子が思わず声を上げた。

「うむ……」

康郎はちょっと声を発しただけだった。絡み合うように歩いて行く二人が、紅いネオンの点滅する小路に入って行くのを、夕起子は見た。教師という立場にある者は、もっと人目をはばかるものだと夕起子は思っていた。

車の中で、康郎と夕起子はほかのことを話し合った。が、夕起子は内心加菜子の描いた絵を思い浮かべていた。加菜子は父親が若い女と手をつないでいる姿を絵に描いた。幼い加菜子も、その姿に強烈な印象を受けたのにちがいない。

（兼介さんって、いやな人だわ）

夕起子はその時、心から兼介という男が嫌いになった。それはただ単に、他の女と歩いていたからだけではない。数日前兼介は、職場にいる夕起子の所に電話をかけて来て、なぎさが加菜子の描いた絵を証拠写真のように突きつけると言った。そしてこうも言った。

「馬鹿馬鹿しい。四、五歳の子どもがですよ。ぼくとどこかの女の子と歩いている絵を描いた。しかし四、五歳の子どもには、十の子もおねえちゃん、十三の子もおねえちゃん。ね、そうでしょう。それをまるで一人前の女性とべたべたしてるかのようになぎさは思ってるんですよ」

康郎と夕起子の見た「おねえちゃん」は、まさしく一人前の、ぷりぷりとした胸と腰を持つ女性であった。十の子でも、十三の子でもなかった。今夜、兼介がこの場に来ることができなかった理由が、仕事上にあるとは夕起子には信じられなかった。今、寛のことを追求していたなぎさの心が夕起子にはわかるような気がして心が重かった。ドミーの鳴く声と、加菜子の声が、浴室から再び聞こえて来た。

二

なぎさと加菜子が帰って行ってから二時間は過ぎた。

「日本だなあ」

薄い夏布団を腹までかけて、天井を見ていた寛がしみじみと言った。寛には珍しい深い声音であった。

「そうよ、日本よ。あなたの家よ」

「わが家か。わが家だなあ」

電気スタンドに灯が入っていて、部屋の隅はうす暗い。寛はくるりと腹這いになってタバコに火をつけた。

「俺たち、自分の家を焼かれたという経験はないもんな」

「そうね。空襲に遭った人は、東京や大阪にはいるでしょうけどね」

「うん、そうか。日本には原子爆弾という恐ろしいものが落ちたんだなあ。しかしねえ夕起子、韓国に行ったら、日本は加害者の国だとつくづく思ったなあ。被害者の国じゃないんだな。むろん原爆という被害を受けたにせよ、やっぱり加害者の国なんだなあ」

夕起子はうなずいて、

「そうねえ。この間六日の日にね、お父さん講演なさったのよ。その時にいろんな話が出たんだけど、第二次大戦で日本人は三百万人死んだんですってね」

「ほう、三百万か。札幌の街が三つ消えたようなものだな」

「そうよ。でもね、中国では、一千万人も死んだんですって。わたしそれを聞いて、胸がつぶれそうだったわ。一千万人もの人を、わたしたちの国の人が殺したのよ。その一千万という数字を聞いた時、あっ、女や子供もたくさん殺されたんだって思ったわ。許せないと思ったわ。ね、寛さん、自分の国がやったこと、何でも許せると思う？　そんなの本当の愛国心じゃないわね」

「確かだね。俺もそう思うよ。韓国に行って、俺でさえ、何となくシュンとして帰って来たものな。愛国心というものは、自分の国が大きくなればいいとか、金持ちになればいいといったもんじゃないな」

「そうよねえ。国を構成する単位は、個人ですものね。要するにその個人が人間らしく生きていける、これが一番大事なことでしょう？」

「夕起子、俺のいない間に偉くなったね」

寛が寝ている夕起子を横目で見た。

「からかわないで。わたしね、愛国心ってほんとにどんなことかしらって、まじめに考えてるのよ。少しぐらい貧しくてもね、これが日本人よ、これが日本の国よって子どもたちに言える国になってほしいの。どこの国をも侵略しない、人の命を奪わない、そんな国になってほしいの。おかしいかしら」

「おかしくはないさ。おかしくはないけど、大方の政治家たちはそれを聞いて笑うだろうな。政治家というのは大体そんなもんだよ。平和のための努力なんて、本気でやっているのかなあ」

「そうねえ……ねえ、寛さん、一千万人も人を殺したら、これはもう大変な罪よねえ。もし、まともに裁判されたら、日本人も一千万人の命を出せと言われると思うわ。一体人を殺した人たちどんな思いで生きているのかしらね」

「殺して威張っているのもいるさ。勲章なんぞもらってな。またぞろ戦争が起きたら、殺してやると思ってる奴もいるさ。仕方がないと思ってる奴もいるだろうし、ま、数える程の人間が、罪の意識に苛《さいな》まれているかな」

「いるかしら、そんな人。うちのお父さんぐらいじゃない？」

「まあ、そうかも知れないな。個人が人を一人殺したら極悪な人、軍人が何万人を殺したら大手柄、いい加減なものだよ、人間の造る世の中なんて」

「そうね」

　夕起子は結婚以来初めて、寛がひどく身近にいるのを感じた。寛はこんな話をしない人間のように思っていた。寛は仕事の話をよく夕起子にした。いかにして得意先を開発して行くか、いかにして受注量を多くするか、そんなことを熱心に語った。男は仕事の話を家ではしないものだと聞いていたが、寛はスポーツの話でもするように、楽しげに仕事の話をした。だが寛は、絶えて戦争の話などしたことがなかった。マージャンや競馬の話が、仕事の話についで多かった。それが今夜はちがった。いつものように夕起子を抱きすくめることもなければ、腰のあたりに手を伸ばすこともなかった。

（変わったわ）

　今度の韓国旅行が寛を変えたように思った。そう思ってから夕起子は、もしかしたら寛が変わったのではなく、今まで出さなかった一面を見せたのかも知れないと思った。そしてそれは、夕起子自身の戦争に対する認識が深まったために、会話を深めることができたのかも知れないとも思った。自分が寛を見なおしたように、寛もまた自分を変わったと思っているかも知れない。そう思って夕起子はふっと微笑した。

「あのな、夕起子。ほんとうの話をしようか」

　寛は改まった顔になって、タバコの火をもみ消した。煙が電気スタンドにまつわって消

視点

えた。

「ほんとの話?」

　夕起子はどきりとして起き上がった。

「うん。怒るなよ夕起子」

「怒るなって……聞いてみなければ、わからないわ」

　夕起子はなぎさの言葉を思い出した。男性の海外旅行は女が目的なのだとなぎさは言った。

「実はな、妓生旅行のことは俺も前々から聞いていた。だからな、今度の旅行にも何となく期待をもって参加したことだけは事実なんだ」

「まあ!」

「だがね、行ってみたら、招待されたどいつもこいつも女のことで頭が一杯なんだな。第一日目にソウルの街をバスで廻った。バスに乗る時な、番号を書いた紙が渡されてさ、俺には四の番号が当たった。四なんて番号は、日本じゃ嫌われているだろう。俺もいやな気がしたよ。それはともかく渡された番号の席に座ると、ちゃんと隣に女が座っている。つまり男も女も、渡された番号の席につく。そこでカップルができるというわけだ」

「まあ! じゃ、あなたそのひとと並んでソウルの街を見物したのね」

「ま、終わりまで聞いてくれよ。バスの中で酒が出てね。ろくにソウルの街を見物する奴もいない。隣の女にいちゃついてな。卑猥な歌をうたったり……俺も日本を発つ時は、旅先の一度きりの浮気くらい、男には許されると思っていた。だからでっかいことは言えないけどな。しかしだよ、真っぴるまから、オスとメスを乗せたバスが街の中を駆けめぐる。オスは一人残らず日本人で、相手にされるのは韓国人だ。俺は何となくいやあな感じがしてな。白けたんだよ」

「…………」

「そばにいる女が、金でその席にがんじがらめに縛りつけられているような気がしてね。解放してやりたくなったよ。妙な心地だった。俺は突然腹が痛いと言い出してね、途中でバスからおろしてもらったよ。ホテルに帰って休むと言ったが、誰も格段気にとめるふうもない。それから俺は、一人でソウルの博物館に行ったりしてね。日本と韓国のかかわりを神妙に思い出したりしたわけさ」

夕起子は大きくうなずいた。そして人間はいざという時にその真価を問われるものだとしみじみ思った。団体旅行中、バスから一人降りることは、勇気の要る行動のはずであった。

「うれしいわ、寛さん」

夕起子はやさしく寛の肩に手を置いた。

視　点

ぬれた道

ぬれた道

一

緋紗子の命日の八月十四日も過ぎ、十五日の敗戦の日も事なく過ぎた。夜毎風に乗って聞こえていた盆踊りの太鼓も、いつしか止んで、八月も二十日を過ぎていた。

静かな夜だ。深山にいるような深い静けさである。軒下の風鈴が澄んだ音を立てた。夕起子の父が、去年仙台から土産に買って来た南部鉄の風鈴である。夕起子は風鈴の音を聞いて、思うともなく父の顔を思い浮かべた。

「起きているのか」

確か寝入ったと思っていた寛が身を寄せて来た。

「ええ。寛さん、眠ったんじゃなかったの」

「うん、ちょっとな」

言いながら、寛は枕元の電気スタンドを点けた。水色のシェードを透かして、光が青く部屋を照らした。寛は夕起子の豊かな胸に頬を寄せた。と、その時、突如電話のベルが鳴った。寛は舌打ちをした。

「何時だと思ってるんだ。もう十二時を過ぎてるじゃないか」

タンスの上の大理石の置き時計が、十二時七分を指していた。

「わたしが出るわ」

夕起子が言ったが、寛は抱く手をゆるめようともせず、

「出ることないよ、こんな時間に」

「こんな時間だから、出てみなければ……」

「なあに、またなぎさだよ」

「わたしの父か、母かも知れないわ」

今、風鈴の音に父親の顔が浮かんだだけに、夕起子は不安になって、寛の手から逃れるように寝床を出た。ベルが鳴りつづけている。真夜中の電話は不安を掻き立てるものだ。吉報が深夜に伝えられることはない。不吉なものを感じて、夕起子はネグリジェのまま居間に入り、壁のスイッチを押して、受話器の傍に近づいた。

取り上げた受話器に、男の声がひびいた。

「もしもし、夜分すみません。ぼく、佐山です」

なぎさの夫兼介だった。

「あら、兼介さん、どうかなすって?」

「……いやあ、どうっていうわけじゃありませんが、なぎさはもう帰りましたか」

「え？　なぎささん」

「ええ、今夜八時頃お邪魔したはずですが……」

「いいえ、いらしてませんわ。こちらへ来るって出られたんですか」

「というわけじゃありませんが、あいつの行く先は、お宅に決まってると、たかをくっていたんですがね。そうですか、行ってませんか」

　他の心当たりを考えるふうな語尾であった。

「あのう……何か、あったのでしょうか……」

　ネグリジェ一枚では少し涼し過ぎる夜である。

「いいえ、大したことじゃありません。目下、冷たい戦争を仕掛けられていましてね」

「冷たい戦争ですって？」

「例の、あの加菜子の絵以来ですよ。馬鹿馬鹿しい。なぎさはあんな女じゃなかったはずなんですがね。妻妾同居、結構じゃない？　なんて言いそうな女だったんですがね。あいつもただの女だな」

　夕起子は、三条六丁目の交叉点で見かけた兼介と女の、もつれ合った姿を思い浮かべた。

「子供の描いた絵で、やきもちを焼くような女とは思いませんでしたよ、阿呆らしい」

　この間も言った言葉を兼介はくり返した。

「あのう、兼介さん。原因は加菜子ちゃんの絵だけなのでしょうか」

　夕起子は思い切って、なぎさのために言おうと思った。

「え？　原因？　ということは？」

「わたし、この間の夜、六丁目で、兼介さんをお見かけしましたわ」

　兼介は一瞬押し黙ったが、

「ぼくだって、六丁目ぐらい歩きますよ」

「ええ……でも女の人を……抱えるようにして歩いていましたわ」

「え？　女を？　まさか。ぼくは高校の教師ですよ。公衆の面前で、妻以外の女を抱いて歩くほど、大胆じゃありませんよ」

「見まちがえじゃありませんわ。わたしの乗っている車の前を、青信号で兼介さんが歩いていらしたんですもの」

「車の中から？　なあるほど、あなたか、原因は。いやになぎさの奴、確信ありげにぼくのことを詰《なじ》っていたが、あなたか、なるほど」

「まあ！　わたし、誰にもこのことを申しませんわ」

　夕起子は疑われたと知って、思わず声を大きくした。が、すぐに、二階の康郎や富久江の部屋に聞こえはせぬかと気づいて、声を低めた。

「信じませんねえ、女の口は軽いから」

「失礼よ兼介さん、そんなの」

　再び声を抑えて夕起子は言った。熱海からの電話以来、兼介のためにどれほど自分が気を遣ってきたかを夕起子は思った。が、さすがに熱海のことまで、今兼介に言う気はなかった。

「しかしねえ、見まちがいってことはあるでしょう。車の中からなら、なおのことじゃありませんか」

「でも……ここのお父さんも見ましたのよ」

「え!?　おやじが」

　さすがの兼介も絶句した。

「ええ、でも、お父さんもわたしも、誰にも言っていませんわ」

「それ、一体いつのことです?」

　改まって、尋問口調になった。

「八月六日の夜よ。十一時近かったわ、確か」

「へえー、よく覚えてますね」

「ええ、覚えてますわ。あれは原爆の日でしたもの」

「原爆の日？」

「ええ、お父さんが講演をなさって、そのあと食事をして、帰る車の中で……」

「じゃ、なぎさのおふくろも一緒だったわけですか」

「いいえ、わたしとお父さんと二人よ」

「二人？　二人ねえ、なるほど、そういうことですか」

兼介が受話器の向こうでにやりと笑ったような感じがした。

「そういうこと？　それ、どういうこと？　兼介さん」

「いや、こっちの話です」

「いやだわ、兼介さん何か勘ぐっていらっしゃるんじゃない？」

「……………」

「妙な勘ぐりをなさらないで」

「じゃ、申し上げますがね。おねえさんも妙な勘ぐりはやめてくださいよ。これがですね、立場を替えてみましょうか。もしぼくが、どこかの女の子と二人っきりで車に乗っていたとする。それもおねえさんたちのように三六《サンロク》(旭川市三条六丁目にある盛り場)あたりでね。おねえさんがそのぼくを見たら、何と思います？」

「……何てって……」

「虚心ではいられないでしょう。あ、兼介の奴、女と二人っきりで車に乗って、もしかしたらラブホテルにでも行くんじゃないかなんて、勘ぐるんじゃないかな」

「そんな……」

「どうです、そう思うでしょう。但しぼくは、お二人を疑ったわけじゃありませんよ。ただね、立場を替えれば、人目にどう映るかなあって、申し上げたかっただけですよ」

「でも……わたし……」

「ゆきがかり上、何でもない女の子と街を歩くこともあれば、何でもない相手と車に乗ることもある。相手が酔っぱらってれば、介抱するということもありますからね。ま、とにかくなぎさが伺ってなければ、それでいいんです。夜分遅く失礼しました」

「いいえ。何かありましたら、いつでもどうぞ」

「ありがとう。ところでおねえさん、ぼくとおねえさんだって……」

「え?」

「まあいいや。じゃおやすみなさい」

　兼介は電話を切った。不愉快な電話であった。なぎさが帰らないといっても、まだ十二時半前である。加菜子が帰らないというのならともかく、なぎさについては、夕起子はそんなに不安を感じなかった。なぎさは強い女だからだ。だが、康郎と自分のことを冗談にせよ変に勘ぐられたのが、夕起子にはたまらなかった。

部屋に戻ると、寛が寝たまま裸の両手を伸ばして夕起子を迎えた。

「長かったじゃないか。兼介君からだったようだね」

「ええ、なぎさきんがこちらに来ていないかって」

「何かあったのか」

「大したことじゃないんですけど……」

夕起子は寛の厚い胸に頬を寄せた。

「なぎさの奴なら、三日や四日、いやひと月ふた月いなくなったって、心配ないさ」

と、寛はのんきだった。

「そうね、わたしもそう思うわ。……ね、寛さん」

「何だい?」

「ううん、何でもないわ」

康郎と二人で車に乗っていたことが、人の目にはどんなふうに映るかと、寛に聞いてみたかった。だが夕起子は、聞くことをしなかった。それは口に出すべきことではないと思われたからだ。寛の手が夕起子の胸に触れた時、夕起子はふっと、康郎の前の妻緋紗子の声に、 自分の声が似ていると言われたことを思い出した。

二

夕起子が勤めに出ようとすると、康郎も玄関に出て来た。

「あら、お父さんも今日は大学ですか」

「うん、ちょっと調べるものがあるんでね」

大学はまだ夏休みだったが、康郎は時々研究室に籠《こも》ることがあった。

「行ってらっしゃい」

富久江はのんびりとした声で言った。

薄雲の所々から、青空がのぞいている。どこかでヘリコプターの音が、騒がしく聞こえた。いつもは東に見える大雪山も、そして大雪山の右手につらなる十勝連峰も、今日は雲にかくれて見えない。

「何となく秋めいて来たね」

「ええ、風が少し冷たくなりましたわね」

隣家のブロックの塀に、ピンクのコスモスの群れが静かに風にゆれ、ひまわりの大きな花が、首を重たげに咲いている。

「昨夜、兼介君から電話が来たと言っていたね」

今朝、食事の支度をしながら、夕起子は富久江に兼介からの電話を告げたのだ。いつになく康郎が、早い時間に夕起子と共に家を出たのは、そのことを知りたかったのだと夕起子は気づいた。

「ええ」

「なぎさの帰りが遅かったのかねえ」

「大したことじゃないと思いますけど……ちょっと何かあったのかも知れません」

「そうだろうね。なぎさは夜の遅い女だから。少しぐらいのことで兼介君が電話をかけて来るわけもないしね」

小学校へ行く子供たちが数人一団になって、角を曲がって来た。今朝がた降った雨が道のひと所に水たまりをつくっている。子供たちはわざとその水たまりの中を歩いて来る。薄青い空を映していた水たまりがたちまち乱れて、子供たちの姿が乱れて映った。

「でも、大したことはありませんわ。今朝、なぎささんから電話がありましたもの」

康郎が黙っていた。なぎさは、朝食の最中に電話をよこして、

「ごめん、ごめん、三時半に帰って来たのよ。兼介ったら、馬鹿みたい。夜遅くに電話したんだって?」

と、何事もなかったような声で笑っていた。だが夕起子は、そんな時間まで加菜子をどこに置いていたのだろうと気になった。

家並みの端を右に折れて、二人は大学病院前の広い通りに出た。

「夕起ちゃん、本当に大したことじゃないと思うかね」

ゆっくりと歩きながら、康郎は夕起子を見た。紋白蝶《もんしろちょう》が一つ道べの蕗《ふき》の葉陰から不意に飛び立った。康郎は六丁目で見かけた兼介と女の姿を気にかけているようだった。夕起子もまた、あの女性が熱海の宿に泊まった兼介の相手ではないかと、心にかかっていたのだ。が、熱海のことは、康郎には言ってはいない。八月六日の夜、兼介とあの女性の姿を共に見たものの、康郎と夕起子はそのことについて、全く触れないできた。今康郎に本当に大したことではないと思うかと問われて、夕起子は口ごもった。そう簡単に答え得ることではなかった。

「夫婦のことって、傍の者にはわからないこともありますし……」

「それもそうだね。事がなくて一生が終われば、世間は円満な夫婦だったと言うが……」

「そうね、けんかばかりしていても、仲が悪いとも限らないし」

康郎は黙ってうなずいただが、

「実はね、夕起ちゃん。わたしはなぎさたち夫婦は、けんからしいけんかをしないで終わる夫婦だと思っていたのだよ」

「え？」

康郎が何を言おうとしているのか、はかりかねて夕起子は聞き返した。

「なぎさはね、妊娠したから結婚したんだよ」

なぎさの言葉を思い出しながら、康郎は言った。それはなぎさの結婚式の日であった。

康郎と二人っきりになった時だった。

「こんなに早く結婚するつもりじゃなかったの。わたし、結婚するつもりなら、別の人を選んだわ」

その時の乾いたなぎさのまなざしを、康郎は決して忘れてはいない。幸せな結婚ではないと、その時康郎は深く心を痛めたものだった。だが、康郎はその記憶があるだけに、兼介に少しぐらいの女性関係が起きても、騒ぎ立てるなぎさではあるまいと思ってきた。

「妊娠したから？　では……妊娠しなかったら、結婚しなかったというわけでしょうか」

夕起子は遠慮がちに尋ねた。

「……まあそれはわたしの思い過ぎかも知れないが」

康郎は言葉を濁し、

「それはともかく、なぎさは、夫の女性関係でがたがた騒ぐ女じゃないと、何となくそう思っていたんだがね」

「そうね、なぎささんは、超越してるところがあるから」

「いや、やっぱりあれもただの女だね。何があったにしろ、亭主たる者が、妻の実家に電話をかけなければならないようではね」

夕起子は、先程から康郎と二人で肩を並べて歩いているのが、何か面映ゆくてならなかった。いつもとはちがうのだ。昨夜の兼介の電話が原因だった。康郎と自分が、父と娘ではなく、男と女として見られるということが、夕起子をぎごちなくさせていた。夕起子はいつもより康郎から離れて歩いた。が、離れて歩けば歩くほど、やはり一人の男性と歩いているという意識が強くなった。もともと夕起子にとって、康郎は憧れに似た存在だった。学生たちに人気のある大学教授であった。なぎさは妊娠したから兼介と結婚したというが、夕起子にしても、寛を愛したからというより、寛が康郎の息子だから結婚したとも言える。

(もし……)

康郎以外の息子であったら、寛と結婚していたかどうか、夕起子は今、問い直す思いであった。康郎と二人でいる時の感情を、夕起子は突きつめて考えてみたことはない。だが康郎と二人でいる時、夕起子は一種の幸福感を持つ。いや、充実感といってもよかった。そこに富久江が現れたりすると、何かが壊された。それは、詩的な雰囲気が散文的な雰囲気に変化するような、微妙な変化だった。

（わたしの声は、前の奥さんの声に似ているのだわ）

「まつむら」の店で、夕起子は松村秋子から聞いた。

「あなたのお声や、お話のなさり方が、緋紗子さんにそっくりなの」

そう秋子は言った。だがそれを、康郎はその時まで、夕起子に語ったことはなかった。夕起子に知られるのを、康郎は恥じていたように思われた。そのことも夕起子の心をかすかにときめかせた。康郎が自分の声を聞きながら、心ひそかに前の妻を偲んでいたであろうことは、夕起子にとって決して不快なことではなかった。

昨夜夕起子は、兼介の電話に、

「妙な勘ぐりはやめてください」

と言ったが、考えてみると、そうは言えないもやもやとした感情が自分の中にはあったと言えた。兼介の電話によって、それを明確に指摘されたような気がした。

二人の傍を口笛を鋭く吹いて、揶揄《やゆ》するように、若者が一人自転車を走らせて過ぎた。思わず夕起子は康郎を見た。苦笑しながら、康郎もしかし優しく夕起子を見た。夕起子の頬がほのかに赤らんだ。赤くなったと思った途端に、一層頬がほてった。

（いやだわ、わたし）

赤くなった頬を、夕起子は両手で挟んだ。肩に下げた白いショルダーバッグが大きく揺れた。はじらう夕起子を、康郎は可愛いと思った。それは娘のなぎさには抱いたことのない感情であった。

「夕起ちゃん、兼介君が何か言っていたかね」

さりげなく康郎は言った。

「いいえ……ただ……わたしが要らないことを言いました」

「要らないこと?」

「はい。三六で、兼介さんと女の人が一緒に歩いているのを見たって言ったんです」

「なるほど。それで、わたしも見たと言ったのかね」

「ごめんなさい。ゆきがかり上、言ってしまいました」

「ごめんなさい。ゆきがかり上ね……」

康郎が黙った。道ばたの草むらや伸び呆けた蓬《よもぎ》の葉に、今朝がたの雨が玉を結んで光っている。

「すみません、お父さん、要らないことを言ってしまって」

「いや、言ってくれてよかった。兼介君も高校の教師だからね。あれはちょっと人目につく恰好だった」

「ええ……」

「彼も若いからね。一概に咎《とが》め立てもできないが、ま、見られたとすれば、少しは気をつけるかも知れないね」

　夕起子は慰められたような気がして、

「でも、お父さん、今朝のなぎささん、とてもお元気そうでしたわ」

「なぎさは、しょげた顔を見せない娘でね。それが長所でもあり、短所でもあるんだ」

「短所でしょうか」

「女ってのはね、夕起ちゃん。どこかかわいそうな感じを持っているほうが、いいこともあるんだよ。男ってものは勝手なものでね、ぐちられるのはいやだが、全くぐちられないのもかわいくないいんだな」

「…………」

「兼介君にしたってね、なぎさがかわいい女っていうより、強過ぎる女じゃないのかなあ。兼介君がいなくても、生きていけるっていうところが、なぎさにはあるからね。兼介君だって、頼られてみたいんじゃないのかなあ、時にはね」

「そうでしょうか。……でもお父さん、男の人って、奥さんに原因があって浮気をするものなのでしょうか」

「さあてな」

立ちどまってタバコを出し、ライターで火をつけると、深く吸いこんでから、

「それがそうも言えないんだから、複雑なんだよね」

と、康郎は微笑した。

「そうですわね。ほんとにいい奥さんを持っていても、男の人って、意外と気軽に、他の女性に手を出すんですってね」

それは高原教授から聞いていた話である。高原教授は産婦人科医である。患者の中には、産んではならぬ子を妊って悩むケースが幾つもあると聞いた。大学病院では、そうしたケースを扱うことは少ないが、個人病院には絶えず持ちこまれる話らしく、今ではもう、それが日常茶飯事になっているとも聞いた。

「そうらしいね。よく女は業が深いと言うが、男のほうがむしろ業が深いのではないかね。名誉欲、事業欲、色欲等々、これはもう大変なものだよ」

二人はまた歩き始めた。いつもより早い時間のせいか、散歩でもしているような、のんびりとした二人の歩調であった。

「恐ろしいものですわね、お父さん。あやまちを犯さずに生きていくって、できるものでしょうか」

「あやまちか。あやまちねえ……。生まれてから死ぬまで、一度もあやまちを犯さずに生きていくなんて、人間には不可能だろうね」

「じゃ、生きているってことは、あやまちを犯すことなのね」

「そう言ったほうが適切かも知れないね。早い話が、今日一日、考えてはならないことを考えたり、思ってはならないことを思ったり、言ってはならないことを言ってみたりして、みんな生きているんじゃないのかな」

「ほんとうね。ああ言わなきゃよかった、こうしなきゃよかったって……。考えてみると、そんな生き方をしてます、わたしも」

夕起子は大学の門があまりに近いことを残念に思った。門を入って、何十メートルか行くと、玄関がある。その余りに近いと思う感情の中に、罪に似たうしろめたさを、夕起子は感じた。寛への愛とはちがって、それは敬愛と呼ぶべきものかも知れない。が、康郎がもし同性の先輩であったなら、同じ敬愛でも、もっと透明な、さわやかな感情であろうと思う。何か甘い想いが夕起子の胸を浸している。それは寛にも、康郎にも知られたくない感情だった。

「ほう、夕起ちゃんでもそうかね」

「あら、じゃお父さんも?」

「ああ、わたしはね、夢の中でもあやまちを犯しているよ。男なんて、生臭いものだ」

「男？」

男という言葉が、夕起子には奇異に思われた。康郎は夕起子にとって、夫の寛の父である。邦越教授である。確かに異性ではあるが、男という言葉は、なぜか康郎にはふさわしくないような気がした。

「そうね、お父さんも男性なのね」

夕起子は頭をかしげて康郎を見上げた。

「なあんだ、今まで男だと思っていなかったようだね」

康郎が笑った。

「ううん、そうじゃないんですけど……じゃ、お父さんでもあやまちを犯すことがあるのかしら」

「お父さんでもとは、少し買いかぶりじゃないのかな。誰だって、いつも危機にさらされているよ、人間は」

「でも、わたしには、お父さんは罪を犯さない人みたい。……取り乱すことのない人みたい」

「参ったね、それは」

「じゃね、お父さん、自分も人々も罪を犯して生きているとすれば、許し合って生きるより、仕方がないということね」

「そういうことになるね。……しかしね、許すということは、これは大変なことでね。ビルを一つ建てるより大事業かも知れないよ」

康郎は、佐山兼介の顔を思い浮かべながら言った。なぎさが妊娠したと告げた時、康郎は激しい憤りを感じたものだ。それが常に胸にくすぶっているのに、表面はさりげなく今日まで過ごしてきた。だから決して許しているわけではない。もし兼介がなぎさを不幸にしたら、ただではおかぬと康郎は思ってきた。

「あら、みみずよ、お父さん」

今朝の雨で、出て来たみみずなのだろう。大きなみみずが、ぬれた道の上に、かすかな跡をつけて、伸び縮みしながら這っていた。

ダイヤル

ダイヤル

一

夕起子がなぎさに誘われて街に出たのは、今日が初めてだった。なぎさは、母親の富久江をさえ、めったに誘うことがない。それどころか、わが子の加菜子を富久江に預けて、一人で行動しがちであった。そのなぎさが、昨夜夕起子に電話をかけてきた。

「明日の日曜おひま？　午後から一緒に街に行かない？」

寛は友人と釣りに行く約束があった。夕起子はちょっととまどいを感じたが、

「いいわ、お母さんもご一緒ね」

「ううん、お母さんはお父さんがいるでしょ。それにね、わたし実はお姉さんに頼みがあるのよ。詳しいことは明日お話しするわ」

なぎさは用件だけを言うと電話を切った。

そして今日、二人は街に出てきたのだった。

「旭川にはもったいないような彫刻ね」

買物通り公園の一画に立ちどまったなぎさが言った。四角い大理石の台座の上に、「若い

女」と題した、等身大の彫像が立っている。佐藤忠良《さとうちゅうりょう》の作である。贅肉《ぜいにく》のない細身の若い女は、薄いズボンを身につけ、上半身をしなやかに捩《よじ》っていた。右肩を高く上げ、その肩にのせるように首を傾け、右手は腰に置かれていて、引きしまった乳房が全体を清潔に見せていた。

「ほんとうね、いつみても素敵なブロンズだと思うわ」

夕起子もうなずいた。

ここ買物通り公園は、旭川駅から北に向かってのびる八百メートル程の永久歩行者天国である。つい二年前までは、一日二万台を超える車が、ひっきりなしに往来する国道であった。それが今や、噴水が輝き、芝生があちこちに植えられ、花時計の針が大きく廻り、小鳥の家や、木立が設けられ、随所に置かれたベンチには老人も若者も憩《いこ》い、木馬や遊具にたわむれる子どもの声の満ち満ちた通りになった。日本で初めて造られたこの歩行者天国によって、両側のデパートや商店街は、その売り上げを一挙に三割も上げたといわれている。

「お姉さん、折角の日曜日、悪かったわね」

彫像の傍を離れたなぎさが、ぶらぶらと歩きながら言った。

「ううん、わたしも一度ぐらいはなぎささんと、一緒に街に来てみたかったのよ」

結婚して、やがて一年になるのだが、なぎさとはまだしみじみと話し合ったことはない。いつも周囲に誰かがいた。

二人に手を引かれた加菜子が、幼稚園で習った歌を、大きな声で歌いながら、うれしそうだった。

〈ゾーサン　ゾーサン　オハナガ　ナガイノネ〉

行き交う人が、その加菜子に微笑を送った。

「でもね、お姉さん、今日はわたし、妙なことをお姉さんに頼みたいのよ。昨日電話でちょっと言ったけど」

「その頼みたいことって、なあに？」

それは夕起子も昨夜から気になっていたことだった。女が同性を街に誘うのは、たいていはショッピングの相談のためである。どんなブラウスを買ったらよいかとか、どんなコートを作ったらよいかとか、そんなことが多い。が、なぎさは人に相談して買い物をするような性格ではない。

「実はね」

ゆっくりと歩いていたなぎさの足がとまった。夕起子はなぎさの光る目を見た。と、加菜子が二人の手をふり払うようにして木馬を指さした。

「かなこ、あれにのる」

やや小豆色がかったナナカマドの紅葉が、つぶらな真紅の実を際立たせているその下に、木馬が三台並んでいた。

「いいわよ、のせてあげるわよ」

　なぎさは木馬に近づいて、空いていた一台に加菜子をのせた。硬貨を入れると、木馬はすぐに上下に動き出した。なぎさと夕起子がその加奈子を見守りながら、傍らのベンチに腰をおろした。ベンチの近くに地面に首を伸ばした黒いキリン、足を折って座っている赤い鹿、腹這いになっている黄色いライオンなどが置かれてある。何れも、子供がその背に乗るのを待っているかのような姿である。四、五歳の男の子が、そのライオンにまたがって、しきりにはしゃいでいる。

「お姉さん、実はね、この頃うちにいやがらせの電話がくるの」

「いやがらせ!?　どんな？」

「ベルが鳴るから受話器を取るでしょ。でも黙ってるのよね、向こうは。そしてガチャリと切るのよ」

「まあいやね！　何時頃？」

「大体、夜だと十時半から十二時までの間ね」

「そんなに遅くまで？」

「わたしの帰宅時間を知っているんでしょう、多分」

「じゃ、毎日？」

「毎日なの。それも、一晩に三度や四度はざらね」

「まあ！　いやだわ、気味が悪いわね」

「ええ。でもかけている相手は大体見当がついているから……」

「誰なの、その人？　女？　男？」

なぎさはグレイのパンタロンの足を大きく組んで、

「女よ、……兼介の」

と、吐きだすように言った。

「………」

兼介に女がいることは夕起子も知っている。だが、このことについてなぎさの口から聞いたことはなかった。ただ、この頃何となく兼介がその女と切れたような気配を夕起子は感じていた。それは時折訪ねて来るなぎさの表情や、言葉の端々から感じ取ることができた。

「本当の話、誰にも言いたくはないのよ、あの女のことは……」

「若い人なの？」

「ええ、まだ二十かな。今年の正月あたりから、兼介と親しくなったらしいの。そしてね、ほら熱海に行ったことがあったでしょ、兼介が」

「ええ……あの時……なぎささん手術したわね」

「そうなのよ。あの時兼介ったら、その女の子をつれて熱海に泊まってたのよ」

ベンチの片隅に座って子供たちを見ていた老人が、大きなあくびをし、立ち上がって去って行った。

「わたし、その時は知らなかったんだけど、その後の二人の行動が少し派手でね。いろいろと耳に入れてくれる人があって、それで熱海の一件もわかってしまったのよ」

（やっぱり……）

夕起子は自分が聞いたあの熱海の宿のフロントの言葉を、改めて思い浮かべた。

「只今、奥さまとお出かけになりました」

あの言葉を聞いたばかりに、どれほど胸を痛めてきたことであろう。今、なぎさの語るのを聞きながら、あの言葉を伝えなかったことが、なぎさへの裏切りのような気もしてうしろめたくもあった。が、一方肩の荷が降りたような思いでもあった。

旭川の十月にしては、珍しい暖かい日射しである。この一日を惜しむかのように、両側の歩道にも、歩道の間の公園にも人々があふれていた。

「ママ、ママ」

木馬がとまったらしく、加菜子の呼ぶ声がした。なぎさが近づいて行き再び硬貨を入れて戻って来た。

「それでね、お姉さん。兼介との間に、ちょっとごたごたがあったのよ。その子に、兼介、子供をつくっちゃったのよね。兼介は堕《お》ろせと言い、彼女は産むと言い、とうとう彼女わたしに電話をかけてきたのよ」

「まあ！　何と言って？」

「兼介とその女の今までのことや、子供ができたことやいろいろよ。そのあげく彼女はね、わたしに兼介と別れろと言うのよ」

「まあ呆《あき》れた。それで？」

夕起子は自分が街の真ん中にいることを忘れた。

「で、わたしね、兼介がわたしと別れると言うんなら別れるわよと言ってやったの」

「そんな……なぎささんったら」

「だってお姉さん、わたしごたごたしているくらいなら、別れたほうがさっぱりしていいわ。別段兼介にしがみついていたいほど執着はないわ」

「でも、加菜ちゃんのことがあるじゃない？」

「それなのよ。あんな男でも加菜子の父親だから、加菜子から父親を取り上げるわけにはいかないし。わたし一人ならすぐにも別れてかまわなかったけれど……。で、ね、兼介にこんな電話がきたけど、どっちの女を選ぶのって、聞いたのよ」

「なんて言って、兼介さん？」

「いきなりわたしの口からそう言われて、さすがにあわてていたわよ。もちろん女と手を切るって、青くなってたわ。その顔を見て、わたしむなしくなっちゃったなあ」

「なぜ？　兼介さんやっぱりあなたを愛していたわけでしょう」

「そう思う？」

なぎさがにやりと笑った。一つ年上であるとは言っても、義妹である。が、にやりと笑ったその顔が、夕起子にはひどく大人に見えた。

「そう思うわ、なぎささんって魅力的な女性ですもの。兼介さんがあなたと離れられないのは当然だと思うわ」

「そうじゃないのよ。兼介は世間体が大事なのよ。妻も子もありながら離婚したなんて、高校教師の兼介には言えないのよ。愛なんてものじゃないの」

「なぎささんったら、怖いこと言うのね」

「そうかしら。怖いかしら。たいていの夫婦は、何の愛もなしにつながっているんじゃない？心の中では、早く死んでほしいと思ったり、別れたいと思ったりしながら、世間体や惰性のために、仕方なく一緒にいる夫婦が多いんじゃない？」

言われてみればそうかも知れないと夕起子は思った。

「そうねえ。わたしと寛さんだって……一生愛し合える夫婦かどうか、わからないのね。それはそうと、頼みというのはどういうことなの?」

「ちょっと馬鹿馬鹿しいみたいなんだけど、ほら、あそこに電話のボックスがあるでしょう」

なぎさが二十メートルほど先の、芝生のあるコーナーの傍らの水色の電話ボックスを指さした。電話ボックスの手前には、大きなツゲがいくつも刈りこまれてい、そこにもナナカマドの紅葉が、黄ばんだ白樺に並んで、秋日に燃えていた。電話ボックスの中には、ジーパンを穿いた若者の姿が見えた。電話ボックスと二人のいるベンチの間には更にベンチが四脚置かれてあり、子供づれの夫婦や、老人たちが腰をおろしている。そのまた手前には、黄色い亀、水色の河豚《ふぐ》、青いタツノオトシゴ、赤いオットセイが、造りつけてあって、子供たちが絶えずその背に乗って遊んでいる。だから余程注意して見なければ、二人がここにいることは、電話ボックスからは見えない。だが、こちらからは電話ボックスに入る人の顔型は認めることはできる。

「わたしの勘に狂いがなければね、三時半頃になったら、あそこにあの女が現れるはずなの」

「どうしてわかるの?」

「それはね、夜は十時半を過ぎてからかけてくるけど、日曜日や土曜日には、決まって三時半過ぎなのよ。それが公衆電話らしいの」

「でも、それがあのボックスだって、どうしてわかるの？」

「このすぐ近くの喫茶店に彼女勤めているのよ。でも店の赤電話からって感じじゃないわ。といって、商店街の赤電話という感じでもないのよ。とすると、一番近いそこのボックスが考えられるのよ」

「……………」

「三時半過ぎにかけてよこすというのは、二交代の勤務だと思うの。多分彼女は遅番なのね。で、きっと店に出る前に、あのボックスからかけてくるんじゃないかと推理してみたの」

なぎさの話では、そのいやがらせ電話がかかってくるようになったのは、どうやらその女が子供を堕ろしてかららしいということだった。そして兼介は、いつのまにか帰宅も早くなり、日曜日はなぎさと共にいることが多くなった。一体兼介に対していやがらせの電話をかけてくるのか、なぎさにかけてくるのか、そのどちらでもあるのか、毎日のようにかけてくる。

「出なければいいのに」

「出なければ出るまでベルが鳴りつづけるわ。わたしとしてもね、その女が……木藤《きとう》満須美《ますみ》っていうんだけど、その満須美が子供を堕ろしたこと、哀れには思ってるの」

二

いつのまにか木馬を降りた加菜子が、三つぐらいの男の子と一緒にライオンの背に乗っている。その加菜子を目にとめながら、夕起子が言った。

「でも、それはその人の責任でしたことでしょ」

「かも知れないけど、妊娠させたのは兼介よ。堕ろせと言ったのも兼介よ。子供には罪はないわ。妊娠した以上、子供は産むべきなのよ」

激しいなぎささの語調だった。

「どんなことがあっても?」

「そうよ、親の都合で、勝手に堕ろしたりしてはならないものよ。わたし、加菜子を妊娠した時、つくづく思った。兼介って、わたしにとって第一志望の男性じゃなかったけど、結婚したのはお腹の子供のためだったのよ」

「じゃ、もし兼介さんが結婚してくれなかったら、どうしたの」

「やっぱり産んだわよ。誰が何と言おうと産んだわよ。わたし、いい加減な人間だけど、人の命を殺すことだけは絶対反対なの。どんな理由をつけてみても、中絶は殺人でしょ。わたし、この世で何が嫌いって、戦争ほど嫌いなものないわ。この点だけは、父親似ね。小さい時から聞かされて育ったから」

「………」

「自分のお腹の子を殺しておいて、戦争嫌いもないでしょ。彼の子も同じことよ。わたしは兼介の女だからといって、その子を堕ろせとは言えなかったのよ。わかる？　お姉さん」

一見奔放に見えるなぎさにしては、意外な言葉であった。が、考えてみると、なぎさらしい言葉でもあった。

「偉いわね、なぎささん。わたしならそうはいかないわ。もし寛さんがよそに子供をつくったら、決して産ませたくないわ。もちろん戦争で人を殺すのは反対だけど……でも、言われてみると、お腹の赤ちゃんを殺して平気だっていうこと、本当に恐ろしいことね」

ライオンの頭に頬をすり寄せて、男の子と何か話をしている加菜子に夕起子は目をやった。

「そうよ。わたしこの間考えたのよ。第二次大戦で三百万の日本人が死んだっていうでしょ。でもね、戦後三十年に日本の女が中絶した赤ん坊の数は、三百万ではきかないだろうって。何だか恐ろしい気がしちゃった。ま、それはそうとね、わたしが今日お姉さんに来てもらったのは、もしわたしの勘が当たってね、あの女がボックスに現れたら、あのそばに行ってほしいのよ」

「あら、電話ボックスのそばに？　そしてどうするの？」

　夕起子は、何か面倒なことが起こりそうな気がした。

「むずかしいことはないの。ただ、電話を待っているふりをして、彼女が何番をかけるか、見ていてほしいの。四方がガラスだから、外からでもわかるでしょ」

「わかったわ、それだけのことなら……」

「ああ、よかった。そんなつまらないことといやだって、断られそうな気もしたの。わたしが行って調べてもいいんだけれど、顔を見られたら、顔見知りだから、ちょっとまずいと思って」

　もし、なぎさの推理が当たっているとすれば、そろそろ木藤満須美の電話をかけに来る時間であった。だがお誂《あつら》えどおりに満須美が現れるかどうか、おぼつかない話だと夕起子は思った。

「三時半頃と言ったわね」

　夕起子は電話ボックスを見た。セーラー服の女子高生が電話をかけていた。

「そうよ、あと二十分はあるわ」

　二人のそばに加菜子が来て、

「ママ、あれ、とうきび」

と指さした。木馬に小さな女の子を乗せ、その傍らで妊婦服の若い女がとうきびをかじっていた。忙しく動かすその口が、妙に動物的に見える。

「帰りに買って上げるわね。外で立ち食いをしちゃいけないわ」

「でも、あのおばちゃん、たべてるもん」

不満そうに加菜子は妊婦服の女を眺めて言う。

「あの小母さんが食べてるんじゃないの。お腹の赤ちゃんが食べたいって言ってるの。小母さんのお腹には、赤ちゃんがいるから仕方がないの」

「ふーん、しかたがないの?」

「もう少し経ったら、アイスクリームを食べにつれてってあげるから、ちょっと待ってらっしゃい」

なぎさは加菜子の頭をなでた。加菜子は素直にうなずいて、再びライオンの背に乗って歌い出した。

「ね、お姉さん、あのとうきびを食べている人のお腹の赤ちゃんが、もしあの姿を見たら、がっかりするだろうなあ、って思わない」

「そうねえ」

と、思わず夕起子は笑ったが、ふっと真顔になって、

「なぎささんて、おもしろいことを考えるのね」

と、とうきびの女に視線を移した。

「でも、そうじゃない？　考えてみると、赤ん坊は誰の子に生まれるかわからずに、安心してお腹の中で眠っているわけでしょう。これがもし、誰の子に生まれるとわかったら、中絶されるより先に、赤ちゃんのほうが逃げだすかも知れないわよ」

「ほんとうねえ。赤ちゃんには親を選ぶ権利はないのねえ。恐ろしいことね、それも。母親ってその子にとって只一人ですものね。つまり、かけがえのない存在ですものね。その親を選ぶことができないんですものね。わたし、何だか赤ちゃんを産むの怖いわ」

夕起子の言葉になぎさは笑って、

「でもさ、お互いさまじゃない？　こっちも子供を選ぶことができないんだから。生まれてきた時が、お互いに、それこそ、こんにちは、初めまして、だものね。こんな子を産むつもりじゃなかったという親だって、たくさんいると思うわよ」

夕起子はうなずいたが、子が親を選ぶことができないのと、親が子を選び得ないこととは、少しちがう気がした。そして子を産むと言うことの重さを、夕起子は改めて感じた。なぎさが時計を見た。

「そろそろ現れるかも知れないわ。あと五分よ、三時半には」

「なぎささん、その人の顔、ちゃんと覚えてるの？」

「覚えてるわよ。会って話したことがあるもの。彼女があの辺りに現れたら、お姉さんすぐに走って行ってよ」

「わかったわ。やってみるわ」

夕起子はなぜか激しく動悸《どうき》した。別段悪いことをするわけではないのに、なぜかうしろめたい気がするのだ。いやがらせの電話をかけて、人を脅かすほうが悪いのだとは思っても、まだそうと確定しない人間を犯人に見立てることは、気持ちのよいことではなかった。刑事という職業は、こんな憂鬱な感情をいつも味わわなければならないのかと、夕起子は思った。

（それとも刑事は、人を疑うことに馴れてしまっているのだろうか）

疑うということはいやなことだ。夕起子はどうにも落ちつかなかった。

「ママ、おなかすいた」

ライオンの背に乗り、キリンの首にまたがり、鹿の背に腰をかけたりして、他の子供たちと遊んでいた加菜子がそばに来て、なぎさの膝をゆすった。

「ちょっと待ってらっしゃい」

なぎさは視線を電話ボックスに向けたまま、にべもなく言った。

「ママ、なにをおこってるの」

　加菜子が怪訝な顔をしたが、なぎさは答えない。

(あのボックスからかけているとは限らないのでは……)

　夕起子はなぎさの顔を見た。

「変ねえ、もう四十分になるわ」

　ちらりと腕時計に目をやったなぎさが、足を組み変えた。

「わたし、あの辺りにいっていたほうがいいんじゃない。もし現れたら、手を上げて合図してくださらない?」

「そうね」

　なぎさはちょっと考えてから、

「そのほうがいいかもね、お姉さんがわたしのほうさえ注意してくれていたら、わたしが手をふるのわかるわね」

「じゃ」

　夕起子が立ち上がった。夕起子は電話ボックスから四、五メートル離れた菓子屋の前に佇《たたず》んだ。人々が絶え間なく前をよぎって、視界が遮られる。なぎさの合図の手を、素早くキャッチするのに不利な場所であった。夕起子はボックスの近くのツゲの木の傍らに移った。が、そこはボックスに入る人間の姿を、なぎさの位置からはかえって遮《さえぎ》る形になる。夕起子はアーケードの下に身をずらせた。おさまっていた動悸が再び激しくなった。なぎさがベンチを立って、こちらのほうを向いている。

(こんなことをさせるなんて、兼介さんが悪いんだわ)

夕起子はふっと、なぎさが哀れになった。が、もしもなぎさと自分の立場が逆であったならと想像して、夕起子はなぎさの気持ちがわかるような気がした。

(でも、もしわたしだったら……ここまで確かめに来るだろうか)

やはり来るだろうと思った。一日に幾度も不気味な電話がかかってくるのを耐えるのは、やりきれないことだと思う。

(だけど……わかったとして、どうするつもりなのかしら)

電話をかけるのはよせと相手に告げたところで相手は従うとは限るまい。

(警察に訴えるつもりかしら)

そんなことまでしたくはないと夕起子は思った。

(兼介さんが悪いのよ)

結局は思いはそこに帰る。

「あら! 夕起子さんじゃない? しばらくねえ」

不意に声をかけられて、夕起子はどぎまぎした。中学時代のクラスメイト初島ケイ子だった。

「まあ！　ケイ子さん、久しぶりねえ」

言いながら夕起子はなぎさから目を外らすまいとした。

「夕起子さん、結婚したんだって？　素敵な旦那さんでしょ」

ケイ子は唇の外側まで口紅を塗りたくっていた。

「ええ、まあね」

夕起子は気が気でない。と、なぎさの手が高く上がった。

「あ、わたしここで失礼、ちょっと急いでるの、じゃあまたね」

夕起子は急いでボックスのほうに歩みよった。髪の長い、クリーム色のワンピースを着た女がボックスに近づいて来た。大きなサングラスをかけ、黒いショルダーバッグを下げている。いつか兼介と絡み合うようにして歩いていた女を、夕起子は思い浮かべた。

「ああ夕起子さん、あなたの住所どこ？」

立ち去った筈のケイ子が、大声で夕起子の名を呼んだ。ボックスに入ろうとしていた木藤満須美がちらりと夕起子のほうを見た。夕起子は、はっと息を詰めた。満須美がするりとボックスの中に入った。

「医大にいるの、じゃ、ごめんなさい」

夕起子は高鳴る動悸をおさえながら、さりげなくボックスのそばに立った。満須美はショルダーバッグの口をあけて小銭を探すと、受話器を取り上げた。ダイヤルに指がかかった。

夕起子はとどろく思いでその指先を見つめた。

三

夕起子は電話ボックスのガラスに身を寄せて、はすかいに満須美の手もとを見つめた。気づかれてはならない。が、ボックスのそばに寄らねば満須美のかける電話番号がわからない。夕起子は緊張している。

真っ赤なマニキュアをした木藤満須美の指が、ダイヤルの三をまわした。夕起子はなま唾《つば》をごくりとのんだ。満須美の指が一に移った。

(三一局……)

なぎさの電話の局番である。つづいて、四、八、五と、満須美の指はためらいもなく動く。

(やっぱり!)

夕起子はボックスから少し離れて、なぎさに合図の手を上げた。満須美はやや厚いその唇をきつく結んで、受話器を耳に当てている。なぎさの家は留守なのだ。が、満須美は留守とは信じていないのだろう。誰かが出るまでコールサインに耳を傾けているつもりなのか。鼻筋の少し詰まったその横顔が個性的で、サングラスがよく似合っていた。が、夕起子の目には何か陰気に見えた。皮膚が少しそそけ立っている。若い女の皮膚とは思えない。

満須美の横顔を見ながら、夕起子はふと哀れになった。

(兼介さんが悪いんだわ)

　思いはまたしてもそこに落ちる。と、不意に満須美が夕起子のほうを見た。はっとして、夕起子は傍らのイチイの木に手をふれた。満須美は電話を切った。が、再びダイヤルをまわしはじめた。満須美はじっと受話器を耳に押し当てていたが、やがて受話器を置き、そのままぼんやりとボックスの中に佇んでいる。夕起子は電話のあくのを待っているかのように、腕時計に目をやった。間もなく満須美が締まりの悪いボックスのドアを開けて出てきた。入れ替わりに夕起子が入ろうとした時、不意にうしろでなぎさの声がした。

「おあいにくさま。留守で悪かったわね」

　驚いて夕起子はふり返った。なぎさが現れる約束ではなかった。が、突如としてなぎさは現れたのだ。夕起子はボックスに入りかねて立ちすくんだ。満須美がこわばった顔でなぎさを見つめた。

「どうしていやがらせの電話なんかかけるのよ」

　なぎさは低いが強い語調で言った。こわばっていた満須美の口もとが歪《ゆが》んだ。笑ったのかも知れなかった。

「どこに電話をかけていたか、ちゃんと見ていたのよ」

「……………」

満須美の目が強く押し返すようになぎさを見、夕起子に視線を移した。三人のうしろを通って、若い男がボックスに飛びこんだ。ドアが故障しているのか、またもや三センチほどあいたままだ。返事をしない満須美になぎさが言った。

「いやがらせの電話をかけたいのは、こちらのほうよ。もっとも、そんな馬鹿な真似はわたしはしないけど」

「……………」

満須美は視線を足もとに落とした。

「一体なんでしつこく電話をかけてくるのよ。わたしがあなたに何をしたって言うのよ。言いたいことがあるなら、妙な電話をかけてこないではっきり言ったらどう?」

なぎさは感情的にならずに、しかしやはりきびしい語調で言った。と、満須美が目を上げて言った。言ったというより、叫んだように夕起子には思われた。

「わたしの子供、返してよ!」

「わたしの子供?」

「そうよ、わたしの子供よ! 兼介が堕ろせと言ったのよ。あなたが認知を認めないからって……」

夕起子は思わず辺りを見た。街の真ん中で話し合うには、事は余りにも重大過ぎた。が、誰一人なぎさと満須美のやりとりに、目を向ける者はない。絶えず行き交う人々の中で、二人は立ち話をしているように見えた。雑踏は二人を巧みにカバーしていた。ショーの宣伝カーが、買物通り公園と交差する三条通りの四つ角で、ロックを大きく流していた。

「子供を堕ろせなんて、わたし、言った覚えはなくてよ。認知するかしないかは全く別の問題でしょ」

なぎさは腕を大きく組んで、ふっと笑った。

「何さ！　笑ったりして！　子供を返してよ」

満須美は一歩詰め寄った。夕起子ははらはらとなぎさの顔を見守った。が、なぎさは顔色も変えずに、

「兼介が堕ろせと言ったとしても、決めたのはあなたでしょ」

と、あくまで平静だった。

「何もかも、兼介が無理矢理決めたのよ」

「無理矢理？」

夕起子はやりきれない気がした。二人の女が兼介を呼び捨てにしている。

「そうよ。わたしは堕ろしたくないのに、兼介が無理矢理病院につれてったのよ。熱海に誘っ

たのも兼介なのよ」

「あらそう。兼介はあんたがのこのこ熱海までついて行ったと言ってたけど」

「ちがうわよ。旅費は出すから熱海で落ち合おうって、兼介が強引にわたしを誘ったのよ。何もわかっちゃいないのね」

「………」

「いやがらせ電話だって、本当は兼介がかけろと言ったのよ」

「………」

なぎさの顔色が変わった。

「文句ある？」

満須美は鼻先で笑い、

「文句があるんなら兼介に言ってよ」

言ったかと思うとさっとその場を駆け去った。一瞬二人は呆然とした。が、次の瞬間、なぎさは大きな声で笑った。空を見上げて、いかにもおかしそうに笑った。

なぎさはいつまでも笑いをとめようとしなかった。澄んだ空に、白い雲が秋日に輝いて流れていた。

四

「今日はとにかく帰らないわ。今日はあなたの顔を見たくないの。話もしたくないの」

なぎさはガチャリと受話器を置いた。兼介からの電話を富久江が受けた。なぎさがすぐに替わったが、受話器を持つなり、一言言って電話を切った。

「なぎさ！　なんですか今のものの言い方」

ふだんはのんびりしている富久江が、珍しくきびしく咎《とが》めた。デザートのチーズケーキを盆にのせ、居間に運ぼうとしていた夕起子は自分の責任のようにうつ向いて部屋の入り口に立ちすくんだ。

家に帰ってきても、夕起子は、自分たちの前から駆け去った満須美の姿が目にちらついてならなかった。が、共に帰ってきたなぎさは一見ふだんと変わらなかった。いやいつもより、はしゃいでさえいた。ドミーを相手にたわむれたり、加菜子と一緒に大きな声でうたったり、いつになく朗らかに見えた。内心夕起子は、なぎさの強さに感じ入っていたのだった。何事もなく夕食の時が過ぎ、疲れた加菜子が隣の客間に眠って、今日の一日がとにかく終わろうとしている矢先に、兼介から電話がきたのだ。

「なんですかって、なあに?」

なぎさが変わらぬ語調で言った。が、その目が憤っている。

「犬も食わないぞ、なぎさ」

寛は前に置かれたチーズケーキを、フォークで半分に切りながら言った。

「わかってるわよ、お兄さん。だからわたしお母さんにだって、ゴチャゴチャ言っちゃいないわ。でもね、やっぱり……ジ・エンドよね」

「ジ・エンド」

「そう、終わりよ、あいつとも」

なぎさの目が電灯にきらりと光った。ソファに身を沈めて、聞いていた康郎が、

「何があったのか知らないが、少し詳しく話してみたらどうかね」

と静かにタバコの煙を吐いた。

「そうだよ、なぎさ。ジ・エンドなんて、おだやかじゃないぞ。おふくろさん」

「そうですとも、おだやかじゃありませんとも。なぎさはいつも結果だけを突きつけるんだから。途中をぬきにして」

「途中ぬき? なあに、それ?」

康郎と並んでソファに座っているなぎさが、とぼけてみせた。

「言うまでもないでしょ、なぎさ、例えばよ、好きな人ができたともなんとも言わないで、いきなりお腹に赤ちゃんがいると驚かせたり、勤めようかという相談もなくて、勤めて十日も経ってから、給料が幾らだとか言ったり……きりきり舞いをさせられるのはいやですよ」

「全くだよ。今もいきなり、ジ・エンドなんて言ってさ」

「そうですよ。とにかくなぎさ、順序よく話して聞かせてごらん。一人で勝手に事を決めちゃいけませんよ」

「でも、これはわたしたち夫婦の問題よ」

「何を言ってるのよ！　あんたがたがうまくいかないと、わたしたちにもとばっちりが来ますからね」

「わかったわ。じゃ言うわ。口から出すのも恥ずかしいような話だけど……」

なぎさは兼介に女ができたこと、その女を熱海にまでつれて行ったこと、兼介がその女と熱海にいた時に、自分が子宮外妊娠で手術を受けたこと、やがて女が妊娠し、兼介となぎさとの間にいざこざがあったこと、女が子供を堕ろしたこと、その後いやがらせの電話が毎日かかってくること、今日、それを確かめに夕起子をつれ出したこと、その電話はまちがいなく兼介の女満須美の仕業であったことなどを手短に語った。

「ふーん……まあ、なぎさの身になってみれば、別れたくもなるだろうけどな。しかし、よくある話だよ、どこの夫婦にもね」

寛は熱海の一件を夕起子から聞いて、とうに知ってはいる。だが相手の女に子供ができたことやいやがらせの電話のことは今日が初耳だった。

「そうねえ、男が他に女をつくるというのは、確かに珍しいことじゃないけど。でもなぎさにしたら、別れたくもなる話ね。ね、お父さん」

さすがに富久江は女親だった。

「ふーむ……兼介君か……」

康郎は、車の中から見た兼介と女のもつれ合う姿を思い浮かべていた。腕組みをして何か考えていた寛が言った。

「なぎさ、終わりにするのは、いつでもできるぞ。しかし、それだけですぐに別れるというのはどんなものかなあ。よく考えてみろよ。加菜子がいるじゃないか、加菜子が」

なぎさはソファの背から身を起こして言った。

「あのね、お兄さん。わたしもね、結婚というのは、おとぎ話みたいじゃないことはわかってるのよ。兼介という男が、どんな男か、ある程度は知っていたつもりなのよ。だからわたし、兼介に女ができてもひどく驚きはしなかったわ。来るものが来たって感じだったわ」

「じゃ、それでいいじゃないか。何も別れなくても」

「そう。わたしが話した限りではそういうことになるわ。でもね、わたし今日聞いたのよ。いやがらせの電話をかけろと女に言ったのは、兼介なんだって」

「えっ⁉　兼介さんが？　そんな馬鹿な」

　富久江が声を上げた。

「わたし、女のことは許せるわ。いまいましくても許せるわ。でもね、いやがらせの電話が来る度、わたしが不愉快になっていたのを、兼介は傍で見ていたのよ。どんなにわたしがそれをいやがっているか、見ていたのよ。何食わぬ顔をして」

「ふーん、兼介君がかけろと女に言ったのか」

「そう女が言ってたわ」

「その女の言うことは、信用ができるのか。その場逃れに言ったんじゃないのか」

「……残念ながら、あの女はそんなに器用じゃなさそうよ。少なくとも兼介よりは正直そうだわ」

「しかし、女がうそを言うことだってあるだろう。もしそうだとすると、そのうそにみすみすお前が騙《だま》されるということになるわけだ」

「そのことは、さっきからずーっと考えつづけたわ。でもあの女は、騙されるタイプで、騙すタイプじゃないわ。でも、兼介という男は、そんなことを言いそうな男よ。そんなものを持っている男よ。それが今日はっきりしたという感じ」

誰もが黙った。

「むろん兼介に聞いたら、そんなことは言わないと言うでしょうよ。女がいやがらせ電話をかけると言ったから、それで気がすむんならかけるがいいさと言っただけなんて、つらっとして言うかも知れないけど。とにかく今のところ、わたしあの女の言葉を信じるわ」

「だから別れるって言うのか、なぎさ」

寛が首に手をやった。

「うん、別れる。あの女の言葉がうそか本当かは、もう問題ではないの。そんなことを言いそうな兼介だと気がついたら、何かゾーッとしてきたのよ。兼介には確かにそんな冷酷なところがあるわ。それがはっきり見えてきたの。冷酷だから簡単に手を出すのよ、女にも。相手の運命なんて思いやるやさしさがないから、すぐに女に手を出すのよ」

「待てよ、それはどうかなあ。冷酷だから女に手を出すとは言えないだろう」

寛は首をひねって、

「どう思うお父さん?」

と、康郎を見た。ふところ手をしていた康郎がその手を出して、

「きびしく言えば、そういうことになるだろうな。本当に相手のことや、妻のことを考えたら、そう簡単には手は出せないだろうねえ」

「そうかなあ。俺は浮気の虫が動き出すから女に手を出すと思うんだがなあ。冷酷とは関係ないんじゃないかなあ」

と、また首をひねった。

「お兄さん、それ自己弁護？」

「自己弁護？　冗談じゃないぞ、俺は親父の子だからな」

寛は軽く受け流して、

「それはともかく、別れるのはよせよ、な、なぎさ」

と、真顔になった。

「いやよ、わたし。あんな電話を女にかけさせて、そ知らぬ顔をしてるなんて、とても許せないし意地が悪すぎるわ」

「本当よね。もしそれが本当なら……」

富久江は口に持っていった紅茶を、そのままテーブルに置いた。

「だがねえ、富久江、人間は誰しも底意地の悪いものだ。外には出さなくても、棘《とげ》を含んで生きているものだよ」

康郎は自分で言って、自分にうなずいた。

「そりゃあお父さん、わたしだって棘は持っているわよ。棘だらけよ。でも、もうふるふる兼介がいやになったのよ。顔も見たくないの。ざわざわするの」

なぎさは激しく首を横にふった。夕起子は息をつめるようにしてみんなの話に耳を傾けていた。

「わかるよ、お父さんにもなぎさの気持ちはね。なぎさは人一倍激しい性格だから、白黒をはっきりさせたい気持ちがある。しかし、こう考えられないかね。兼介君は子供を堕ろした女を慰めるつもりで、そんな電話をかけることを勧めてみた。そうでもしなければ、その女が自殺でもするか、気が狂うか、不安だった。それで助け舟を出した。そう考えてはやれないかね」

「それならお父さん、わたしにひとこと、こういうわけで電話が来るが、しばらく辛抱してくれと言ったらどうなの」

「いや、それは兼介君から言わせると、これまた容易に言い出せないことではないのかな。なぎさなら、少々のいやがらせにたじろぐこともない。あとで話せばわかると、甘えていたかも知れないよ。ね、富久江」

「そうねえ。そういうことも夫婦にはあるわね。自分の妻なら、少々泣かせてもかまわないと思っているところが、あるかも知れないわね。人にはいい顔をしたくってね」

「あら！　お母さん、お父さんもそうなの」

「お父さんはちがいますよ。お父さんはこの世の標準規格品じゃありませんよ。あんたがた、お父さんを見て育ったから、ちょっと戸惑うだろうけど、たいていの男は兼介さんみたいなものよ。寛だって似たものかも知れないわ」

　富久江はちらりと傍らの寛に目をやった。

「えーっ？　人聞きの悪いことを言わないでほしいね。夕起子が本気にしたら、一大事だからな。俺は韓国に行ったって、無事に帰ってきた男だよ」

　うつ向いている夕起子のほうを見ながら、寛が言った。

「ま、お兄さんのことはどうでもいいわ。とにかくねお父さん、今のところわたし、結婚生活をつづけていく気持ちがなくなったの」

「そんな気持ちになることは、人間誰しも、一生に二度や三度はあるだろう。しかし、だからと言って、直ちに離婚することはどんなものかね。もう少し時間をかけて考えてみることだね」

「時間をかけたら、いよいよ兼介がいやになるばかりよ」

　なぎさはきっぱりと言った。

「なぎさ、人間、時にはぼかしておくということも必要なんだよ。今のお前がそう言いたいこともわかるけどね。とにかく、別れるという言葉は、そう幾度も出してはいけない言葉だよ」

「お父さん、お父さんは、わたしの心の底にどんな変化が起きたか、わからないのね。わたしが兼介に対してどんな思いを抱いているか、わからないのね」

「じゃ、どうしても別れるというのかね。それはちょっと……」

　言いかけた康郎の言葉を遮るように、寛が言った。

「なぎさ、それじゃ加菜子はどうするんだ。加菜子は」

　加菜子の寝ている客間のほうを、寛はあごでしゃくった。

「わたしが引き取るわ」

「それが勝手だと言うんだよ。加菜子の一生にとって、お前が必要か、父親が必要か、なぎさにはわかるのか」

「そんなこと、わからないけど、今はとにかくわたしが必要だわ、加菜子には」

「いや、加菜子はそう言わないかも知れないぞ。兼介君のほうが必要だというかも知れんぞ。思い上がるなよ、なぎさ」

「思い上がってなんかいないわよ」

「思い上がっているよ。子供は母親につくものだと、頭から決めてかかっているじゃないか。それが思い上がりというんだよ。子供にはな、父親と母親が必要なんだ。車の車輪なんだ。その必要な父親を子供から取り上げるつもりなのか、お前は」

「……………」

「子供が一番大事にしている玩具を、いきなり踏みつける親がいるか、なぎさ。父親は玩具とは比較にならない存在なんだよ、子供にとって」

真剣に語る寛の顔を夕起子は見守った。

「お前と兼介君は他人かも知れん。しかし、加菜子と兼介君は血がつながっているんだぞ。お前だけが加菜子と血のつながりがあるんじゃないんだ。なぎさには気に食わなくても、加菜子にはかけがえのない父親なんだ。そのことをなぎさは初めから頭に入れていない。思い上がりだよ」

寛はアームチェアーの腕を、いらだたしげに指先で打ちつづけながら言った。

「……………」

「もし加菜子が、兼介君とも離れないと言ったらどうするんだ。それでも、お前は別れるつもりか」

「……………」

「加菜子はな、パパとママとも離れたくないって言うに決まってるんだ。子供の気持ちもわからないで、何が母親だ」

「お兄さんって、案外言うのね。意外と説得力があるのね。さすがは優秀なセールスマンだけあるわ。ま、少し考えてみるわ、わたし」

　意外と素直なながさの言葉に、寛が大きくうなずいて、

「そうか、考えてみるか。それでこそ母親だ。お前はな、なぎさ、命は尊いから中絶はしない。中絶をしないから加菜子を産んだ。そう言っているが、産んだ子を育て上げる責任はよく考えていなかったようだな」

「わかったわよ、少し考えさせてよ。でもね、とにかく、少なくとも今夜は、兼介の顔を見たくないのよ。顔を見たら、何を言い出すかわかんないもの。ね、帰らなくてもいいでしょ、お母さん」

「いいってことはないけど、仕方がないでしょ。ね、あなた」

「そうだなあ。人間、いつも百点満点の行動は取れないからね。なぎさも疲れている。兼介君には、わたしから電話をしておこうか」

「あなた、それはしないほうがいいわ。こんな時に親が口を出すと、事が大きくなるわ。なぎさと兼介さんの二人だけのけんかにさせておくほうがいいと思うけど」

富久江がそう言った時だった。客間との境の襖があいて、加菜子が寝呆けた顔を出した。

「ママ、パパは？」

みんなはぎょっとしたように加菜子を見た。

「パパはいないわ。パパはおうちよ」

「したら、かえろうママ。パパまってるよ」

「パパはね、今夜はいいの。加菜子とママはね、今夜はここで泊まっていくの」

「したら、パパかわいそうでしょ」

加菜子は傍に来て、なぎさの膝をゆすった。その手を取りながらなぎさが言った。

「大丈夫よ、パパのことは心配しなくても」

寛がそれみたことかというように夕起子に目まぜをした。

「したら、加菜子、パパにでんわする」

「いいわよ、電話なんかしなくても」

「いや、する」

加菜子は受話器を取り上げて、ダイヤルをまわし始めた。待ちかまえていたのか、すぐ兼介が出たようであった。

「パパ、あのね、おばあちゃんとこに、加菜子とまるからね」

みんな一瞬、息を詰めた。

「うん……うん……ごはんたべた。パパは？　……うん、おじいちゃんもいるよ、おばあちゃんもいるよ、……おじちゃんも、おばちゃんもいるよ。……うん……ママもいるよ」

加菜子はちょっとなぎさを見た。が、小さな両の手に受話器を持ちながら、話をつづける。

「加菜子、ねむったの。……うん……パパはもうねるの……あしたかえるよ。……ママ？……うん、ママでんわに？　……ママ、でんわにでなさいと」

加菜子はなぎさに受話器を差し出した。なぎさは康郎たちの顔を見渡し、加菜子から受話器を取ると、その受話器をじっと見つめた。受話器から兼介の声が洩れてくる。が、なぎさはそのまま何も言わずに受話器を置いた。

「まるでわたしが加菜子に電話をかけさせたみたい。機嫌はなおったのかですって、兼介ったら。馬鹿にしてるわ」

と、ソファに戻った。寛がにやにやして、

「わかったか、なぎさ。加菜子の今の電話を聞いただろ。子供がいるとな、事はそう簡単に運ばないんだぜ」

「そうね。仰せの通りだわ。お姉さん、子供ができると、事は簡単に運ばないそうよ。簡単に運ばせるつもりなら、今のうちよ」

「また悪い冗談を言う。一体なぎさって、誰に似たのかしら」

富久江が呆れた顔をした。その言葉を汐《しお》に立ちかねていた夕起子は台所に立って行った。

夕起子は子供というものの重さを、ひしひしと感じていた。寛の子を産むことが、恐ろしいような気がした。蛇口をひねって、夕起子は水を出した。水がボールの中の食器に当たって弾けた。

バックミラー

バックミラー

一

康郎の講義は、毎週木曜日の第三講と決まっていた。第三講は午後一時二十分から午後三時までの一時間四十分である。講義を終えて研究室に戻った康郎は、のどがかわいていた。ガス台の上に水を入れたポットを置き、康郎は窓をあけた。澄んだ空気が部屋の中に流れこんだ。丘の下に康郎は目をやった。田はすっかり刈り取られて、稲架襖《はざぶすま》が遠くまで幾重にも立っている。農家を囲む木立の紅葉が鮮烈に目を射た。秋日に燃える真紅は多分ナナカマドか、カエデであろう。華やかな黄色は、枝ぶりから見て桂のようであった。野の彼方に、新雪をかぶった大雪山が、いつもより高く聳《そび》えて見えた。

（美しい国だ）

康郎はしみじみと思った。今講義してきた十五年戦争と思い合わせて、その感慨は深かった。康郎の目にふっとなぎさの顔が浮かんだ。なぎさが家に泊まりこんでから四日が過ぎた。兼介からは二度程電話が来ただけで、まだ迎えに来ない。昨夜は幾度もいやがらせの電話がかかって来た。なぎさが実家に帰っていることを、兼介が女に知らせたのであろうか。

四度も五度もいやがらせの電話が来たと富久江から聞いて、康郎はさすがに不愉快であった。なぎさが言っていたように、兼介は女を唆《そそのか》して電話をかけさせて来たのかも知れない。のんきな富久江も腹を立てていた。

「何も、なぎさが実家に帰っていることまで、女に知らせることはないでしょう」

今朝、靴を履いている康郎の背に、富久江が訴えていた。

こんな状態が続くようなら、いやでも親の自分が兼介を呼び出して、きびしく話し合わねばならないかと、康郎は今、窓を閉めながら心がかげった。と、ドアをノックする音がした。

「どうぞ」

康郎は沸いたポットを盆の上に載せた。

「お邪魔します」

入って来たのは、いつも姿勢の悪い福本という学生だった。青いジーパンがいくらかずり下がり、白いセーターが腰のあたりにしまりなくふくらんでいた。福本は、他の学生たちが笑う時でもめったに笑うことがない。そのくせ、誰もがまじめに講義を聞いている時、一人不意ににやりと笑ったりする学生で、康郎には妙に気にかかる存在だった。

「あ、君か。何か用事かね」

福本が研究室を訪ねて来たことはない。康郎はそれとなく警戒した。

「少し時間をいただけますか」

入り口に突っ立ったまま、福本は言った。

「ああいいとも。一時間ぐらいなら……」

講義を終えたあとは、康郎はいつも誰かと話し合いたい気分になる。だが、この福本では、気軽な話し相手にはならない気がした。

勧められた椅子に座るや否や、福本が言った。

「先生、実はぼく、学校をやめたくなりました」

「やめたい!? それはおだやかじゃないね。君は今年入って来たばかりじゃないか」

福本は両膝を手でしっかりとおさえながら、ややうつ向いている。

「やめたくなった理由は何かね? 恋愛かね」

つい半月程前にも、康郎はやめたいという学生の訴えを聞いた。その学生のやめたい理由は恋愛にあった。恋愛の相手は人妻だった。その学生は、音楽のサークルで知り合った人妻を見て、ひと目で恋におちいった。十歳も年上のその人妻は、英語とフランス語が巧みであった。フランスで生活をしたことのある人妻は、常に何人かの若者たちに取り囲まれていた。肌がなめらかで、色白な女性だった。内面的にも魅力的な豊かな女性らしかった。

その学生は、この人妻のいる街では落ち着いて勉強する気になれないというのだった。

「離れても同じことだよ」

と、その時康郎は言ったが、恋におちいった学生を説得する術はなかった。

「勉強も手につかないような恋愛は恋愛ではない」

一応そんなことを言っておいたのだが、まだ退学願いを出していないところを見ると、あるいは心を翻《ひるがえ》したのかも知れない。

「恋愛!?」

驚いたように、福本は顔を上げた。

「恋愛じゃないのかね」

「恋愛なんかじゃありません」

「じゃ、何が原因かね」

「先生です。邦越先生です」

「わたし?」

コーヒーをいれていた康郎の手がとまった。

「はい。先生の講義が原因です」

福本は大胆とも言えるまなざしで、康郎を正面から見た。

「わたしの講義が原因とは……これは驚いた。どういうことか、よくわかるように説明してくれたまえ」

康郎はコーヒーカップの一つを福本の傍のテーブルに置き、自分のカップに口をつけた。

「はい」

ひとこと返事はしたが、福本は黙りこんだ。

(このわたしに、福本は不信を抱いたのだろうか)

康郎は不安になった。福本の講義を受ける態度は不まじめではなかったが、他の学生とは波長がちがうような気がした。人が笑う時に笑わないのは、そのひとつの表れのような気がした。

(何か誤解しているのではないか)

そう思いながら康郎は尋ねた。

「君の出身地はどこだったかね」

「札幌です」

「お父さんの職業は」

「……産婦人科医です」

「産婦人科医ね、なるほど。君の兄弟は?」

「姉が二人いますが、二人とも医者と結婚しています」

「なるほど。じゃ、君がお父さんの病院の後継者というわけだね」

「…………」

「後継者の君が、医学生をやめるというのは、こりゃ大変なことだね。一体どういうわけかねえ、わたしの講義が君の進路を阻むことになったという理由は」

「ぼくの進路を阻んだわけじゃありません。ひらいてくれたのかも知れません」

「え？　進路をひらいた？　しかし君は今、この大学をやめたいと言ったじゃないか」

「言いました」

「それなのに進路をひらいたというのは？」

「ぼくも先生のような道を歩きたくなったんです」

「君、歴史をやりたくなったの」

「歴史というか、何というか……」

　福本はちょっと頭をかしげていたが、

「先生、ぼくは余り話がうまくありませんが、我慢して聞いてください。ぼくの父は、札幌でも屈指の高額所得者です。二人の姉の嫁ぎ先も、それぞれに多額納税者です。富むということに、ぼくたちの家族は誰一人反対しません。富むことは即ちいいことなんです、ぼくの家族にとって」

福本は少し神経質そうに、その濃い眉を動かした。

「それで?」

「ぼくも小さい時から、金のふんだんにある家に育って、外車がある、たくさんの使用人がいる、大きな住宅がある、広い芝生がある、そんな生活を当然のこととしてエンジョイしてきました。この大きな病院を自分が継ぐんだと、小さい時から思ってきました」

「なるほど」

康郎は大きくうなずいた。大地主の子供として育った康郎にも、覚えのある生活感情であった。

「ついこの間まで、ぼくは、この世に誰一人、富むことに反対する者はないと思ってきました。資本家は利潤を追求する。労働者はベース・アップを要求する。みんな求めているのは、要するに富だと思いました。そして、それに反対するものは一人もいない。富とはそういうものだと思ってきました。富がぼくには最上のものだと思ってきたのです。金さえあれば何でも手に入る。少し気前をよくすれば、友達さえつくれるんです。女の子だってついてくるし……おやじだってそう言っていますし、おふくろだってダイヤの大きさで、同性の尊敬のまなざしが変わってくると言いました。先生は、先週、富国強兵について話されましたよね。そして、その時先生は、国が富むことは、国家の最大目的なのだろうかと言われましたよね」

康郎は、十五年戦争について、連続講義をしていた。日本の歴史を考えるのに、十五年戦争を踏まえて、そこから逆にさかのぼって考え、戦後を考えるにも、この十五年戦争を原点として考える姿勢で講義をしてきた。

「先生、ぼくは、小学、中学、高校と、社会科で国の歩みを学んできました。しかし、ぼくが学んだ国の歩みというのは……歴史というのは、ただ事件の起こった年月日や、それに関わった人間の名前や、事件の起きた場所を知っていれば、大体は点数を取れる仕組みになっていました。その事件の原因や、事件の及ぼす影響について、教科書が述べている程度の簡単なことを覚えていれば、百点満点をもらえたんです。歴史とは要するに、記憶力が優れていれば点数の取れる学科でした。それが、先生の講義を聞いているうちに、全くちがってきたんです」

福本は宙の一点を見据えるように話しつづける。

「先生は歴史の講義をしながら、人間の生きざまを語っていると、ぼくは感ずるようになりました。先生が一つの事件を語る時、その事件の陰に呻《うめ》く大衆の呻きを、ぼくたちに語ってくれました。一人の権力者の頑迷さが、具体的には庶民をどのようにいためつけたかを語ってくれました。富国強兵という政策にまきこまれた日本人及び隣国の人々の苦しみを語ってくれました。ぼくは、一人の権力者のあり方が及ぼす影響を聞きながら、権力は持たなくても、それぞれの場に、それなりの影響を及ぼす個人の生き方というものを、まじめに考えるようになったのです。そして、あの富国強兵の話を聞きながら、この世に富を求めることに反対する者がほとんどいないという事実にぶち当たって、ぼくは一つ、その反対側に立って生きてみようと、思い立ったのです」

康郎は黙ってうなずいた。

「ぼくは、このまま医学の道を進んだら、結局はおやじの後継ぎになるでしょう。おやじと同じように二重帳簿をつくって、脱税の方法ばかり考えて、どこにもやりようのない現金を、株にまわそうか、宝石を買おうか、タンスの中に寝かせておこうか、くだらん心配をして……先生、ぼくは先生の講義を聞いているうちに、もっとちがう道が自分にはあるんじゃないかと、思い始めたんです。人間が人間として、一番求めなければならないものは、先生、金ではありませんよね」

「そのとおりだよ、福本君」

「地位でもありませんよね。名声でもありませんよね。人間が人間らしく生きるということ、このこと自体が大切なんですよね。その、人間らしく生きるということはどういうことか、学びたいんです」

康郎はタバコを口にくわえ、視線を窓に移した。空は夕色を帯び始めていた。康郎は若い魂に教壇から語りかけることの重大さをひしひしと身に感じていた。ひたむきな福本の視線を片頬に感じながら、康郎は容易に口をひらかなかった。

二

初雪が降ったのは二日前だった。五センチ程積もった雪が、その日の午後には消えた。今日は、初雪の後とは思えぬあたたかい小春日和であった。夕起子は富久江を手伝って、布団を庭に干していた。庭隅の小菊が初々しい黄色を保っている。

「あら」

ひょいと塀の外に目をやった夕起子は、思わず呟いた。鶯《うぐいす》色のオーバーを着た女がこちらに背を向けて立っている。オーバーの色は、確か一時間程前にも見かけた色だと夕起子は思った。

（どこか、家を探しているのかしら）

そうは思ったが、家に入ると夕起子はその女のことをすぐに忘れた。日曜日だが、寛は三日前から出張で根室《ねむろ》、釧路《くしろ》方面に行っていて家にはいない。昨夜は川湯《かわゆ》温泉に泊まったはずだ。康郎は二階の書斎に朝からこもってい、なぎさは加菜子をつれて、冬物の衣類を取りに自分の家に戻って行った。兼介が学校祭で留守であることを知っての行動である。なぎさと兼介の間は、依然として膠着状態であった。なぎさは別れる気持ちに変わりはなかったが、寛の猛反対にあって、鳴りをひそめているだけだ。出張の朝、寛はなぎさと小競り合いをした。

「なぎさ、俺が帰って来るまでに、なんとか話をつけておけよ」

朝食をとりながら寛が言うと、

「そう簡単に話がつくものなら、とっくについているわよ」

そっ気なくなぎさが答えた。

「なんだその口のきき方は。ご心配をかけてすみませんぐらいの、しおらしい気持ちはお前にはないのか」

と、珍しく声を尖《とが》らせた。

「しおらしい気持ちがなくて悪かったわね。新婚の兄さんたちの所に、出戻りが子づれでごろごろしてたんじゃ、そうも言いたくなるでしょうね」

なぎさも負けてはいなかった。富久江が、

「なあによ、たった二人の兄妹が、こんな時にけんかして。まるで餓鬼じゃないの」

と、半ば冗談のように笑ってたしなめたからよいものの、それでも気まずい空気が流れて、夕起子には辛かった。昨夜なぎさは、

「あーあ、兄貴はのんきだなあ。今頃は温泉に浸かって、一杯飲んで……」

と、何の棘もない、妹らしい言い方をしていた。それを聞いていくらか、心は和んだもののの、なぎさの問題には下手に口出しできぬと、夕起子は自分で自分を戒めていた。今日も、冬物の衣類を取りに帰るというなぎさの言葉に、夕起子は気が重かった。できればまるくおさまって欲しかった。いつまでもこの家に居座られることは、夕起子の立場として窮屈なことであった。

（兼介さんがちょうどよく家に戻って、ばったりなぎさと顔を合わせて、そこでうまく話が決まるといいわ）

夕起子はそんなことを思ったりしながら、布団を出したあとの押し入れを片づけていた。と、台所にいた富久江が言った。

「夕起子ちゃん、回覧板をお隣にまわしてきてくれる」

「はーい」

気軽に答えて、夕起子はエプロン姿のまま玄関を出ようとした。が、ドアを開けた夕起子はぎょっとした。門の前に、先程の鶯色のオーバーの女が青ざめた顔をこちらに向けて立っていたのだ。木藤満須美だった。思いつめたまなざしだった。思わず夕起子は後ずさってドアを閉めた。

「お母さん！」

夕起子は台所で布巾を洗っている富久江に走り寄った。

「なあに？　どうしたの？」

夕起子のただならぬ様子に、富久江は布巾を洗う手をとめた。

「お母さん、来てるのよ、あの女の人」

「女の人？」

「そう。兼介さんの」

「えっ!?　兼介さんの？」

「ええ、一時間程前、わたしあの人の鶯色のオーバーを見たんです。そしてさっき、わたしが布団を干してる時、塀の外に立っていたんです。今玄関を出ようとしたら、玄関のまん前に立っているのよ、ひどく思いつめた目をして。わたし、なんだかうす気味悪いわ」

「まさか、何をするわけでもないでしょう。なぎさに会いに来たのかも知れませんよ」

富久江は夕起子ほどには驚かなかった。

「でも、変に思いつめた顔をしてるんです」

「そりゃ、初めての家を訪問するんだから、緊張もするでしょう。ましてや、関係が関係ですからね。敵陣に乗りこむようなものでしょう」

富久江はちょっと身づくろいをして、

「家に入れて、よく話を聞いてみましょうよ。いい機会だわ」

　と、落ちついて玄関に出た。

「お父さんをお呼びしましょうか」

「そうね、話次第では呼んでもいいけど、今はいいわ」

　富久江はもう玄関のドアに手をかけていた。夕起子は仕方なく、富久江のあとからこわごわと顔を出した。

　木藤満須美は、ドアのすぐ傍に立っていた。相変わらず、思いつめた顔だった。

「お入んなさいよ、そんな所に立っていないで」

　富久江がいきなり誘った。満須美は否とも応とも言わず、じっと富久江の顔を見据えた。

「どうぞ、お入んなさい」

　再び富久江が促した。

「ここでいいんです」

　固い声が返ってきた。

「あなたはそこでもいいかも知れないけれど、わたしは風が冷たくていやだわ」

　邪気のない言い方であった。満須美は押し返すように富久江を見たが、無言で玄関の中に入って来た。

「まあお茶でも飲みながら、お話ししましょうよ」

　富久江はさっさと居間に入って行く。満須美はオーバーのポケットに両手を突っ込んだまま、家の中をうかがっていたが、オーバーも脱がずに、ずかずかと部屋に入りこんで来た。夕起子には、満須美がポケットに手を突っ込んでいるのが、不気味でならなかった。何かを隠し持っているような危険を感じたのだ。だが富久江は気にもとめぬふうに、満須美に椅子をすすめた。夕起子は、それが自分との年齢の差か、人間の差かと思いながら、茶の用意を始めた。

「あなた、何の用事でここにいらしたの」

「………」

「なぎさに、何か話があったの？」

　満須美は黙ったままうなずいた。

「そう、なぎさに会いたかったの。でも、おあいにくさま、なぎさは外出しているわ。帰るまでお待ちになる？」

「………」

　満須美は首を横にも縦にもふらない。それが夕起子には強情な女に思われた。

「わたしはなぎさの母ですけどね、わたしでよかったら、あなたのお話聞いてもいいですよ」

「…………」

「わたしから言わせると、あなたがなぎさに話すことなんか、ないような気がしますけどね。文句を言いたいのは、なぎさのほうでしょうよ」

「…………」

満須美は右手をポケットから出した。夕起子はその前に茶碗を置いた。その夕起子に満須美は頭も下げなかった。この前買物通り公園で見た満須美はサングラスをかけていた。が、今日の満須美はサングラスをかけてはいない。サングラスをかけているほうが、満須美には似つかわしいようであった。満須美の片目が充血している。

「あなたね、うちの娘は、あなたに、夫を寝取られたんですよ。あなたは、うちの娘の夫を寝取ったんですよ。そのことを一体どう思っていらっしゃるの?」

「別に」

満須美は平然と答えた。ドミーが突如、富久江の膝に飛び上がった。富久江はドミーの頭をなでながら、

「驚くわねえ」

と言った。それは、ドミーにとも、満須美にとも取れる言い方だった。

「そんなものですかねえ、今の若いひとは。人の夫を寝取っても、人の家庭をメチャメチャ

にしても、本当に何も感じないものなのですかねえ」

「別に」

満須美の返事に、富久江が傍らの夕起子をかえりみた。たまらない気持ちだった。

「さっぱりわからない」

腹を立てるのも馬鹿馬鹿しいというふうに、富久江は満須美の顔を眺めた。と、満須美が言った。

「男と女は、愛し合っていれば、寝たって仕方ないでしょ」

「まあ！」

「愛は最高のものでしょう。愛し合っていれば、何だって許されるはずだわ」

「奇妙な理屈ね。好きなら人のものを盗ってもいいという理屈ね」

「盗ったんじゃないわ。兼介がわたしを誘ったのよ」

「そう。ま、話を聞いていても仕方がないわね。それ以上」

さすがの富久江も腹を立てた。

「で、なぎさにあなたは何を言いたかったの」

「…………」

満須美は固く唇を結んだ。

「あなたはなぎさに、認知を許さなかったから、子供を堕ろしたと、なんくせをつけたそうね。そして、いやがらせの電話をかけて、この家にまで電話をかけて来た。一体どういう人なのあなたは」

「…………」

毎夜、電話は四、五回かかって来た。誰もがその電話に出るのをいやがった。と言って、出なければ電話のベルはいつまでも鳴りひびく。近頃はすっかり夜の遅いのに馴れた加菜子がおもしろがって電話に出るようになった。

「もしもし、パパですか」

加菜子は必ずそう言って受けた。満須美にとって、それは一番いやな答えであったかも知れない。

「とにかくね、なぎさたちの家庭は、九分通り壊れてしまったんですよ、あなたのお陰で」

「わたしのせいじゃないわ。それは夫婦の責任でしょ」

満須美は立ち上がった。人の心の通らない典型的な姿を夕起子は見たような気がした。

「なぎさはね、冬物を取りに家に帰ったんですよ。加菜子をつれてね。冬物を取りに行ったということは、当分向こうに帰らないということですよ。そのことにあなたは、何の挨拶もないというわけね」

「わたしの子供を堕ろさせて、そのことには何の挨拶もなかったでしょ」

満須美は捨てぜりふを残し、

「兼介の家に帰ったんですね、確かに」

と言うや否や、そそくさと靴をひっかけて、外に飛び出して行った。

「呆れた」

バタンと大きく音を立てて、満須美が閉めて行ったドアを見、富久江は夕起子をふり返ってかすかに笑った。

「お母さん、あのひと、まともじゃないんじゃないかしら?」

「まともじゃありませんとも。狂ってますよ」

「いや、そうじゃなく、何か起こしそうな気がするわ、わたし」

「何か起こすって、何を?」

「何だかわかりませんけど、心配ですわ。なぎささんの所に、電話をかけましょうか」

「そうねえ。でも、大丈夫じゃない?」

富久江は夕起子とちがって、危機は感じていないようであった。単なる常識外れの、無作法な現代娘だと思っているようだった。

「わたし、やっぱり電話をしてみます。錠をかけておくように言わなければ……」

夕起子はダイヤルをまわし始めた。がコールサインが鳴るばかりで誰も出ない。なぎさはもう家を出たのであろうか。夕起子は不安でならなかった。

三

「どうも、お父さん、この度はとんだご心配をおかけして……」

夕食が終わったところにやって来た兼介が、いつもと変わらぬ大きな声で挨拶をした。何の悪びれた様子もない。昨日の今日である。さぞかし恐縮して訪ねて来るであろうと思っていた康郎は、とっさに答える言葉を失って、

「いや、いや」

と、口ごもった。兼介は夕起子にも同じ調子で言った。

「お姉さん、お姉さんにはすっかりおせわになってしまって。また加菜子が何かと厄介になります」

夕起子はさりげなく微笑し、

「どういたしまして」

と、言葉少なに答えた。が、夕起子は口もききたくないほどの不快を感じていた。

昨日、木藤満須美がなぎさを訪ねて来た。しかしなぎさが、冬物の衣服を取りに自宅に戻ったと知るや否や、満須美はこの家を飛び出して行った。ただならぬ満須美の様子を感じた

夕起子は、直ちになぎさの家に電話をした。だが、電話はコールサインが鳴りひびくばかりであった。留守なのか、満須美の電話を警戒して受話器を取らないのか、見当がつかない。とにかく夕起子は胸さわぎがした。

満須美の態度は余りにも異常だった。人の家に入ってもオーバーを脱がない。挨拶らしい挨拶もしない。ただ一途に、自分が子供を堕ろしたのは、なぎさの狭量のせいだと思っている様子だった。

電話連絡を諦めた夕起子は、心急くまますぐに車を呼んだ。この辺りには、流しのタクシーはほとんどない。先に飛び出して行った満須美は、おそらく車を拾えまい。電話で車を呼んだ自分のほうが、なぎさの家に先に着くと計算した。そして計算どおり、夕起子は満須美より先になぎさの家に着いた。だが、なぎさは留守のようであった。呼び鈴を押しても返事もなく、加菜子の声も聞こえない。なぎさは自分と行き違いに実家に戻ったのか、それとも近くのマーケットにでも寄ったのかと、夕起子はドアの前で思案した。

やや経って、なぎさと加菜子が向かい側の舗道を歩いて来るのが見えた。

「ゆき子おばちゃーん」

夕起子を見つけたのは、加菜子が先であった。加菜子が走り出した。と、その時、不意に加菜子が大きな声で叫んだ。

「いやーっ！」

加菜子が叫ぶのと、いつのまに現れたのか、満須美がその手をぐいと引っぱったのと、同時だった。夕起子が、はっと息をのんだ時、なぎさは既に走り出していた。そのなぎさを追い越そうと、少年が一人、自転車のペダルを勢いよく踏んだ。その自転車のバックミラーに、なぎさの肩が引っかかったことは、あとで知ったことであった。少年の自転車が家並みに突き当たりそうになった時、なぎさは勢いよく舗道に叩きのめされていた。そのなぎさをめがけて、夕起子は駆けた。どうやって車道を渡ったのか、記憶はない。ただその時、夕起子の脳裡にひらめいたのは、ひと月程前に、同じく少年の自転車にふれて転倒した四十八歳の男が即死した事件であった。

幸いなぎさは、右足を骨折しただけで、命に別条はなかった。救急車を呼んだのも、一緒に病院に行ったのも夕起子であった。知らせを受けた康郎と富久江が病院に駆けつけた時は、まだ兼介には連絡が取れてはいなかった。そんな中で、夕起子はなぎさが子宮外妊娠で突然入院した時の兼介の態度を思った。あの時兼介は、満須美と熱海の町に遊びに出ていたのである。そして今度は、その満須美のために、なぎさが怪我をしたのだ。

「今年はいやに入院づいているわ」

なぎさは足の痛みも言わず、康郎と富久江に笑って見せた。右下腿骨折のほかに、肩のあたりをひどく打撲しているようであった。

「あの女って、なんて恐ろしい女なのかしら」

加菜子の手を強く引いて駆け出そうとした満須美の異常な行動を聞いて、さすがの富久江もあきれて言った。あの時、もしなぎさが自転車に跳ね飛ばされなければ、満須美は一体どうしたのだろう。

(自分で子供を堕ろしておきながら、加菜子の存在が憎くなったのだろうか)

夕起子は昨日以来、幾度もくり返しそう思ってきた。

(母性とは一体何だろう)

そうも思った。満須美が堕ろした子供をいとおしむ気持ちは、わからぬわけではない。だが、妻ある男に体を許し、認知されないからと言って直ちに堕ろし、その恨みを男の妻に向けるという心情が、夕起子には何としても理解できなかった。

「加菜子を狙ったのはね、いつも加菜子が、あの女の電話に出たからよ」

昨夜なぎさは、病院のベッドの上で言っていた。なぎさが家を出て以来、満須美のいやがらせ電話は、なぎさの実家にかかってきていた。誰も出たがらぬその電話に加菜子だけが出て、

「パパ？　わたし加菜子よ」

などと、答えていた。それは加菜子にとって自然な言葉であった。離れている父の兼介を、加菜子は恋しがっていた。その加菜子の声に、満須美は逆上していたのだ。子を堕ろした満須美のどすぐろい嫉妬であった。

(恐ろしいわ)

女の性の悲しさ、恐ろしさを夕起子は身に沁みて感じた。

そして今、何の悪びれた様子もなく、タバコに火を点けている兼介を見ると、男とは何かと、改めて思わずにはいられなかった。兼介は今年ほとんど同時に、なぎさと満須美に妊娠させたことになる。女性は一度に何人もの男の子供を産むことはできない。が、男は、一度に幾人もの女性に妊娠させることが可能なのだ。夕起子には、男というものが動物的な、そして非情な存在に思われた。

「しかしお父さん、近頃の自転車は危険ですね」

兼介は長くなったタバコの灰を灰皿に落としながら言った。兼介の前に茶を置いた夕起子も、康郎も、思わず兼介の顔を見た。兼介は明らかにひらきなおっていた。

「第一、自転車が舗道を走るなんて、許可した奴が悪いですよ。自転車と、車がつく限り、車道を走らせるべきですよ」

「…………」

黙っている康郎の心が、夕起子にも痛いほどわかった。兼介は、自転車に乗っていた少年の不注意が、なぎさに怪我をさせたとしか考えていないようであった。いや、あえて自転車のみに非難を集中しているのかも知れないと夕起子は思いながら、それにしてももっとましな挨拶のしようがあるはずだと、腹立たしかった。お茶受けのカステラがあるのは知っていたが、夕起子は出す気がしなかった。

「兼介君」

おもむろに康郎が口を開いた。キッチンに退いた夕起子の耳に、康郎の声が聞こえた。

「兼介君は、なぎさの今度の怪我は、自転車のせいだけだと、思っているのかね」

「そうじゃないんですか、お父さん。もし自転車が来なければ、なぎさは転ぶこともなかったでしょうからね」

「なるほど、君の言うとおりだよ。自転車が走って来なければ、なぎさは怪我をせずにすんだ。しかしだね、なぎさが舗道を斜めに走ったから、自転車に引っかけられた。もし歩いていれば、たとえ自転車が来ても無事だったと、わたしは思うんだがね」

「そうですよ。なぎさもまた軽はずみでしたがね、何と言っても悪いのは自転車ですよ」

夕起子は台布巾でぐいぐいと四角い盆の縁を拭いた。手がふるえるような思いだった。今の言葉を、病院のベッドにいるなぎさや、看病している富久江が聞いたら、どんなに憤ることだろう。

「兼介君！」

康郎の声が一段高くなった。

「は？」

「きみはそんな男だったのかね」

「そんな男？　それはどういう意味ですか、お父さん」

「わたしはね、君がなぎさの今度の怪我で、もっと別のことに気づいてくれると、期待していたんだがね」

康郎の語調はいつもの穏やかさに戻った。怒りをおさえているにちがいないと、夕起子は盆の縁を拭きつづけた。

「ああ、お父さんは、あの女のことにこだわっておられるんですか」

「こだわるという言い方は的確ではないと思うがね」

「でも、こだわっていらっしゃるんでしょう？」

「…………」

兼介の茶を飲む様子が、居間とキッチンの境に下げられた玉のれんを透かして見えた。

「お父さん、ぼくはあの女とは切れてるんです。もう何の問題もないはずなんですがねえ」

兼介はソファの背に体をもたせて明るい電灯を見た。

「何も問題がない？」

「そうです。子供は堕ろしましたし、ぼくとは切れましたし、満須美も納得ずくのことなんですから」

「兼介君、君、人間の関係というものは、そんなふうに割り切れるもんじゃないだろう」

「そうでしょうか。近頃の若い子たちといったらお父さん、あきれるほどあっけらかんとしたもんですよ。男と別れて一週間後には、もう他の男と手を組んで歩いている。さばさばと割り切っていますよ」

兼介は声を上げて笑った。

「しかし、そんなにさばさばする者が、幾度もいやがらせ電話をかけてきたり、家のまわりをうろついたり、加菜子を誘拐するような真似はしないはずだと思うがね。なぎさが駆け出したというのは、女が加菜子の手をいきなり強く引いて、それに怯えた加菜子が叫んだためなんだよ。兼介君、君はそのことをなぎさから聞いていなかったのかね」

ともすれば、声高になりそうな自分をおさえるように、康郎は兼介に対している。

「そう言えば、そんなことを言ってましたよ。しかし、ぼくとしては、あの女とはとうに手を切っているんで……いたしかたがありませんね。なぎさは女の浅はかさで、満須美が電話をかけている現場などをおさえたものですからねえ。満須美もそれに煽《あお》られて、敵意を燃やしたんじゃないですかねえ」

「…………」

「なぎささえそんなことをしなければ、とうにいやがらせ電話も終わっていたはずですよ」

「なるほど。君のように考えて生きていけたら、羨ましい限りだ」

康郎はあきれ果てたように言った。

「そうでしょうお父さん。お父さんはどうか知らないが、ぼくたちの若さで、妻以外の女と、一度や二度遊ばない男なんて、男じゃありませんよ。男が一生妻だけを守り通すなんて、むしろうす気味悪い話ですよ。なぎさだって、そんなことは百も承知で、ぼくと結婚したはずです。ま、今度の怪我で、なぎさも騒ぎ立てた自分の愚かさに気づくといいんですがねえ」

夕起子は思わず持っていた布巾をぎゅっと握りしめた。康郎はちょっと黙っていたが、

「じゃ兼介君は、なぎさがこの家に戻っていたことを、どのように考えていたのかね」

と顔を上げた。

「そうですねえ……なぎさは人一倍行動力のある女ですからね。亭主の都合なんぞ考えないで、遅くなりたい時は遅くなる、実家に帰りたい時はいつでも帰る、気がすめばけろりと

して帰ってくる、そういうことだと思っていました」

「そうかね。しかし兼介君、なぎさはもっと深刻に考えていたようだがね」

「深刻？　というと離婚ですか、冗談じゃない。別れる理由なんて何もありゃしないじゃないですか」

「…………」

「お父さん、ぼくはただ、ほかの女とちょっと浮気をしたというだけですよ。それが運悪く、相手が妊娠したということですよ。それだけで離婚の理由になるのなら、日本中、いや、世界中、どの夫婦も離婚しなければならないことになりはしませんか」

「理屈としてはそうなるね」

康郎は皮肉をこめて言ったつもりだが、兼介は、

「そうでしょうお父さん。ぼくは理屈に合ったことを言っているんですよ。大臣や、実業家だけが女を持つ権利があるわけじゃないんですよ。ぼくらサラリーマンだって、同じ男ですからね。しかし、だからと言って、妻を大事にしていないわけじゃない。こんなことぐらいでガタがくるようじゃ、夫婦と言えませんよね、お父さん」

夕起子は、寛もいつか同じようなことを言っていたのを思いだした。男の勝手な論理だと思った。

「そうかね。わたしにはよくわからないが、わたしは、夫が妻をいとおしむ、妻が夫をいとおしむという、そこにもっと重点を置かなければ、本当の夫婦関係は成り立たないような気がするんだがね」

「ぼくだって、ぼくなりになぎさをいとおしんでいますよ、お父さん」

「なるほど、君なりにねえ」

康郎は口をつぐんだ。夕起子は、満須美にいやがらせ電話をかけさせたという兼介の、どこになぎさへのいとおしみがあるのかと思いながら、再び茶をいれた。

四

加菜子の手を引き、夕起子は家の前で車を降りた。勤めが終わってから、加菜子を迎えになぎさの病院に行って来たのだ。

「あら」

夕起子は思わず微笑した。先程出かける時には、門灯だけを点けて出かけたのだが、茶の間が明るく点っている。康郎は、今日は九時頃にならなければ帰らないはずだ。出張していた寛が帰ったらしい。まだ六時を過ぎたばかりだというのに、とっぷりと日が暮れて、丘の下の家々の灯が明るく瞬き、あたりの木立も闇の中だ。

「寛さん、お帰りなさーい」

玄関に入った夕起子の声が弾んだ。

「どうしたんだ。おふくろも夕起子も、なぎさも、揃って留守にして、迎えに出たのは猫一匹じゃないか。何かあったのか」

居間のドアをあけて、待ち構えていたように寛が言った。夕起子が答える前に加菜子が言った。

「あのね、おじちゃん、ママ、にゅういんしたの、しんどうびょういんに」

「入院？　進藤病院に？　なぎさがか」

出張中だった寛には、なぎさの入院はまだ知らされていなかった。

「そうなのよ、大変だったのよ」

言いながら夕起子は居間に入った。

「一体どうしたんだ？」

今点けたばかりの石油ストーブの目盛りを夕起子は少し大きくしながら、

「それがねえ」

と、加菜子のほうをちらりと見、寛に片目をつむって見せ、

「詳しいことは、あとで話すけど、足の骨を折ったのよ。自転車に引っかけられて」

「足の骨？　どこでよ」

「加菜子ちゃんの家のすぐ近くで」

「どうしてまた……」

「だから、あとでお話しするわ。それより先にお食事にしない？」

「飯はあとでもいいが、それで、容態はどうなんだ」

「ええ、骨のほうは幸い単純骨折なんですって。でもね、ちょっと精神的に疲れたみたい。

昨日まで熱が高かったわ」

「それでおふくろが付き添っているのか」

「そうなの。お母さんもお疲れになるわ」

「なんだか、事情がありそうだな」

寛は、ジュータンの上に座ってドミーを抱いている加菜子のほうをちらりと見た。と、
加菜子が寛をふり返って言った。

「あのね、おじちゃん、おねえちゃんがね、加菜子のてをひっぱってね、ころしてやるっていったの」

「殺す⁉」

寛と夕起子が同時に言った。今の今まで、夕起子も満須美が加菜子を殺すと言ったことを知らなかった。

「うん、ころすって、てをひっぱったの。だから加菜子、いやーって、おおきなこえでいったの」

「一体何のことだ？　夕起子」

寛がソファから体を浮かし、傍らに立っている夕起子を見上げた。夕起子は寛のそばに座り、なぎさが怪我をするに至った事情を手短に語った。

「でもね、加菜子ちゃんが今言ったこと、初めて聞いたわ。加菜子ちゃん、ほんとうにあの

おねえちゃん、ころすって言ったの？」

「うん、いった」

　加菜子は二人に背を向けたままうなずいた。

「そのこと、ママに言ったの？」

「ううん、だれにもいわない」

「どうして言わなかったの？」

「どうしても」

　加菜子はドミーの背中をしきりになでている。寛は何かを考えるまなざしになって、タバコを指に挟んだが、なかなか火は点けない。

「恐ろしい話ね、寛さん」

「うーん、まあな」

「あら！　まあなんて、のんきなことを言うわね」

「人生、深刻に考えたら、きりがないからな。その女のちょっとしたヒステリーかも知れないし」

「ヒステリーかしら。でも、単なるヒステリーにしては激し過ぎるわ」

　夕起子は立ち上がってキッチンに行き、先程用意してあった寄せ鍋の具を冷蔵庫から出し、テーブルの上に置いた。スイッチを入れておいた炊飯器には既に飯が炊けている。

「あのね、おばちゃん」

加菜子は依然として背を向けたまま言った。

「なあに、加菜子ちゃん」

「あのおねえちゃん、どうして加菜子をころすっていったの。加菜子、あのおねえちゃんに、なにもわるいことをしないのに」

夕起子は加菜子の言葉に胸を突かれた。確かに加菜子の言うとおりだった。加菜子は満須美に何一つ悪いことをしてはいない。だが満須美は、なぎさを憎む余り、加菜子に危害を加えようとした。言葉通り殺そうと思ったかどうかはともかく、殺してやると言った時の満須美は、本気だったのではないか。兼介の無責任な生き方が、幼い加菜子の命を危機にさらしたのだ。

事件が発生してから三日になる。その間、どうして加菜子は、殺すと言った満須美の言葉を誰にも告げなかったのか。まさか言い忘れていたわけではあるまい。よほどの深い衝撃を受けたにちがいない。加菜子のような幼子でも、言ってよいことと悪いことを、妙に弁《わきま》えていることがあるものだ。考えてみると、あの日以来加菜子は幼稚園に行こうとはしない。なぎさもまた、加菜子を一人手放すことを恐れて、昼の間は自分の病室に置き、そして、夕方迎えに来る夕起子に加菜子を託した。決して兼介のもとに帰そうとはしなかった。兼介の前に、いつ女が現れるかわからないと、なぎさは危ぶんだのだ。加菜子は、車の中ででも、夕起子の手をしっかりと握り、病院の廊下を歩く時も、一人先に立ったり、後になったりすることがなかった。夕起子が想像するより、加菜子ははるかに怯えているにちがいない。その原因は、殺すと言った満須美の言葉にあったことを、夕起子は思わずにはいられなかった。

(それにしても、殺すという言葉の意味を、この子は知っているのだろうか)

夕起子はふっとそう思った。テレビの劇画などを見て育っている加菜子は、殺すということの恐ろしさ、残忍さを知っているのかも知れない。いや、知っている筈だと、夕起子は思った。

「加菜子、あのなあ、加菜子を殺すなんて言ったのは、それは気が変だからだよ」

寛はわざとのんきな語調で言った。

「ふーん、あのおねえちゃん、気がへんなの」

「そうさ、人を殺すなんて言う奴は、みんな気が変なのさ、な、おばちゃん」

寛が夕起子のほうを見た。

「そうね、おじちゃんの言うとおりね」

「したらさ、げきがで人をころすの、気がへんなの?」

「ああ、気が変なのさ」

「でも、わるものをころすんなら、いいんでしょう?」

「うーん……おばちゃん、なんと答えたらいいのかな、こういう大問題を出されると、腹が空くね」

「ご飯の用意ができたわよ。加菜子ちゃん、手を洗ってらっしゃい」

「ハーイ」

加菜子は素直に立ち上がった。ドミーが加菜子より先に、洗面所に走って行った。

「おお、寄せ鍋か」

クッキング・テーブルの上に湯気を立てている鍋をのぞきこんで、寛は椅子に座った。向かい合って夕起子が座り、夕起子の横に加菜子がちんまりと座った。夕起子がビールの栓を抜こうとすると、

「今日は止めておく。飯のあと、なぎさの所に顔を出してみよう」

と、寛が飯茶碗を出した。

「それにしてもなぎさの奴、今年はどうしたんだ。腹を切ったり、足を折ったり、何かに祟られているんじゃないのか」

「まさか、祟られるなんて……」

「おはらいでもしてもらったほうがいいんじゃないか。まあ、なぎさも生意気な奴だから、少しは痛い目に遭ったほうがいいんだ」

寛は言ってから、寄せ鍋を突ついた。加菜子がその寛を、うわ目使いにじっと見つめた。

それに気づいた夕起子が、

「あのね加菜子ちゃん、おじちゃんは冗談を言ってるのよ。おじちゃんと加菜子ちゃんのママとは、仲よし兄妹だから……」

「ふーん、じょうだんいったの、おじちゃん」

「冗談さ、もちろん。ママはおじちゃんのかわいい妹だからな」

「なまいきでないの？」

「生意気でないさ」

「ふーん、したらね、おじちゃん……やっぱりせいぎのみかたは、わるいやつをころしてもいいんだよね」

話がひょいと元に戻った。寛と夕起子が顔を見合わせた。

「いいひとは、わるいやつをころしてもいいんだよね」

「そうだなあ。おばちゃんはどう思う」

「おばちゃんはね、どんなに悪い人でも、殺しちゃ駄目だと思うわ」

「どうして？　わるいひとはころせばいいでしょ。ひとごろしなんか」

「でもね、人間にはね、言葉があるのよ。よくよくお話をしたら、わかると思うの」

夕起子は、戦争を考える会に出た時の、康郎や、被爆者の住吉敏子、五十田久一の話を今思い出していた。戦争は一部の人間の欲のために始まるのだ。自国を絶対に正しいとする状況を作り出し、国民の素朴な愛国心を巧みに利用して戦争にまきこむ。だから正しい者は、悪い者を殺してもかまわぬという論理は、一つの落とし穴だと夕起子は思う。寛が言った。

「そうかなあ、話してわかるのかな。舌先三寸で人を殺すとも言うからな。話せば話すほどこんがらがることもあるぜ」

加菜子が別のことを言った。

「どうしてママ、このおうちにとまってたの？　加菜子、じぶんのうちにかえりたいのに」

再び夕起子と寛が顔を見合わせた。

嵐の夜

嵐の夜

一

夕方から、珍しく強い風が出ていた。夜に入って雨混じりの風となった。時折、窓ガラスを打つ音がする。と、思うと、不意に雨も風も姿をひそめたように静かになる。落ちつかない夜であった。

なぎさが入院して十日が過ぎた。今、夕起子は、加菜子を布団に寝かしつけながら、意外に回復のはかばかしくないなぎさを思った。なぎさほどに気性のしっかりした女でも、時には落ちこむことがあるのだろうか。

離婚しようと思っていた矢先の怪我である。なぎさの胸の中は、夕起子が想像する以上に複雑な渦が巻いていているにちがいない。

「おじちゃん、まだかえらないの?」

加菜子は、夕食の時に言った言葉を、今またくり返した。

「おじちゃんは出張よ」

夕起子はやさしく加菜子の頭を撫でた。いつもならもっと早く寝つく加菜子なのだ。ガラス戸に強い雨が叩きつけた。庭の木々の揺れる音がする。

「三つねたらおじちゃんかえるんだよね」

加菜子のつぶらな目が、まっすぐに夕起子を見た。先程言った夕起子の言葉を、加菜子は思い出したようだった。寛は留萌《るもい》から天塩《てしお》にかけて、日本海沿岸の町々に出かけていた。

「あのね、おばちゃん」

「なあに?」

「おばちゃん、どうして子どもいないの」

思いがけぬ問いに、夕起子はちょっとうろたえた。

「さあどうしてかしらね。おばちゃんに子供いたらいい?」

「うん。したらあそべるもん、加菜子」

ひっそりとした家の中だ。康郎は二階の書斎に上がって勉強している。富久江はまだなぎさの付き添いである。加菜子には、夕起子とただ二人の夜がひどく寂しいらしいのだ。

「あのね、おばちゃん。あかちゃんはどこからうまれるの」

「どこから?」

夕起子は微笑しながら、加菜子の顔をのぞきこんだ。枕や布団と共に、電気スタンドのレモン色が加菜子の顔を染めている。

「おなかから生まれるのよ」

「おなかがぱんとわれて、あかちゃんでてくるの」

夕起子は返答に窮した。このような場合、何と答えるのが正しいのか、夕起子にはわからなかった。まちがった答えをしてもいいのだろうか。それとも年齢に応じて正しく答えてやらなければならないのだろうか。

「加菜子ちゃん、さ、ねんねしましょうね」

「ううん、加菜子ねむくない」

枕にのせた頭を加菜子は左右にふり、

「ね、おばちゃん、ぱんとおなかわれるの」

と、真剣なまなざしになった。

「そうねえ、お医者さんがおなかをあけてくれることもあるけど……」

メスで帝王切開することもあるとは、子供には言えない。

「あのね、赤ちゃんの出てくる出口があるのよ」

「でぐちがあるの」

「そうよ」

「どこに?」

夕起子はちょっと考えてから、

「あのね、加菜子ちゃん、おしっこの出口があるでしょ」

「うん、ある」

寝たまま加菜子が大きくうなずいた。

「おしっこの出口と、うんちの出口とおなじ？」

「ううん、ちがう」

「ちがうでしょう。うんちの出口もあるでしょ」

「うん、あるある」

加菜子がにこっと笑った。

「そのおしっことね、うんちの出口の間に、赤ちゃんの出口があるの」

「ふーん、あかちゃんせんもんのでぐち？」

加菜子は時々むずかしい言葉を使う。

「そう。赤ちゃん専門の出口よ。わかった？」

「うん、わかった」

加菜子の目が素直に笑った。が、加菜子はすぐに不思議そうな顔になり、

「でもさ、おばちゃん、あかちゃんがおなかにいるまえ、どこにいたの」

子供らしい質問だった。

「え？　おなかにいる前？」

「うん、あかちゃんは、せんもんのでぐちからおなかにはいったんでしょ」

「そうねえ」

子供に正確に答えることは、むずかしいことだと、夕起子は言葉を探した。

「ね、おばちゃん、そのあかちゃんどこにいたの？」

「あのね、加菜子ちゃん。赤ちゃんはどこにもいなかったのよ」

「そしたら、どこからくるの」

子供は尋ね始めると納得するまで聞き出そうとする。まばたきもせずに、加菜子は夕起子の顔を見守って言う。

「そうそう。加菜子ちゃん、お庭にコスモスの種をまいたでしょう。知ってる？」

「うん、おばちゃんとまいた」

「赤ちゃんもね、種をまいてできるの」

「おにわに？」

「ううん、お母さんのおなかの中に」

「だれがまくの」

「お父さんよ」

「ふーん、おとうさん？　あかちゃんのたね、おみせやさんから、かってくるの？」

「ううん、お父さんのおなかの中にあるの」

「ふーん、おとうさんのおなかのなかにあるの？」

「そうよ、そのたねをお母さんのおなかにまいたら、お花が咲くように、赤ちゃんができるのよ」

「したらさ、加菜子もたねまきおてつだいするからさ、おばちゃんもあかちゃんうんだら？」

「ありがと、でもね、赤ちゃんの種まきは、お父さんしかできないのよ」

「ふーん、したらさ、おばちゃん、パパにでんわしてあげる。おばちゃんにあかちゃんのたねまいてって」

加菜子は無邪気に言った。

「あのね、加菜子ちゃん、加菜子ちゃんのパパは、加菜子ちゃんのママにしか、たねまきできないのよ」

「なーんだ。したらさ、おばちゃんはここのひとだから、おじいちゃんにたねまきしてもらうの？」

「ううん、ちがうわ。おじいちゃんはおばあちゃんによ。おばちゃんにはね、寛おじちゃんよ」

夕起子は冷や汗の出る思いだった。万一、兼介や康郎と寛を取りちがえられたら、とんだ騒ぎになる。

「ふーん、したらさ、あかちゃんのたねはどこからだすの。おしっこのでぐちと、うんちのでぐちのあいだから?」

「ううん。……それはね、もっと加菜子ちゃんが大きくなったら教えてあげる」

「どうして? パパにはあかちゃんせんもんのでぐちがないの?」

「ないのよ、加菜子ちゃん」

「どうして……どこからあかちゃんのたねがでるのかな。口からかな、はなからかな、おめめからかな」

「大きくなったらわかるわ」

「いまはわかんないの? 加菜子おおきいのに」

「さ、おねんねしましょうね。ママが早くなおるようにって、神さまにお祈りしておねんねしましょうね」

夕起子は体の半分を加菜子の布団に入れて、小さなその背を撫でた。庭の木を揺する風の音に、加菜子も眠れないのか、冴えた目を天井に向けたまま、別のことを言った。

「おばちゃん、かみさまはどこにいるの?」

「さあ、どこかしら。天かしら」

「なあんだ、おばちゃんしらないの。かみさまのおうちにあそびにいったことないの？」

「ないわ、一度も」

「……どうして？　かみさまのおうちにいくみちがわからないの？　おばちゃん」

「……そうね、わからないわ」

「どうして？　かみさまにつれてってもらったことないの？　おばちゃん、かみさまとなかよくないの？」

「あのね、おばちゃんまだ神さまにお会いしたことないわ。会ったらきっと仲よくなれると思うけど」

「したらさ、こうばんにきいてもらったら？」

「そうね。でも、交番のおまわりさんも、神さまのおうちは知らないと思うわ」

「なーんだ、おまわりさんも、かみさまのおうち、しらないの」

「きっとね」

「ママがさ、かみさまなんか、どこにもいないっていうよ。ほんと？　おばちゃん」

　夕起子はぎくりとした。なぎさがどんなつもりで、神はいないと幼い加菜子に言い聞かせるのか、夕起子にはわからなかった。たとえ、自分が神の存在を信じていないとしても、幼いわが子の夢をむしり取るような言葉を、口に出すべきではないと思った。

「加菜子ちゃん、あのね、おばちゃんも会ったことはないけど、神さまはいると思うわ」

「いるよねえー、加菜子もいるとおもうよ。だって、ようちえんでかみさまにおいのりするもん。かみさまのおはなしも、きくもん。かみさまいるよね、おばちゃん」

幼稚園で神はいると聞かされ、わが家に帰っていないと聞かされては、幼い魂に亀裂が生じないであろうか。そのことを、なぎさは一体どのように受けとめているのだろうか。祈る親に育てられる子供と、祈らぬ親に育てられる子供との差を、夕起子は思ってみた。と、不意に夕起子は、神はいると思った。

「そう、幼稚園でお祈りするの。どんなお祈りするの?」

「あのね、パパとママと、けんかしないようにって、おいのりするの」

「まあ」

「ね、おばちゃん、かみさま、おいのりきいてくれるよね。パパとママと、なかよくなるよね」

「なかよくなるわよ。きっとなるわよ。加菜子ちゃんのお祈りが、きっときかれるわよ」

夕起子の目に涙が滲《にじ》んだ。

(そんなことを祈らせる親なんて……)

この間、この家に来た時の兼介のふてぶてしい態度に、夕起子は改めて腹立たしい思いがした。

二

〈……文久二年の下半期から翌年にかけて、日本は国をあげて〝テロ時代〟を現出した。文久三年三月は将軍家茂《いえもち》が上京する時で、これを期して各藩勤皇の若者たちが一せいにきおいたった姿は、昭和三十五年六月、アイゼンハワー大統領訪日前の全学連の動きを思わせる〉（昭和三十五年か）

康郎は本から目を離して、文久三年から昭和三十五年までの歳月が、九十七年に過ぎないことを思った。日本で体験した明治維新が、どんなに大きなものであったかを、改めて感じながら、康郎は大宅壮一《おおやそういち》の『炎は流れる』の頁を閉じた。僅か百年に満たぬ中に、何と日本は大きく変わったことであろう。それは徐々にというより、奔流《ほんりゅう》のように激しい変わり方だったと康郎は思う。

だが、文久の頃の若い武士たちと、飛行機の飛び交う昭和三十年代の学生運動との間に似たものがあるということは、意外と人間は変わり得ない証左のような気がした。

突如、大きな物体が、家にぶつかる音がした。風の音である。音だけを聞くと、風は気体というより、固体のように思われる。

(旭川には珍しい凪だ)

康郎は着物の襟をかき合わせた。風の強い札幌に育った康郎は、旭川に移り住んでから、凪のないのがむしろ不安に思われる。何か、嵐の前の静けさといった感じになるのだ。

(まだ九時か)

座机に頬杖を突いて、

(眠ったんだろうな)

と、加菜子のことを思った。先程まで、階下から加菜子の愛らしい声が聞こえていた。

その声を康郎は不憫《ふびん》だと思って聞いた。

(誰も彼も、人間は不憫なものだ)

康郎は掌で机を撫でた。埋もれ木でできた小振りの文机だが、その感触の柔らかさが、いつも康郎の心を和める。学生時代からの机である。片袖になっていて、袖には三段の引き出しがあった。学生時代、一番上の引き出しに、緋紗子の写真をひそめていた。勉強に疲れると、そっと緋紗子の写真を出して眺めたものであった。富久江と結婚するまで、康郎はそんなことをくり返してきた。その写真の緋紗子は、庭のナナカマドの木陰に立ち、空を仰いで笑っていた。白い歯がのぞいていた。康郎はその白い歯を鮮やかに記憶している。紅を塗らない赤い唇に、その白い歯はいかにも健康で美しかった。若い女性が、歯を口紅の色でまだらに染めているのを見ると、反射的に康郎は緋紗子を思い出す。その緋紗子の写真も、今は大学の研究室の机の中に入れてある。

その緋紗子をはじめ、なぎさも、加菜子も、そして富久江も、誰もが今夜は哀れに思われた。

(生きているとは、こんなことか)

入院しているなぎさも、看病している富久江も共に一つ荷物を背負っているようでいて、別々の荷物を背負っているようにも思われる。富久江にとって、なぎさの重荷は自分の重荷でもあるらしいが、やはりなぎさの重荷は、なぎさ自身しか負うことのできない重荷だと、康郎は兼介の顔を思い浮かべた。富久江の負っている重荷を、なぎさは多分、一緒に負おうとしてはいまい。母の分まで心にかける余裕を、今なぎさは持ってはいまい。母と娘は別々の荷を負っているのだ。加菜子の荷もまた別物である。そして、それに関わる夕起子の重荷もまた別のものだと思う。

(夕起子か)

あぐらをかいていた康郎は、ごろりと畳の上に横になって、両手を首筋に当てた。両手を首筋に当てて天井を見ると、康郎は自分の学生時代を思い出す。緋紗子を失ってから、よくこうして下宿の二階で寝ころんでいたものだ。こうして寝ころぶと、康郎はなぜか、自分の中に若さが甦るような気がする。

(夕起子か)

どうして夕起子は、あんなにも緋紗子の声に似ているのか。単に声が似ているだけでなく、表情にも緋紗子の面影を思い起こさせる動きがある。死んだ緋紗子を思うことさえ罪深く思われるのにその緋紗子を夕起子に重ねて思い見ることは、いかにも不倫の匂いがした。康郎は目をつむった。富久江には、絶対にうかがい知ることのできない思いを抱いている。辛いような気もした。なぎさが入院し、富久江がその付き添いにつくと決まった時、康郎は当惑した。出張勝ちな寛である。夕起子とただ二人の夜を、幾夜も経なければならぬということが、先ず康郎を圧迫した。

幸い、加菜子がいるお陰で、二人っきりの気づまりは避けることはできたが、それでも富久江がいる時のように、さりげなく帰宅することはできなかった。

今夜は風が激しくなるということで、早く大学から帰ってきた。が、なぎさの入院以来、康郎はつとめて遅く帰ることにしている。共稼ぎの夕起子に、食事の支度をさせるのが、かわいそうだという理由からだけではない。夕食の卓を共に囲むことに康郎は恐れを抱いていた。とめどなく夕起子にひかれていきそうな自分の弱さを、康郎は自ら戒めていた。

(困ったものだ)

胸の中に呟いた時、雨がひとしきり窓を打った。と、電灯が不意に点滅した。

（嵐だな）

　再び、家を揺るがして風が吹きつけた。再び電灯が点滅した。

「こんな夜は、早く寝るに限る」

　康郎は声に出して起き上がった。その途端、電灯が消えた。停電だった。康郎は足をすらせて窓際に寄り、手さぐりで内側の窓をあけた。外も真っ暗だった。いつもは遠くに瞬く街の灯も消えて、丘の下の道路を走る車のライトだけが光芒を放っていた。

（一面、まるで暗い海のようだ）

　海軍時代、洋上で見た夜の海を、康郎は思い出した。ふと、波のうねりが見えるような気がした。

「お父さーん、停電ですね。今、ロウソクをお持ちします」

　階下から、夕起子のやさしい声がした。康郎はどきりとした。暗闇で聞く夕起子の声は、緋紗子に似ているというより、緋紗子その人の声のように聞こえた。

「いいよ、すぐつくだろうから」

　康郎は大声で答えたが、階下の夕起子には聞こえなかったようだ。階段を登る夕起子の足音がした。康郎は机の前に座って、身を固くした。

「お父さん、ロウソクをお持ちしました」

襖の外で夕起子が言った。

「ありがとう」

襖があいた。太いロウソクを持った夕起子が現れた。ロウソクの灯を下から受けた夕起子の顔は妙になまめいて見えた。夕起子はそろそろと近づいて、燭台に立てたロウソクを、康郎の机に置いた。いや、置こうとして、夕起子はあやまって手をすべらせ、ロウソクを倒した。ロウソクが消え、再び部屋は闇にかえった。

「あら！　ごめんなさい、お父さん」

夕起子が詫びた。

「いや、いいよ、マッチがここにあるから」

康郎が机の上に手をのべた。と、同時に、夕起子の手が机の上を探していた。夕起子の手と、康郎の手が触れ合った。はっと康郎が手を引いた。夕起子もはっとしたようだった。

「すみません」

「あの……マッチは」

康郎は黙った。そして、手にしたマッチを、擦ろうともしなかった。

「……夕起ちゃん、もう少しこうしていようか」

「どうして？　お父さん」

「昔の人間はね、この真っ暗闇を知っていたのだよ。その暗闇が、現代には失われた。滅多にない停電だよ、夕起ちゃん。暗さを満喫しようじゃないか」

康郎の語尾が少しかすれた。

「そうね、そう言えばそうね、お父さん。暗いっていうこと、わたし余り知らないで育ったわ。でも、この暗さがあってこそ、朝の太陽がうれしかったのよね、昔の人は」

夕起子は素直に答えた。

「そうだよ、夕起ちゃん。人間が太陽を拝んだのも、この暗闇の夜を毎夜経験したからだよ」

「暗闇が拝むことを教えたのね、お父さん」

「そのとおりだね、多分」

康郎は、暗闇の中で、夕起子の声を聞く楽しさを捨てたくはなかった。

「加菜子は寝たのかね」

「寝ました」

夕起子は少し体をずらした。余りに近々と自分が康郎の傍にいることに気づいたのだ。

風がうなりを上げて家に挑みかかる。雨が叩きつける。

「二階は下より揺れますね、お父さん」

夕起子は、加菜子が赤児はどこから生まれるかと聞いたことや、兼介となぎさが仲よくなるようにと祈っていると言っていたことを、ふと思い浮かべた。

「どうしても二階は揺れるね、風当たりがちがうんだね」

「じゃ、お父さん、わたし下に参ります」

「そう。じゃ、ロウソクを持って行かないと、足もとが危ないよ」

「あら、それじゃ、ロウソクを持って来たのが何にもならなくなりますわ」

夕起子は笑った。その笑い声が、より一層緋紗子を思わせた。

「夕起ちゃん」

思わず康郎は夕起子の名を呼んだ。

「何ですか、お父さん」

「いや……何でもない」

今、康郎は、よほど夕起子に詫びようかと思ったのだ。暗い中で、夕起子の声を楽しんでいる自分を告白しようかと思ったのだ。

「何でもおっしゃって、お父さん」

「いや、夕起ちゃんには苦労をかけると思ってね」

「……お父さん……あの……もっと別のことをおっしゃるつもりじゃなかったんですか」

「別のこと?」

「ええ……わたし……」

夕起子は言いよどんだ。夕起子の化粧の匂いが闇の中に漂っていた。

「長い停電だね、ロウソクをつけようか」

康郎が持っていたマッチ箱をあけた。

「お父さん、いいんです、このままで。このままのほうがいいんです」

夕起子は康郎の手からマッチを取ろうとして手を伸べた。康郎はマッチを夕起子の手に渡した。闇に馴れた目に、夕起子の手と顔がかすかに白い。

マッチを受け取った夕起子は、そのまま押し黙った。康郎も黙った。息苦しいような沈黙であった。この沈黙の甘さを、康郎は若い日に経験していた。緋紗子と二人で、札幌の夜の街をよく歩いたものだった。そして、人通りの絶えた暗い小路に出ると、二人はよくこうして押し黙ったものだった。胸が激しく鼓動するのを感じながら、しかし二人は、手を組むこともなく、肩を触れることもなく、ただゆっくりと歩いているだけだった。口づけすることもなかった。康郎が立ちどまると緋紗子も立ちどまった。二人は暗い中で、お互いの何を見極めようとして、見つめ合ったのか。そんな時の二人の沈黙は、ひどく胸苦しく、しかし楽しいものだった。恋愛とは何かと尋ねられたら、あの胸苦しさこそが恋愛だと答えただろう。とすると、今、こうして、闇の中に胸苦しく向かい合っていることは、一体何なのだろう。

と、その時、階段を駆け登る軽い足音がした。閉め残した隙間から、ぎらりと、ドミーの目が二つ光っていた。ドミーは確か、加菜子の傍らで寝ていたはずだ。ドミーがひと声鳴いた。夕起子はマッチを擦って、ロウソクをつけた。その夕起子の膝にドミーがすり寄った。

「ドミーが叱りに来たね」

呟くように康郎は言った。

「叱りに？」

「うん。叱られたような気がする」

夕起子はそれには答えずに、

「お父さん、おやすみなさい」

と康郎の顔を見ずに言った。

「おやすみ」

康郎はロウソクを持って立ち上がった。

「大丈夫ですわ」

夕起子は出口でふり返った。目がうるんでいるように康郎には見えた。

康郎はロウソクの灯を、階段に向かってかかげた。夕起子の胸の中で、ドミーが再び鳴いた。

「階段が暗いよ」

「ああ、ドミーもおやすみ」

夕起子が階段の最後の段を降りるまで、康郎は見送った。降り切った所で、再び夕起子がふり返った。康郎はその夕起子を、真実愛《いと》しいと思って眺めた。夕起子は、じっと立ったまま立ち去ろうとしない。康郎の胸が疼《うず》いた。

「おやすみ、夕起ちゃん」

夕起子は黙って頭を下げた。

康郎は机の前に戻って、あぐらをかいた。そして不意に、自己嫌悪を覚えた。何か、なぎさの上に悪いことが起こりそうな気がした。

(かりにも、息子の嫁に……)

それは決して許されぬ想いのはずだった。

(いや、夕起子への感情は、夕起子そのものへの感情ではない。緋紗子への感情なのだ)

夫として当然の感情だと、康郎は弁護してみた。不意にどこかで、兼介が大声で笑ったような気がした。

（嵐は気を亢《たかぶ》らせるのかな）

兼介の顔が大きく、迫ってくるようだった。

嵐の夜

指

指

一

康郎は、起きようか起きまいかと、床の中にぐずぐずしていた。枕もとの置き時計は七時半を過ぎている。階下から、加菜子の何か言う声が、時折かん高く聞こえる。目をさましてから、もう十五分は経った。が、康郎は、いつものように気軽に起き上がることはできなかった。昨夜の激しい風は去って、静かな朝だ。

(あの嵐のせいだ)

康郎は昨夜のことを思った。昨夜、停電になった時、夕起子はロウソクをともして、階下から持ってきてくれた。が、そのロウソクをあやまって倒し、灯が消えた。マッチを探す康郎の手と、夕起子の手が机の上でふれ合った。そして、はっとしてお互いにその手を引いた。

康郎は今、そのひとつひとつを思い起こしていた。マッチを擦《す》ろうとしない康郎に、夕起子は、

「あの……マッチは」

と、ためらうように聞いた。

(全く……何でわたしはあんなことを言ったのだろう)

康郎は天井を見つめた。杉の板の柾目《まきめ》が、カーテンの隙間から射し入る光にほのかに明るい。康郎は昨夜、もう少し暗いままでいようと夕起子に言ったのだ。しかも、昔の人間はこの暗闇を知っていた、それが現代には失われた、めったにない機会だから、この暗闇を満喫しようと康郎は言ったのだ。

本当は、夕起子の声に、亡き妻の緋紗子の幻を重ねて、楽しんでいたかったのだ。もっともらしく、暗闇を満喫しようなどと言った自分の言葉が、言いようもなく気障《きざ》に、軽薄に思われる。むしろ率直に、夕起子の声を聞いていたいと言ったほうが、まだしも清潔であったと思う。康郎の胸の中で、夕起子と緋紗子が一つになっていた。それは緋紗子を今も愛しているからであろうか。それとも、緋紗子の声に似た夕起子に、心ひかれてのことであったろうか。

「愚劣だ」

声に出して言い、ようやく康郎は布団から出た。厚いグリーンのカーテンをひらくと、晩秋の朝日がふんだんに部屋の中に射しこんだ。このさわやかな朝の光が好きで、東向きにも窓を設けたのだが、今朝は光が眩《まばゆ》過ぎた。

「この暗さがあってこそ、朝の太陽がうれしかったのよね、昔の人は」

夕起子は昨夜そう言った。素直な声だった。康郎の思いを知ってか知らずか、夕起子は素直にそう言ってくれた。

(だが……)

布団を押し入れに片づけながら、康郎は思った。夕起子が階段を降りた所で、康郎をじっと見上げていたのは、あれは何だろう。立ち去ろうともせずに、すがるようなまなざしで、自分を見上げていた夕起子の表情を思って、康郎は昨夜のように胸が疼《うず》いた。今朝、夕起子に顔を合わすのがためらわれた。と言って、朝食の仕度をして待っている夕起子を思うと、降りて行かないわけにはいかない。夕起子は、加菜子をなぎさの入院している進藤《しんどう》病院まで送って行き、それから勤めに出るのだ。康郎は思い切って階下に降りて行った。階段の途中まで、ドミーが迎えに来た。そのドミーを抱き上げて、康郎はリビングキッチンに入って行った。

「あ、おじいちゃん、おはよう」

「ああ、おはよう。よく眠ったかね、加菜子は」

一人食卓について、加菜子は牛乳を飲んでいた。朝起きて、先ず加菜子に牛乳を飲ませるのが、なぎさの仕付けた習慣らしい。

「お父さん、おはようございます」

台所で、味噌汁に豆腐を切り落としながら、ふり返って夕起子が笑顔を見せた。はにかんだ笑顔だった。康郎はすぐに視線を外らして、

「ああ、おはよう。昨夜の嵐は静まったようだね」

と、庭に視線を移した。ついこの間までコスモスは庭の片隅に咲き群れていた。初雪にも耐えて咲いていたのだ。そのすがれたコスモスが、風雨に叩かれて、根元から土に倒れ伏している。黄色い小菊も、のけぞるように無残に荒らされていた。

「お花、かわいそうね、おじいちゃん」

テラスのガラス越しに庭を見ている康郎の傍に加菜子が寄って来た。

「うん、かわいそうだねえ」

答えながら、自分もまた昨夜の嵐に煽られて、あらぬ想いに打ち負かされたような気がした。さりげなく康郎は、キッチンの隣の洗面所に入った。夕起子が、今朝シャワーでも使ったのか、湯の香りがやさしく漂っていた。かすかに開いている浴室の戸を閉め、康郎は歯を磨き始めた。鏡に映る自分の顔を、康郎は突き放したまなざしで見た。五十歳を迎えたばかりの自分の皮膚は、まだ四十代の初めと言ってもいいような気がする。起きがけでやや顔色は冴えぬものの、少しもたるみのないあごの線だ。歯もまだ入れ歯がない。康郎は

一つ一つ点検するように、自分の顔に若さを見いだしていった。

(なぜ年齢を数えねばならないのか)

ふっと康郎はそう思った。もし、百年を一世紀と呼ぶように、同時代の人間を同じ世紀の人間として考えるならば、もはやそこには年齢の差はない。五つ年上であろうが、二十年下であろうが、それらの年齢のひらきは問題にならない。そうした感覚も育つ筈だ。ロをすすぎながら、康郎は、夕起子も自分も今世紀に生きているという点で、同時代に生きている人間なのだと思った。戦争を知らぬ年代だとか、戦争を体験した年代だとか、僅か十年二十年の違いで人間を区分して考えることは、意外と人間同士を疎遠にするもののような気がした。根本的に人間というものを考える時、年代にこだわり過ぎては、却ってその本質を見誤ることになる。康郎は、冷たい水で幾度も顔を洗いながらそう思う。

夕起子が用意しておいてくれた乾いたタオルで顔を拭きながら、康郎は、

(要するに、わたしは夕起子と同じ年代の人間だと思いたがっている)

と苦笑した。

食卓につくと、既に朝食が調えられてあった。味噌汁、目玉焼きに並んで、小鉢に野菜サラダが色合いもよく盛りつけられてあった。夕起子の盛りつけには、いつもお座なりでない心が感じられる。

「ああそうだ、今日はわたしが加菜子を病院につれて行こう」

康郎はやさしく夕起子を見た。

「あら、お父さんが?」

驚いたように夕起子は目を瞠《みは》る。

「うん、わたしは別に時間までに大学に行かなければならないわけじゃないからね。どうして今まで、そのことに気がつかなかったのかねえ。困ったおじいちゃんだね、加菜子のおじいちゃんは」

おじいちゃんという言葉は、いまだに康郎はなじまない。四十代でおじいちゃんと呼ばれた違和感が、そのまま残っている。康郎はめったに、自分から自分をおじいちゃんとは言わなかった。それを今朝は、殊更に力を入れて言ってみた。

「おじいちゃんが、加菜子とびょういんにいくの?」

加菜子が怪訝な顔をした。

「うん。おばあちゃんの顔を見たくなったからな」

康郎は冗談を言いながら、味噌汁の椀を手に取った。

「ママのかおは、みたくないの?」

加菜子が咎《とが》めるように康郎の顔を見上げた。

「いや、ママの顔も見たいよ」

「したらいい」

加菜子は大きくうなずいた。康郎が何げなく夕起子の顔を見ると、夕起子は箸をとめて、じっと康郎を見つめていた。

「どうしたの？　夕起ちゃん」

「いいえ、何でもないんです」

夕起子はのろのろと野菜サラダに箸をつけた。

「加菜子を送って行くなんて、言ったことのないことを言ったから、おかしいのかね」

「いいえ」

夕起子はうつ向いて、

「お父さんが今、おじいちゃんとおっしゃったものだから……お若いわ、お父さん」

と、再びはにかんだ微笑を見せた。康郎は甘酸っぱい思いに視線を外らした。

「そうかなあ。もう若くもないんだがねえ。夕起子ちゃんは二十四だったね。わたしはその倍以上の歳だからね」

「でも、そうは見えませんわ。みんなお父さんに憧れていますわ。わたしだって……」

寛と結婚したのは、この邦越康郎教授に憧れていたからだという言葉を、夕起子はのみこんだ。

「あこがれって、なあに」

口もとに飯粒をつけたまま、加菜子は夕起子を見た。夕起子はぱっと顔を染めて、

「あら、困ったわ」

と、康郎を見た。加菜子は赤くなった夕起子を見つめて、

「あこがれって、すきになること?」

と、まばたきもしない。

「そうね……遠くから好きになることなの」

「とおくから? あの大雪山から?」

「そうね、傍にいてもね、遠くから好きになるということなの」

夕起子は加菜子の問いを決して笑いはしない。

「ふーん。そばにいても、とおくからすきになるの? 加菜子なんだかわかんない。ね、ドミー」

夕起子と康郎の視線が合った。夕起子があわててうつ向いた。康郎は、そんな夕起子を可愛いと思いながら、しかし、何か重い荷を背負ったような心地がした。

「ごちそうさま、おいしかったよ」

康郎は立ち上がって、居間のソファに移った。そのテーブルには、まだ誰もひらかない朝刊が置いてある。これは結婚して以来の邦越家の慣習であった。富久江はのんきなようでいて、生活の所々に折り目をつけた。例えば、康郎より先に、自分も子供も決して新聞を見ないということも、その一つだった。

広告の折り込みが分厚く入っている新聞をひらくと、

「おじいちゃん、こうこくちょうだい」

と、加菜子が寄ってきた。

「よしよし」

毎朝のことで、康郎も広告をそのまま加菜子に手渡した。いつの頃から、康郎は先ず死亡広告に目を通すことにしていた。知人が増えるにつれ、それは必要な仕事でもあった。何げなくひらいて、康郎ははっと息をのんだ。

「食事の店まつむら」の字が、黒枠の中にあったからだ。喪主が息子の名になっている。康郎は素早く広告文に目を走らせた。

〈母松村秋子儀　十一月五日午後二時二十五分四十九歳をもって急逝いたしました。ここに生前のご厚情を深謝し、謹んでお知らせ申し上げます。追って葬儀は左記のとおり執り行います。

一、通　夜　十一月六日　午後六時
一、告別式　十一月七日　午前十一時読経開始　正午出棺
一、式　場　宮下五丁目　大王寺〉
康郎はいきなり頭を一撃されたような気がした。

（急逝！）

秋子は、緋紗子の思い出を語る只一人の人間であった。緋紗子の死後三十年を経て、康郎は初めて秋子によって緋紗子の妊娠を知った。その秋子が死んだのだ。いきなり緋紗子の思い出を引きちぎられたような衝撃であった。

（昨夜のあの嵐の時には、既に死んでいたのだ）

そうは思っても、緋紗子の面影に夕起子を重ねて楽しんでいた自分を、一途な緋紗子が怒って、秋子を不意に取り去ったかのような思いがした。

「どうかなさって、お父さん？」

紅茶を運んで来た夕起子が言った。

「うん、『まつむら』のママが死んだよ」

新聞を夕起子の手に渡して、康郎は立ち上がった。夕起子の声が緋紗子の声に似ていると夕起子に告げたのも、秋子だった。緋紗子と自分との仲人役をつとめてくれたのも、秋

子夫婦だった。

驚く夕起子の声を背に、康郎は二階に上がって行った。

二

一昨日の日曜日、なぎさはみぞれの中を実家に退院してきた。入院してちょうど一ヵ月であった。既に松葉杖も要《い》らなくなり、あと二週間理学療法に通えばよい。

なぎさは居間のソノァに座って、加菜子の服を編んでいた。白い毛糸の玉が、なぎさの素早い指の動きと共に、ソファの上で、時折小さく動く。康郎も夕起子も大学に出ていて、富久江が台所で煮物をしている。加菜子が近所の男の子と絵本を読んでいる。テラスのガラス越しに午後の日が一杯に入って暖かい。十一月下旬と言っても、庭隅に昨日降った雪が少し残っているだけで、庭の土が黒々とぬれている。

「今年は根雪が遅いんじゃない」

なぎさは首をちょっと向けて、富久江に言った。

「なあに？　何か言った？」

ボールに水を出していた富久江は、聞きとれずに、居間に顔を出した。

「今年は根雪が遅いんじゃない？」

なぎさが再びくり返すと、

「なあんだ、仕事の手をとめるほどの話じゃないのね」

「あら、わたしが兼介の所へ戻るとでも言ったかと思ったの」

なぎさが笑った。

「笑いごとじゃありませんよ」

富久江が軽く睨《にら》んで顔をひっこめた。

「いさむちゃん、ままごとしない？」

加菜子と勇は同じ年だ。が、勇のほうが少し体が小さい。

「うん、するよ」

加菜子は、一軒置いて隣の勇と、なぎさの入院中、すっかり仲よしになった。

「わたしがママよ」

「うん、ぼくがパパだね」

勇はおとなしい。細い目をしたやさしい顔立ちだ。男の子にしては口も小さめだ。

「したらさ、パパとママは、ベッドのなかで、ねんねしてるのよ」

なぎさは編む手をとめて二人を見た。なぎさと兼介は、ダブルベッドにいつも臥ていた。

加菜子と勇は、なぎさに見られているとも知らずに、ジュータンの上にごろりと横になった。

「パパ」

加菜子が勇の肩に手をかけた。勇はぐぅぐぅと、いびきの真似をして見せる。

「パパ！　パパったら」

加菜子が勇の肩をゆすぶる。勇はますますいびきを大きくする。目をしっかりとつむって、頬に微笑を浮かべている。

「パパ！　なんじだとおもって⁉　おきなきゃ、がっこうにおくれるわよ！」

加菜子がさっと起き上がり、ベッドからおりる仕種をした。乱暴なものの言い方だ。勇は目をぱっちりとあけて、

「加菜ちゃん、なにおこってんの？」

と、頭をもたげた。

「おこってなんかいないわ。わたしママでしょ。ママはいばるでしょ」

なぎさは何か言いかけたが、なり行きを見ることにした。

「ママはやさしいよ。うちのママ、そんなにおこらないよ」

「へえー？　ママがやさしいの？　パパのほうがやさしいよ」

「そうかなあ？　うちのママはさ、パパをおこすとき、ほっぺたにキスしてさ、パパ、おこしてごめんね。ねむたいでしょ。でもね、おきてちょうだいねって、いうんだよ」

「ふーん。したら、おふとん、はぐらない？」

「はぐらないよ。パパのかみのけを、なでてやるよ」

「ほんと？　したらいさむちゃんのパパ、おきるの？」

「おきるよ。ごめん、ごめんって、おきるよ」

「へえー。へんなママとパパだね」

「へんでないよ。おこるほうがへんだよ。うちのママみたいに、おこしてちょうだい」

「したら、いさむちゃんのほっぺたにキスするの？」

「うん、キスするの」

「ママ」

　不意に加菜子がなぎさをふり返って、

「ママ、あさパパをおこすとき、キスする？」

　と言った。なぎさはちょっとあわてて、

「しないわ。でも、するママもいるのね。加菜子は、どっちでもいいと思うほうをしたら？」

「うん、する」

　と言うなり、加菜子は勇の頬にキスをして、

「パパ、おこしてごめんね」

　と、やさしい声を出した。なぎさは、加菜子に断罪されたような思いがした。

（子供って、恐ろしいわ）

　なぎさは思った。自分は兼介に対して、今加菜子が言ったように、いつも威張っていたのだろうか。確かにやさしげな声を出すことは少なかった。だが、きびきびとしいた言い方の中にも、自分は自分なりの愛情を示してきたつもりだった。そして、それは兼介にも通じていた筈だと思ってきた。しかし幼い加菜子の目には、母親は父親よりも威張っていると見えたのだ。そして、もしかしたら兼介もまた、そんなもの言いをするなぎさを、いつしかうとましく思い始めたのかも知れないとなぎさは思った。

（自分のことって、わからないものだわ）

　なぎさは、自分は少なくとも一般の女性よりは魅力的だと思っていた。それは、学生時代、なぎさのまわりに集まる男性が多かったからかも知れない。だがこの世は、勇の母親のような女性もいるのだと、なぎさは初めて知らされたような気がした。朝、夫を起こす言葉の中に、「起こしてごめんね」という言葉があるとは、ついぞ思わなかった。

「遅刻するじゃないの。何時だと思って！」「だから、マージャンは程々にしたらと言ったでしょ」などと、兼介を責める言葉しか、なぎさにはなかった。

（あの満須美という女は、どんな起こし方をするのだろう？）

　もしあの女が「起こしてごめんなさい」という言葉を知っているとしたら、兼介があの女にひかれていったとしても、責められないような気がした。考えてみると、この世界の中で、天下晴れて夫にやさしくできるのは、妻以外にはない筈だった。その妻にきつい言葉を投げつけられたり、嘲笑されたりしては、夫たる者はどこかへ逃げだすより仕方あるまい。なぎさは忙しく手を動かしながら、しみじみとそう思った。

(帰ろうかしら?)

ふっとなぎさは手をとめた。

部屋深く一杯に射しこんでいた光がかげった。

「はやくかえるのよ。またのんでかえったりしたらだめよ!」

どうやら加菜子が、勇を玄関で送っている場面らしい。

「またおこる、加菜子ちゃん」

「したら、なんていうのさ」

「いってらっしゃい。おきをつけてね、っていうのさ」

「ふーん、はやくかえるのよって、いわないの?」

「そんなこといわないよ」

「したら、いさむちゃんのパパ、まいにちおそくかえるでしょ」

「はやくかえるよ。おそいこともあるけどさ、たいていはやくかえるよ」

「ふーん、うちのパパなんか、はやくかえれって、まいにちいわれても、おそくかえるのになあ」

「加菜子ちゃんのパパ、おしごとでおそくかえるんでしょ」

「わかんない。いさむちゃんのパパ、おそくかえったら、ママおこらない？」

「どうしておこるの？　うちのママはね、あーらおそくまで、ごくろうさまって、いうよ」

「へえー。ママ、いさむちゃんのママはね、パパがおそくかえっても、おこらないんだと」

再び加菜子がなぎさをふり返って言った。

「そうなの。偉いママだね、勇ちゃんのママは」

なぎさがうなずいた。居間に入ってきた富久江が言った。

「若いのに、よくできたひとよ、勇ちゃんのママは。なぎさとは大ちがいよ」

加菜子が聞きつけて、

「おばあちゃん」

と、きつく呼び、

「うちのママだってえらいんだから。おかねたくさんもってくるんだから。いさむちゃんのママ、おかねたくさんもってくる？」

「もってこないよ。おかねはパパがもってくるもん」

「ふーん。うちではパパもママも、もってくるよ」

加菜子が誇らしげに言った。富久江はその二人にクッキーをやり、なぎさの前にもクッキーを置いて、

「あんた、どうするの」

と、小声で言った。

「うーん帰ろうかなって、今ちょっと思ったんだけど」

「あらほんと？　それはよかった。加菜子のことを思ったらね、好きだの、嫌いだの言っていられませんよ、なぎさ」

「そうね。わたしの生活態度も問われることだし、今、ちょっと反省しているところなのよ。勇ちゃんのママの話を聞いていて」

「負うた子に教えられるって、ほんとね。あんたがたがまるくおさまれば、わたしたちもほっとするわ。朝から晩まで、頭に鍋でもかぶせられたようで、晴れ晴れとしないのよ、わたしも」

「ごめんなさい」

なぎさは素直に言ったが、

「でもねえ、あのいやがらせの電話をかけさせたのが兼介だったら、わたしはやっぱり戻る気はしないわ」

と、一段と声をひそめた。再びぱっと日が射しこんだ。

「あら、あんた今、帰ろうかしらって、言ったばかりじゃない」

「そうよ。二人のままごとを見ていて、そう思ったんだけど、でも兼介の冷酷さは許せないのよ」

「冷酷冷酷って言うけど、兼介さん、病院にだって何度も来てくれたでしょ。病院に泊まりこむって言ってたじゃないの。なぎさが断ったから泊まりこみはしなかったけど、ごく普通の男ですよ」

「でもね、お母さん。あの電話のことを思い出すと、わたしほんとに、あの人の顔見るのもいやになるのよ。顔どころか、声も聞きたくなくなるのよ。これはもう、どうしようもないことでしょ」

「そんなこと言っても。ね、なぎさ。あんたがたが今別れたら、加菜子はもうままごともできはしませんよ。パパとママが別れたら、一体どんなままごとになるの。家の中にはパパはいないものだと、この子は思って生きなければならないのよ。いくらパパに会いたいと思っても……かわそうじゃないの、あんまり」

富久江は涙ぐんだ。

「ままごともできなくなるか。ほんとうね。でもね、こんな気持ちで兼介のところに帰っても、うまくいく筈がないのよ。もう少し考えさせて、お母さん」
白い毛玉がソファから落ちて、加菜子のほうにころがって行った。

望岳台

望岳台

一

静かな温泉街だ。テラスの大きな一枚ガラスの向こうにトド松林が見え、粉雪が小止みなく降っている。雪は地に向かって、幾千の白い糸を垂らすように、垂直に降ってくる。白樺林に囲まれた小さな和風のこの温泉宿に、康郎たちは、大晦日の昨夜から三泊の予定で、一家をあげてやって来た。

朝の雑煮を祝うと、寛と夕起子は十勝岳のスキー場にスキーに行った。宿のすぐ傍からバスが出ていて、リフトのある望岳台まで運行している。十五分と要しない。リフトは噴火口近くまで昇って行く。

康郎も富久江もスキーに乗りたい思いはあったが、なぎさと加菜子のために、宿にとどまった。骨折は治ったとはいえ、退院してまだ一ヵ月余りである。なぎさにスキーは無理だった。

康郎は、冬囲いをした庭木に降りかかる粉雪を見つめながら、

(いかにも元旦だな)

と、胸の中で呟いた。元旦だと思うと、静かに雪の降るさまが、いかにも元旦らしい風景に見えてくる。これがクリスマスだと、けっこうクリスマスらしい情緒を感じさせるのだろう。人間は、絶対的な客観性をもって景色を見るのではなく、主観的に景色を見るのだと康郎は思った。あの戦いの最中に見ていた江田島の海と、敗戦の日に見た海は、同じ海とは思えぬ程に、印象が全くちがっていたことを思い出す。なぎさには、この元旦の雪景色が、どんなふうに映ることかと康郎は思った。

今、康郎は、只一人であった。富久江となぎさは、加菜子をつれて浴室に行った。

(なぎさは、来年はどんな正月を迎えるのか)

なぎさは遂に、兼介のもとに帰らぬままに年を越した。十二月に入って、康郎も富久江も、なぎさに帰宅を促した。

「年の変わり目はひとつのチャンスだと思うがね。新年から新しくやり直すつもりで、兼介君とよく話し合ってみてはどうかね」

康郎はそう言って勧めた。

「そうねえ、考えてみるわ」

なぎさは、考えこむようにそう言った。なぎさの入院中は、時折なぎさを見舞っていた兼介だが、なぎさが兼介のもとに帰らず、実家に帰ってからは、姿を見せようとはしなかった。退院はなぎさの帰宅の一つの機会であった。兼介は、当然なぎさは自分のもとに帰ると決めていたようであった。が、その期待を裏切られた兼介は、電話さえかけてこなくなった。康郎が、ひそかに研究室から兼介に電話をかけ、

「一度遊びに来ないかね。なぎさもこのまま年越しをする気はないようだが」

と、誘いかけてみたが、

「ぼくから頭を下げて、迎えに来いというのですか。もうその段階は過ぎたんじゃないですか、お父さん」

と、固い返事が返ってきた。かと思うと、研究室に訪ねて来て、

「お父さん、火の気のない家に帰るってのは、氷室《ひむろ》の中に入るような、いやあな冷たさですよ。朝飯の支度も、洗濯も、ぼそぼそと、ぼく一人でやるんですからねえ」

と、愚痴をこぼしたりした。しかし、愚痴は言っても、自分からなぎさを迎えに来るとは言わなかった。

「ここで頭を下げたら、一生なぎさに頭が上がりませんからね」

兼介はかたくなにそうも言った。兼介としては、自分が女に子を孕《はら》ませたことよりも、長い間家を留守にして顧みないなぎさの罪のほうが、大きいと思っているようだった。

クリスマスも近づいた頃、なぎさは康郎と富久江に言った。

「わたし、やっぱり、まだ帰れないわ。そりゃあね、わたしだって、いつまでもこんなふうにしているのは、いけないと思うのよ。加菜子がままごと遊びの中で、わたしのきつい口調を真似ているのを聞いて、反省もしてみたのよ。でもね、あの女にいやがらせの電話をかけさせたのが兼介だと思うと、どうしても足が家に向かないの。足の傷はどうやら治ったけど、心の傷って、なかなか癒《い》えないものなのね。新年を迎えるからって、そう簡単に兼介のところに帰ることはできないわ。もうちょっと、冷却期間をおかせてよ。そのうち、右か左か、はっきりしますから」

　というわけで、結局は、なぎさ母子を抱えたまま、新年を迎えることになった。こうして例年にないうっとうしい正月を、康郎は迎えたのだった。

　正月を温泉で迎えるのは、康郎には初めてのことであった。温泉に行こうと提案したのは、富久江だった。

「温泉はなぎさの足のためにもいいし……それに、なぎさだって、この家で正月を迎えるのは落ちつかないでしょう。もしや兼介さんが来はしないかと期待していて、それが外れたら、あの人たち決定的な別れになるかも知れないし」

　富久江は富久江で、いろいろと心を遣っているようだった。ドミーもいることだから、夕起子は留守番をすると言ったが、寛は、

「正月ぐらい、スキーに乗って、温泉につかって、のんびりしろよ」

と勧めた。旭川の近郊には、層雲峡《そううんきょう》、天人峡《てんにんきょう》、白金《しろがね》、塩狩《しおかり》と、それぞれに一時間内外で行ける温泉が幾つかある。が、白金には十勝岳のスキー場のあることが、学生時代スキー部にいた寛には魅力で、十勝岳山麓にあるこの白金に決めたのだった。

「いいおふろねえ、けっこう」

顔をてらてらに光らせ、加菜子の手を引いて富久江が部屋に戻って来た。

「雪景色を見ながら温泉にひたるなんて、最高ね」

富久江が言うと、加菜子が、

「さいこうね」

と、口真似をした。そして、加菜子はつづけて言った。

「パパどうしていっしょにこないの？　おおきなおふろだから、プールみたいにおよげるのにね」

康郎は手拭いかけのタオルを取って、

「じゃ、わたしも入ってこよう」

と、そそくさと部屋を出た。長い廊下の途中に宿の茶羽織を着たなぎさが、外を見ていた。その姿がひどく寂しげに見えて、康郎は足をとめた。その康郎に気づいて、なぎさが近づいて来て言った。

「お父さんも入るの？　ごゆっくり」

いつものなぎさの顔だった。

六角形の浴室は、宿の面積の割には広々としている。六角形の一辺が入り口になっていて、二方は婦人用浴室との隣り合わせの壁になり、三方から景色を望むことができた。雲間に日がのぞいたのか、午前の日の光が、同じく六角形に造った青いタイルの湯槽にうすく射しこんでいた。痩せた老人が一人湯槽の縁に腰をかけ、若い男が窓に向かって、体を一心に洗っていた。少し温度は低目だが、肌ざわりのよい湯に身を沈めて、康郎は静かに目をつむった。元旦にのんびりと温泉につかっているという安らぎはない。今、廊下で見かけたなぎさの寂しそうな姿が、ひどく気にかかった。ふだんは気の強いなぎさだけに、康郎にはこたえた。娘というものの可愛さは、また特別なものだと、康郎は涙の滲む思いだった。

と、その時だった。

「おや!?　邦越先生ではありませんか」

目の前で声がした。目をあけると、どこかで見たことのある若者の顔が笑っていた。

「あ……」

誰であったかと、忙しく思いめぐらしながら、康郎はぬれた髪が、頭にぺたりと貼りついた若者を見た。

「やっぱり邦越先生ですね」

若者はまじまじと康郎を見、

「眼鏡を外されているので、ちょっとわからなかったんです。おめでとうございます」

「ああ、おめでとう。こんなところで……」

苦笑しながら、

（そうだ、あの学生だった）

と、その名を思い起こして、康郎はほっとした。福本だった。康郎の講義を聞いて、学校をやめたくなったと言った福本だった。札幌の、産婦人科医の息子で、福本はその病院の後継ぎである。その福本が、康郎の講義を聞いて、札幌で屈指の高額所得者である父の病院を継ぐまいと決意した。確か福本は、

「この世に富を求めることに反対する者がほとんどいないという事実にぶち当たって、ぼくはその反対側に立ってみたいと思ったのです」

と、真剣に訴えて来たのだった。

「人間が人間として、一番求めなければならないものは、先生、金ではありませんよねえ」

福本は必死なまなざしでそう言ったのだった。二人の姉も医師のもとに嫁ぎ、その何れ

もが高額所得者であった。福本にとっては、医者という職業に就くことは、即ち高額所得者になることと同義語に思われたのだ。医学部をやめて、別の道に進みたいと言った福本に、

「よく考えて行動することだね。高額所得者にならない医者も、この世にはたくさんいるじゃないか」

と康郎は助言した。だが福本は、

「父の病院を継げば、必ず高額所得者になるんです」

と歎《なげ》いていた。幼い時から富める環境に育って、富める実態を見つめてきた福本には、医者の現実がたまらなかったのだ。

「先生、背中を流させてください」

ふだん姿勢の悪い福本は、体格までも悪く見えていた。が、裸の今は、けっこう若者らしいよい肉づきをしていた。

「ありがとう。学生から背中を流してもらうのは、初めてだよ」

ちょっと苦笑し、康郎はタオルを手渡して立ち上がった。

「先生、お一人で来られたんですか」

「いや、一家六人だよ。君は一人?」

「ぼくも一家揃ってきました。毎年、ぼくの家はここに来るんです」

「なるほど」

「しかし、ぼくは高校生の時からは、いつも留守番を買って出ました」

「どうして？」

　福本は、ぐいぐいと力をこめて背中をこする。

「高校時代は、誰だって、家族と一緒になど、いたくないんじゃないですか」

「じゃ、今年は大人になったというわけかね」

　福本は流す手をちょっとやめて、

「先生、ぼく、医学部をつづけることにしました」

　と、不意に言った。

「ああ、そう。それはよかった。君の心の中で、すべては解決したわけだね」

「はい、まあ……」

　福本は再び手に力をこめて言った。

「ぼく、あれから少し、無医村のことを勉強してみたんです。無医村にも行ってみました」

「じゃ、お父さんの病院は？」

「父は父一代でいいんじゃないんですか。ぼくはぼくの医者としての道を歩むことにしました。まだ両親には言っていませんが」

「なるほど。しかし、よくその道を見いだしてくれたね」

「はい。先生のお陰です。いろいろな医者があるって、先生は言われました。本当にいろいろな医者がいますよね。ぼくは若いんだから、若者らしい夢を見たいと思います」

「うん、それはいい。若者らしい夢をねえ」

福本は、湯涌でたてつづけに二、三杯康郎の背中を流した。康郎は、やっといい正月を迎えたような気がした。

二

康郎と富久江の部屋に集まって、一同は揃って夕食を取った。宿のメイドが膳を下げに来た頃は、加菜子はなぎさの膝にもたれて眠っていた。歌謡曲が終わって、テレビは大きな門松を画面一杯に映し出した。『新春お見合大会』という字が横書きに太く流れて消えた。康郎は、何となくはっとしてなぎさを見たが、なぎさは片手を加菜子の肩においたまま、屈託のない表情でテレビを見ていた。寛はその傍に寝ころんで新聞を見ている。富久江も夕起子も、ここでは食事の後始末をすることもなく、家事から解放されてのんびりした表情だった。夕起子の顔が少し雪焼けして健康そうに見えた。

青いアイシャドーを瞼にぬった大きな目の女が、にこりともせずに大写しに映った。と思うと、口紅が十本程ずらりと並んで、女のナレーションが聞こえた。

「新しい年、新しい口紅、新しい恋。マロン社がおくるあなたの口紅」

再び大きな目の女が大写しになった。

「化粧品のコマーシャルに出てくる女の人が、どうしてニコリともしないのかねえ」

富久江が康郎の膝に軽く手を置いた。

「全くだねえ。どういうわけだろうねえ」

襲いかかる鷲《わし》のような、恐ろしい目をしていると康郎は思い、あの兼介の女もこんな感じの目をしていたと富久江は思った。

コマーシャルが終わって振り袖姿の若い女性が、六人の若い男性たちと向かい合って椅子に座っていた。

「娘一人に婿《むこ》八人か」

新聞を見ていた筈《はず》の寛が言った。

「あら、婿六人よ」

なぎさが訂正した。

「馬鹿だな、なぎさ。男の人数は何人でもいいんだ。女一人に男が大勢の場合、娘一人に婿八人というんだよ」

「わかってるわよ。そんなことぐらい。六人と言ったのは、わたしのジョークよ」

「黙って見てらっしゃいよ、二人共」

蝶ネクタイに白い背広の司会者が、女性に尋ねた。

「どんな男性が理想か、どうぞおっしゃってください。第一の条件は?」

振り袖姿のその女性の、ふっくらした頬と、小さな口もとが愛らしかった。

「はい、第一の条件は、背丈が百七十センチ以上あること」

六人のうち三人が頭を掻いた。他の三人の男たちは、うれしそうに声を上げたり手を叩いたりしている。

「どうして百七十センチ以上でなければならないのよ。背が高いからって、どうだというの」

なぎささが口を尖らせた。兼介は百八十センチ近い背丈なのだ。

「では第二の条件は何でしょうか」

「スポーツの得意な人」

愛らしい口から平凡な言葉が出た。第三の条件はソシアルダンスを踊れる人だという。

「では、最後に第四の条件をうかがいます」

司会者はわざと緊張した表情を見せた。六人の男性たちも、その女性をじっと見つめている。

「セックスの経験のある人」

思いがけない言葉が、女性の口から出た。何の恥じらいもなく、首を真っすぐ立てたまま、若い女性は男性たちを見ながら言う。司会者は相好を崩して、

「ほほう。あなたはなかなか話せる人ですね。経験のない人ではいけませんか」

「はい。若い男性で、セックスの経験がないなんて、不健康やと思いますわ」

女性は語尾に関西なまりを出した。富久江が手を伸ばして、スイッチを切った。

「今どきの若い娘さんて……あきれるわねえ、あなた」

「驚いたね、全く」

「お父さん、お母さん」

なぎささが二人の方を見て、

「女の子があんなことを言うようになったのは、つまり男たちが悪いのよ。童貞なんて不潔だとか、病人だとか、処女なんて何の価値もない、処女撲滅論だとか、週刊誌や小説に書いているでしょう。で、いっぱしの女の子も、ものわかりがいいつもりで、そんな男たちに相槌を打ってるのよ。馬鹿馬鹿しい」

「そうかな、馬鹿馬鹿しいかな」

寛が手枕をして、

「要するに健康な男というものは、女を欲するのが自然だと思うけどどな」

「お兄さん、そんなこと言ってもいいの、お姉さんの前で」

「いいよ、おれは女が欲しいから、夕起子と結婚したんだからな」

「あら、そう。女が欲しいからお姉さんをもらったの」

「結婚ということは、要するに、そういうことでないのか。女を欲しいということは、子孫を残したいということでもあるんだ。これは自然の欲求なんだな」

「でも……それだけが結婚の目的だなんて、いやよねえ、お姉さん。全くメスとオスじゃない?」

「……そうねえ」

「ほんとですよ、なぎさの言うとおりよ。わたしもメスとオスになりたくないわ」

康郎は黙って話を聞いていた。そして不意に、もし夕起子が女の子を産むとしたら、緋紗子によく似た子どものような気がした。自分の心の底に、いつまでも緋紗子を求める思いが生々《なまなま》と燃えているのを、康郎は改めて感じた。寛が起き上がってあぐらをかきながら、

「そりゃあ、おれだって、オスとメスの部分だけで夫婦がつながっているとは言わんよ。だけどやっぱり、オスとメスの部分は少なくないんだな。女が子供を産みたいというのは、やっぱりメスの感情だよ。動物のメスが持つ本能的な欲求だよ。おやじさんはどう思うのかなあ」

「うん?」

康郎はとぼけた顔をした。なぎさが言った。

「でもね、お兄さんがお姉さんと結婚したのは、決定的な何かがあったからでしょ」

「そりゃそうだな。夕起子ってのは、人の心を和ませるやさしさがあるよ」

「でしょう。それはメス・オスとは関係がないでしょう」

「うーん……一見関係がないようでいて、やっぱりあるんじゃないか。この女に、自分の子の母親になってもらいたい、という思いが、男にはあるんだなあ。体も健康、顔立ちもよく、気立てもいい、そんな女に自分の子を産んでもらいたい。突きつめれば、やはりオスなんだよなあ」

寛の投げ出すような言い方に、思わずみんなが笑った。が、なぎさは顔をひきしめて、

「ま、オスでいたい人はオスでいるといいわ。今のテレビの女の子、背が何センチ以上、セックスの経験が何とか言っていたけど、考えてみると、わたしたちの結婚って、同じ程度に軽薄かも知れないわね。お父さんはお母さんをどうしてもらったの？」

「そうだねえ……一緒に同じ屋根の下に住むのには、のんびりしていて、気楽だと思ったからかなあ」

言いながら康郎は、この言葉に嘘はないと思った。短い期間ではあったが、康郎には緋紗子との過去があった。それだけに、富久江のような、ものごとにこだわらないのんびりとした女は、気楽であった。

だが、もし、緋紗子と富久江が同時に自分の目の前に現れたとしたら、康郎はためらわず緋紗子を選んだであろうと思う。富久江には少しも心をひかれることはなかったと思う。もし緋紗子が死ななければ、康郎は緋紗子を一生の恋妻としていとおしんだにちがいない。

その緋紗子が死んだために、富久江と夫婦になったのだが、富久江はけっこうよき伴侶であった。学者の妻として、富久江は理想的な妻であった。

「ふーん。なるほどね。顔かたちにほれたわけじゃないのね、お父さん」

「顔かたちだって悪くはないよ。だが気性のいい女は何よりだよ」

「そうね、じゃお母さんは、お父さんのどこが気に入ったの？」

「そうね、お見合いした時、やさしそうだったし、まじめそうだったし、まああこんなとこじゃないかと思ったの」

富久江は照れずに言って、みかんの皮をむいた。

「そう。それでどうだった？」

「どうだもこうだもありませんよ。いいくじに当たったようなものですよ、わたしは」

「お姉さんは？」

黙って寛の傍に控えている夕起子に、なぎさは目を向けた。

「わたし？」

夕起子は顔を赤らめた。正直の話、康郎に憧れていたから、その息子と結婚に踏み切ることができたのだ。しかし、まさか、邦越教授に憧れていたからとは言えない。

「……明るい人だから……」

夕起子は口ごもった。

「明るい人ねえ。なるほどねえ。でもね、お姉さん。明るいにもいろいろ種類があるのよ。悲しむべきことがたくさんあっても、無神経で明るく笑っていることもあるし、本当に確たる人生観を持っていて、全てを受け入れていく明るさもあるし……」

「おいおい、なぎさ。おれはその無神経のほうか」

「でしょうね」

なぎさは笑った。

「そうか、じゃあその無神経なところでなぎさに聞くぜ。お前は、兼介君のどこにほれて一緒になったのよ」

なぎさは意外に神妙になって、

「それなのよね、お兄さん。さっきテレビの女の子が、背丈が百七十センチ以上だとか、スポーツが得意な人とか、理想の男性を言ってたでしょ。たいていの女の子ってあんなものなのよね。背がすらりと高い人、足の長い人、横顔の素敵な人なんてところが好きになって、それで何もかも忘れて夢中になって……考えてみると、ブラウス一枚選ぶのだって、女はもっと手間暇かけるのにねえ。店を何軒も歩いてみたり、どこの会社で作っているものだとか、自分の気に合ったものを見つけるまで、かなり時間をかけるわよ」

「ほんとねえ」

　夕起子が相槌を打った。

「ところが一生の相手を見つける時は、すごく軽薄なのよね。何となく不良っぽいところがいいとか、ニヒルな感じが素敵だとか、一生の伴侶にするのには、欠点と見えるところまでが、好きな条件となってしまうんだから。わたしが兼介と一緒になったのは、もっと軽薄よ。兼介の図々しさにバイタリティーを感じたんだから」

　自嘲しながら、なぎさは膝の上の加菜子の髪をそっとなでた。急に誰もが黙りこんで、部屋の中が静まりかえった。どこかの部屋で百人一首のかるたを読む声がした。富久江が言った。

「軽薄なのは、なぎさばかりじゃありませんよ。妙なところが好きで結婚する人もいれば、お互い大して好きでもないのに、仲人の顔を立てて結婚する人もいる。それだって、軽薄という点では、みな同じですよ。ね、あなた」

「ま、そうだね」

「いつだったかしら。誰かの結婚披露宴の時、お母さんはこんなスピーチを聞いたわよ。愛し合ったから結婚したということより、結婚したから愛し合うことのほうが大事だって」

「なるほど、うまいことを言うなあ」

寛が腕組みをした。

「でしょう？　たいていの人は、なぎさの言うとおり、軽薄に結婚するかも知れませんよ。でもね、どんな軽薄でも、その道を選び取ったのは自分でしょう。好きでもない人と結婚しようが、お義理で結婚しようが、好きでたまらなくなって一緒になろうが、結婚した以上、愛し合っていかなきゃねえ」

みんなはうなずいたが、なぎさは何かを考えるまなざしであった。康郎は何の脈略もなく、去年十一月に死んだ松村秋子の顔を思い浮かべた。

三

敵機が自分を目がけて飛んでくる。

(低空飛行だ!)

康郎は機関銃を敵機に向けた。引き金を引こうとするのだが、その引き金が糸のように細い。頼りなく指に絡みつくだけで、弾丸が出ない。再び敵機が目の前をかすめる。が、何としても引き金が頼りない。糸のような引き金が藁屑《わらくず》のようになっている。焦れば焦るほど弾丸は出ない。三度敵機が頭上をかすめた時に、康郎は目をあけた。

(夢か)

激しく動悸《どうき》していた。敗戦の日以来、幾度も見てきた夢だ。いつも弾丸が出ない。出たとしても弾丸は小さな団子のようで、すぐ足元にころがるだけだったり、ある時は水が飛び出したりした。

康郎は空襲を受ける夢もよく見た。空が真っ黒になるほどのおびただしい米軍機の襲来を幾度も見てきた。それは江田島で砲台長をしていた時、軍艦榛名を目がけて襲来した敵機のさまに似ていた。

今の夢の中で、康郎は緋紗子の声を聞いたような気がした。緋紗子が肩のあたりで何か言っていた。声の抑揚だけが聞こえて、言葉が聞こえなかった。戦争の記憶も緋紗子の記憶も、いまだに康郎の胸の中に生きていて、決して死んではいない。

（あれから三十年か）

三十年の年月の間に、緋紗子の知らないものが、この世にあふれている。スモール・ライトの淡い光が、床の間にかかった山水の絵をぼんやりと照らしている。

（ああ、ここは宿だったな）

大晦日の夕刻にこの宿につき、三泊して今日は帰るのだ。

（そうか、緋紗子はナイロンの靴下を一度も履いたことがなかったのか）

康郎は驚きを感じた。現代に生きている女性で、ナイロンの靴下を履いたことのない者は一人もあるまい。ナイロンの靴下を履くことは、朝起きて洗面するのと同様に、まことに日常的な体験である。その誰もが体験する体験を、敗戦の前の日に死んだ緋紗子は体験していない。ナイロンの靴下は戦後にできた。緋紗子の履いていたのは木綿か人絹の靴下ではなかったか。足首の細い割に、豊かなふくらはぎの緋紗子の足は形がよかった。

（なるほど、緋紗子はナイロンの靴下を履いたことがなかったのか）

なぜかただそれだけのことが、康郎にはひどく哀れなことに思われた。いや、緋紗子の知らないものはそれだけではない。テレビを見たこともなければ、天然色の映画を見たこともない。新幹線も知らなければ、飛行機旅行も知らない。緋紗子の知っていた世界には、今のような車の洪水はなかった。札幌の街を二人で歩いた時、二人を追い越して行ったのは、自転車であったり、馬橇《ばそり》であったりだった。ハイヤーは数える程しかなかった。

康郎は眠ろうとして目をつむった。まだ四時を過ぎたばかりだ。が、余りに敵機の低空飛行が生々しかったためか、なかなか寝つけない。

(ロックとかゴーゴーなんかを、緋紗子が生きていたら、何と言ったろう)

緋紗子は好奇心の旺盛な女性だった。柔軟な魂を持っていた。あるいは緋紗子は、何でも豊かに受け入れて、この三十年を彼女らしい積極さで生きたろうか。死んだ子の齢を数えるような、詮のないことを康郎は思った。

(あの頃流行した歌と言えば……)

兵学校の生徒たちの歌う声が、不意に聞こえてくるような気がした。

影が柳か勘太郎さんか……

あの頃の若者たちは、なぜかあの歌を好んだものだ。

さらばラバウルよ

また来るまでは……

という歌も兵士たちはよくうたった。緋紗子もこの歌を、海の見える出窓に腰をかけてうたっていたのを思い出す。家具も何もない、空き家のようにがらんとした家だった。今のように洗濯機や炊飯器・掃除機・テレビなど、電気製品にあふれた生活とは、全くかけ離れた生活であった。

（衣食足りて礼節を知る、か）

それは一面の真理かも知れないが、甚だ脆弱な思想だと、康郎の思いは江田島を離れた。

（衣食足りて教授を殴る）

（衣食足りて贈賄を知る）

心の中で呟きながら康郎は思った。人間というものは、経済生活が豊かになったからと言って、精神生活が向上するとは限らない。歴史を顧みると、文化生活の極みの次に、信じられないような滅亡が起きている例が多い。

（あるいは人間は足るということを知らないのかも知れない）

あの空き家同然の江田島の家の中で、一粒の米のない日があっても、緋紗子は明らかに文化的な香りを失わずに生きていた。貧しい家庭から不屈の精神を持った人間が生まれ出るかと思えば、豊かな家に育って魂を荒廃させる者もいる。一概に「衣食足りて礼節を知る」などとは言えぬものだと、康郎は傍らの富久江を見た。富久江は、枕を外して、康郎のほうに顔を向け、健康な寝息を立てている。その頭が、康郎の布団に少しかかっている。うす暗い中で、富久江は少女のように若く見えた。康郎は、かつてない愛《いとお》しさを富久江に感じた。ただの一度も緋紗子について尋ねようとすることのない富久江だった。のんびりと暮らしてきたかに見える富久江が、今は妙に胸をしめつけられるような愛しい存在に思われるのだ。

康郎の思いはあちこちに飛ぶ。

(なぎさの奴、どうするつもりなのか)

昨夜、なぎさは寛と口喧嘩をしていた。

「わたし、もう一人子供を産もうかな」

なぎさはそう言ったのだ。

「もう一人? 誰の子を産むつもりだ、兼介君のか」

寛がにやにやした。

「冗談じゃないわ。あの人の子は加菜子一人でたくさんよ。今度は、本当にほれこんだ人の子供を産みたいわ」

「馬鹿も休み休み言えよ。生まれてくる子供が迷惑じゃないか。それとも何かい、好きな人を見つけて結婚するつもりか」

「結婚？　結婚はもうこりごりよ。ただね、一人っ子は、親が死んだら天涯孤独になるじゃない。もう一人産んでおいてやらなくちゃ、加菜子が可哀そうだわ」

「可哀そうが聞いて呆れるな。なぎさ、変なきょうだいがいるより、いっそ一人の方が身が軽くて助かるぜ」

「あら、それわたしのこと？　変なきょうだいって」

「とまでは言わんけどさ。しかしな、たった二人のきょうだいが、殺し合うことだってあるんだからな、この間新聞に出ていたように」

寛にたしなめられて、なぎさは黙って部屋を出て行った。話を聞きながら、なぎさが短命のようないやな予感がした。なぎさは、加菜子が二十になる頃には、自分は死んでいると思っているのではないか。天涯孤独という言葉の響きの中に、康郎はなぎさの孤独を見たような気がした。今後も、多少のいざこざはあっても、何とか兼介のもとに帰ってほしいと康郎は思う。が、その反面、このまま自分の傍で一生過ごしてくれてもいいような気もする。加菜子にしても、仲の悪い親のもとに生きるよりは、父はなくとも、寛や祖父の自分がいる家庭で育つほうが、幸福かも知れないとも思う。かけがえのない娘が、兼介のような人間の傍で一生を送るのは、たまらないような気もした。

誰かの呟《しわぶ》く声が、廊下の遠くで聞こえた。そのあとはまた深い静寂だ。

ふっと、昨日のスキー場での静かさを思い出す。一昨日は元旦でもあり、なぎさと共に宿にいたが、昨日は康郎夫婦も、寛や夕起子と共にスキー場に出かけた。空は紺青に晴れていて、乾いた新雪がアスピリンのようにきらめいていた。幾重にもたたなわる山が遙か彼方に見え、一大パノラマのような眺望であった。スロープは所々岩があって、必ずしも安全ではなかったが、新雪を衝いて滑る楽しさを康郎は満喫した。

帰りは寛が、富久江をエスコートして先に降り、夕起子と康郎があとに残された。二人は山の中腹に寄り添って立った。僅かに風の音が聞こえるだけで、地の底に吸いこまれていきそうな静かさだった。この世にはただ、夕起子と康郎だけがいるような、そんな親しさが二人を包んだ。ふり返ると、ロープウェイの下を滑ってくる幾人かの姿が見える。だが、二人の立つ一面には、人の気配はない。康郎は甘い胸苦しさを感じた。それは、嵐の夜に、停電の中で、夕起子と二人っきりになった時の感情に似ていた。

「お先に」

じっと康郎を見つめていた夕起子が、サングラスをなおして、宿への道を滑り始めた。右に左にしなやかに動く夕起子の肢体が美しかった。

美しいと言えば、昨夜、風呂上がりの夕起子が、夕食を共にするために康郎たちの部屋に入った時の素足は美しかった。甲の高いその素足の美しさに康郎がはっとした時、膳に

ついた寛が、銚子を康郎に差し向け、

「お父さん、浮気の虫を食う虫はないのかな」

と笑った。康郎は心を見透かされたような気がしたが、「そんな虫を発見したら、ノーベル賞どころか、大変な賞をもらうだろう」

と、さりげなく盃を取った。

(どうも、つまらんことばかり考えるものだ)

康郎は、富久江のはみ出た肩に布団を引き上げてやり、再び目をつむった。

四

「あら、今頃どうしたの。今日はお休みだったの?」

茶の間でワイシャツにアイロンをかけていた母の弓枝が、部屋に入って来た夕起子を見上げて、コンセントを抜いた。夕起子は実家の望月家にはめったに顔を出さない。秘書室から時折電話はかけるが、富久江に遠慮して、一人で実家に帰ることを避けていた。望月家に顔を出す時は、寛と一緒のことが多かった。今年は正月に、寛と二人で年始に来ただけだから、二ヵ月半ぶりになる。

「休んだの」

夕起子は途中で買って来た鶯餅と桜餅の詰め合わせを母の傍に置いた。実家に一歩足を踏み入れると、たちまち望月家の娘の気持ちに戻ってしまう。不意に時間が逆戻りするかのように、娘時代に戻るのだ。寛と結婚して一年半、夕起子はまだ、邦越の家に全く馴じんだとは言えなかった。康郎はやさしかったし、富久江も神経に刺さる存在ではなかった。昨秋以来同居しているなぎさも、ものわかりがよく、加菜子もますます馴ついている。とは言え、夕起子はその一人一人に、常に自分を合わせるという形で対してきた。不用意にものを言ったり、したりすることができなかった。それだけに、父母の家に帰ると、重い着物を一枚脱いだような、気楽な気持ちになるのだ。そして、これが本来の自分なのだと夕起子はひそかに思う。

「おや、鶯餅と桜餅、これはごちそうさま」

弓枝は包みをあけてのぞいてから、

「どうして休んだの?」

と、夕起子をまじまじと見た。

「どうしてだと思う?」

横座りに足を投げ出したまま、夕起子は片手を畳について、甘えるように弓枝を見た。今年還暦の弓枝は、小びんのあたりが白かった。

「風邪でもひいたの?」

「ううん」

夕起子は何となく部屋の中を見まわした。十二畳の茶の間は、夕起子が結婚する前とほとんど変わっていない。壁のカレンダーが変わっているだけだ。この家には洋間がない。元営林署長をしていた父の由夫は、小さな木材会社の社長をしている。庭造りが好きで、純日本風の好きな人間だ。

「じゃ、怠けたの？」

「ううん」

夕起子は目を伏せた。

「わかったわ。あんた、赤ちゃんができたんじゃない？」

夕起子はちらりと母の顔を見、さっと顔を赤らめた。

夕起子は今、病院からの帰りだった。診断を受けて来たのである。健康な夕起子は、月々生理が順調だった。二十歳を過ぎてこの方、二十八日目ごとに、月のものがきちんとめぐってきた。それが先月は、二十八日目になっても、しるしがなかった。二、三日遅れるのかと思ったが、二、三日はおろか、七日経っても十日経っても始まらなかった。

一昨日の夜だった。風呂から上がって、夕起子は鏡台の前に座った。そしていつものようにスキンローションの蓋をあけた時、その匂いがひどく鼻についた。次の瞬間、夕起子は胸がむかついて、あわてて洗面所に走った。妊娠だと知ったのはその時だった。

が、夕起子はそれを寛にも告げずに、今朝一人で、市内の産婦人科病院を訪れた。夕起子は産婦人科医の高原教授の下で働いている。が、高原教授に診てもらうのはためらわれた。高原教授は余りに身近な存在だった。夕起子は実家に近い病院を電話番号簿で探した。お産を扱ってくれるのは、実家の母になるであろう予測のもとに探したのだ。その産婦人科病院は、小さ過ぎもせず大き過ぎもせず、何か信頼のおける雰囲気が漂っていた。そこで医師から、妊娠をはっきりと告げられたのである。

夕起子は深い感動を覚えた。自分の体の中に、新しい命が芽生えているという事実に感動した。病院から実家への一キロ余りの道を、夕起子はゆっくりと歩いて来た。三月の雪道は、ザラメ雪になっていて歩きにくかった。が、煤《すす》けたその歩きにくい雪さえ夕起子には新鮮に思われた。

この自分を世界で只一人の母として生まれてくる子がいる。どんな顔であろうと、どんな体であろうと、どんな性格であろうと、自分はその子を喜んで受け入れようと思った。他の誰でもないこの自分を、母としてくれたということに、夕起子はかつてない喜びを感じた。

(お母さんと一緒に生きようね)

歩きながら夕起子は、まだ男とも女ともわからぬ胎児に向かって、心の中に呼びかけた。「お母さん」と、夕起子はごく自然に自分自身を呼んだことに気づいた。今までは、母という語は決して自分のことではなかった。妻ではあっても、夕起子はまだ人の子であった。あくまで娘の気分であった。それが妊娠を告げられて、どれほどの時間も経たないうちに、夕起子は自分でも驚くほどに、母になっていた。誰もがこのように、いち早く母心を持つようになるのであろうか。不思議に思いながら、夕起子は再び、「お母さんはおかしいわね」と、話しかけていた。話しかける対象が自分の胎内にいる。それは不思議な充足感であった。何かの小説の中で、夕起子は、「海」という字の中に「母」があると言った子供のことを、読んだことがあった。海という字の中に、母という字が組みこまれていることの意味深さを、その時夕起子は深く感じたものだった。夕起子は今、そのことを思い出していた。母は海のように、広くゆったりとした存在でなければならない。子を宿したことによって、夕起子は自分がどこまでも広がっていくような豊かさを感じた。

（あなたのお父さん、寛と言うのよ。きっといいお父さんになると思うわ）

心の中に呟きながら、妊娠を知った時の寛の喜ぶ顔が、目に見えるような気がした。寛は、早く子供を産んでほしいと願っていたのだ。こうして雪道の一キロは夕起子には決して遠くはなかった。

望岳台

「まあ！　やっぱり。そうだったの」

弓枝は声を弾ませた。夕起子ははにかんで、

「今、病院の帰りなの。一番先にお母さんに知らせたかったの」

と、うつむいた。

「よかったわねえ。で、予定日は？」

「十一月二十日頃ですって」

「そうなの。じゃ、体を大事にするのよ。お産は病気じゃなくて自然現象だから、何も心配しないでいいのよ。月が満ちれば生まれるんだから」

　母親らしいあたたかい声で、弓枝は言った。

「そうね、自然のことなのね」

「そうですよ。動物たちは、みんな自分ひとりで産むわ。お医者さんにかかったり、産婆さんにかかったりするのは人間だけよ。もっともこの頃は、獣医さんがいて、動物たちもお産を手伝ってもらったりするけどね」

　夕起子の不安を、弓枝は少しでも和らげるように言った。

「お母さんの言葉で安心したわ。心配しないで、のんきにするわ」

「そうよ、のんきにするに限るわ。ただ、なるべく好き嫌いはしないようにね。それと、大切なのは心の持ち方よ」

「心の持ち方?」

「そうよ。よく言うでしょう。胎教って。親がきれいな気持ちでいると、きれいな気持ちの子が生まれてくるのよ。とげとげしてたら、とげとげした子が生まれるのよ」

「そうね、よく言うわね。女優さんの写真を枕の下にして寝るといいとか、お釈迦さんの絵を飾っておくとか。わたしの時はお母さん、誰の写真を飾っていたの?」

「それがねえ」

弓枝は不意に笑い出した。

「どうしたのよ、笑ったりして」

「だってさ、あんたの時はお母さんね、生まれてくる子が女か男かわからないのに、古橋《ふるはし》広之進《ひろのしん》の写真を飾っていたのよ」

「古橋広之進? 誰、その人」

「そうか、夕起子は知らないわけよね。日本の飛び魚って言われた水泳の選手よ」

夕起子も噴き出した。夕起子は一メートルも泳げないのだ。

「胎教って、当てにならないのね、お母さん」

「あの時は笑ったわ。どうして男の子が生まれるって思ったんでしょうね。男のような女の子にならないかと思ったら、けっこう女らしく育って安心したけど。……お茶をいれようかしら」

「いいわよお母さん、わたしがいれるから」

「いいわよ、今日くらいお母さんがいれてあげるわよ」

弓枝は時計を見、

「あら、そろそろお午《ひる》ね、お茶漬けでも食べる?」

「ええ、何でもいいわ」

「悪阻《つわり》はどうなの」

「一度吐き気がしただけなの」

「そうお。じゃ、あんたもお母さんに似て、軽くすむかも知れないわね。ひどい人は、三ヵ月も五ヵ月も悪阻に悩まされるっていうけど」

「まあ! そんなに?」

「そう。でも、全くない人もいるってよ」

と、弓枝は台所のほうに立って行った。夕起子は窓から射しこむ三月の日ざしに背を向けたまま弓枝の言った胎教のことを思った。女心とは不思議なものだと思う。結婚した相手の男性に似てほしいとは願わずに、他の人の写真を、胎教のために日に幾度も眺めると言う。それは夫を侮辱した話のような気がした。自分の妻が自分の子を産むのに、映画俳優や、野球の選手、東西の偉人の絵を飾るのを見ては、夫たるもの内心穏やかではあるまいと思う。

(でも……)

夕起子はふっと、立ち止まる思いになった。自分もまた、寛に似た子を心から願うであろうか。もし願って叶うものならば、寛よりもむしろ康郎に似た子を与えられたいと、夕起子は思った。寛の持っているものと、康郎の持っているものとはちがっている。夕起子は、康郎の物静かな、しかし意志的な、それでいて激しさを秘めている性格が好きだった。

(お父さんに似た子がほしいわ)

寛が嫌いだというのではない。寛には寛のよさがあった。明るく、あたたかで、二枚目半のところがあった。何も考えていないようで、けっこう深く考えているところもある。初めて会った時より、次第によいものを寛は見せてきた。とは言っても、娘時代からあこがれていた邦越教授である康郎を超えることは、寛には無理であった。

(お父さんの孫だということは……お父さんの血がお腹の赤ちゃんに流れているということだわ)

夕起子ははっとした。それは思いもかけぬ発想であった。寛の血が子供に流れこんでいるだけではなく、寛の血の中に流れている康郎の血もまた、子供の中に流れているということだった。子供は、もしかすると、父親の寛よりも、祖父に似るかも知れないのだ。隔世遺伝という言葉がある。

(もしかしたら、ほんとうにお父さんそっくりの子供が生まれるかも知れないわ)

それは、運動選手や映画俳優の写真を飾るよりも、もっと確率の高いはずのことであった。

（うれしいわ）

本当に康郎に似た子を抱くことができるとすれば、夕起子にとって願ってもない幸いなことであった。

（そう言えば、わたしはおばあちゃんに似てるとよく言われたわ）

父方の祖母は、琴の師匠をしていた。余り長生きはしなかったが、夕起子はよくその祖母に似ていると、親戚の誰彼から言われたものだ。夕起子はふっと顔を赤らめた。女は愛する人の子供を産みたいはずだ。寛の子を産むことに、何のためらいもないのだが、しかし、もし許されるのなら、自分は本当は康郎の子供を欲していたのだと思う。それが、今初めて、はっきりとしたような気がした。夕起子はうしろめたい思いで、そっと自分の腹に手をやった。

（胎教というのは……これに似た気持ちではないかしら）

夕起子は、自分と同性の女たちが、十月十日《とつきとおか》の間、何を思って生きているのか、知りたい気がした。胎教は一つの姦淫《かんいん》のような気もする。

もしかしたら、ある者は初恋の人の面影を胸に抱いて子供を産むのかも知れない。またある者は、恋してはならぬ人を恋いつつ出産を待つのかも知れない。そんな妻の心の中の妖しい動きを、夫たるものは想像もしないことだろう。誰に似ることを願うこともなくただ単純に産み月を待つ女は、本当に幸せな女なのだろうと、夕起子は思った。

（とすると、わたしは幸せではないのかしら）

夕起子自身、決して不幸だとは思ってはいない。だがこう考えてくると、自分の心を満たしてくれるのは、寛ではなくて、康郎なのだと思う。寛には埋めつくすことのできぬ間隙を、康郎はすっかり満たしてくれるのだ。

夕起子は窓べに立った。五十坪程の庭はまだ雪に覆われている。が、庭木を包む雪囲いの菰《こも》が早春の日ざしに乾いて、見るからに暖かい。正月に来た時には一メートル五十もあるかと思われた雪が、今は一メートルを割った。庭に沿った通りを走る車が雪どけ水を高く跳ね上げて過ぎて行く。

「ご飯にしない？」

弓枝の声がうしろでした。

「今年は、雪どけが早いようね、お母さん」

夕起子は、康郎のことは誰にも言えないことだと思いながら、ふりかえって言った。

殉難碑

殉難碑

一

高原教授の運転する車は今、旭川から東へ延びる二十余キロの直線道路に入った。康郎は隣の座席に座っている中国のエッセイスト張平徳教授に、

「この道は二十キロ余り、全くの直線なんですよ」

と、言おうとしてやめた。相手は中国人である。二十数キロの直線道路など珍しくないにちがいない。助手席に乗っていた夕起子が、何とはなしにふり返って、康郎と張教授に微笑を送った。

直線道路に入って五分も経たぬうちに、両側の家並みが途切れて、水田が広がった。田水に五月の空が映っている。折々、畦《あぜ》を覆う芝桜が目を惹《ひ》く。

「きれいですね。何という花ですか」

川端康成《かわばたやすなり》や志賀直哉《しがなおや》の作品を翻訳したという張教授の日本語は流暢《りゅうちょう》であった。

「芝桜です」

康郎は用意していたメモ用紙に、「芝桜」と大きく書いて張教授に手渡した。張教授はそ

の血色のいい丸顔を康郎に向けて、にこにことうなずき、再び窓外に目をやった。ひとひらの雲が、十勝連峰の上空に浮かび、白い噴煙が南風を受けて峰に低く這《は》っている。まだ残雪のある山ひだが、陰影をくっきりと見せて美しい。道の両側につづくたんぽぽが黄に輝き、現れてはうしろに去る農家の庭に、新芽のけぶる白樺や雑木がやさしいたたずまいを見せている。

昨日の昼、高原教授から、康郎の研究室に電話があった。

「君、君は幾つだった？」

時折高原教授は唐突なことを言う。何の脈絡もなく、不意に思わぬことを尋ねるのだ。

「四月四日生まれだからね。先月五十一歳になったよ」

康郎が答えると、

「そうか、五十一歳か。俺は十一月生まれだからまだ五十歳だ」

と、うれしそうに言った。が、すぐに語調を変えて、

「君、旭川に中国人殉難碑とかいうのがあるのを知っているか」

と尋ねた。

「ああ、知ってるよ。今年、そのことに関した本が、地元で出版されることになっているんだ。わたしもちょっと関係したがね」

「それはありがたい。実はね、ぼくの先輩から昨日電話が来てね。中国人の大学教授でエッセイストが旭川に行くから、殉難碑に案内してくれって頼まれてね。だが俺は旭川に来て日が浅いし、そっちのほうは疎《うと》いんだよ」

と、頭でも掻いているような声音であった。

康郎は歴史学者ということで、昭和四十七年、つまり三年前に建った中国人強制連行殉難碑について、関係者から相談を受けていた。今、康郎はその資料のひとつひとつを思い起こしながら、重い心になっていた。

第二次大戦中、日本は南京虐殺をはじめ数々の残虐行為を中国大陸において犯した。だがそれは大陸だけにとどまらなかった。日本国内の各地においても、目をおおうような残虐行為はくりひろげられていた。旭川近郊東川《ひがしかわ》における事件も正にその一つであった。

当時、戦火が広がるにつれて、国内には目に見えて男手が少なくなった。五体満足な者は、ほとんど戦争に駆り出されてしまったからである。トラックやバスの運転手が、いつのまにか男性から女性に変わっていたのも、その表れであった。だが戦争は、国内においても男手を必要とした。特に炭鉱において、土木工事において男手が必要であった。その労力の不足を、当時の東条内閣は中国人労務者をもって当てようとし、日本内地に移入する方針を閣議決定した。時は一九四二年（昭和十七年）十一月二十七日である。この東条内閣にあって岸信介は商工大臣を務め、青木一男は拓務、大東亜の大臣の席を占め、賀屋興宣は大蔵大臣の椅子にあった。

中国人移入の条件は、次のように決定されていた。

「華人労務者ハ訓練ヤル元俘虜又ハ元帰順兵ノ外、募集ニ依ルモノトスルコト」

とあり、年齢は四十歳以下の男子で、なるべくは三十歳以下の独身男子を優先的に選択するとなっていたが、実際には五十歳を超えた者もいた。連行の対象も、訓練された俘虜とか兵とあるが善良な市民である非戦闘員にまで及んでいた。しかもその方法は、「兎狩り」という言葉が記録されているとおり、正に人さらいそのままの方法さえ取っていた。鳥を捕らえるように、群衆に網を投げ、網の中に入った者を捕らえたともいわれている。

東川村に中国人が連行されたのは、遊水池を掘るためであった。東川村を流れる忠別川《ちゅうべつ》は、大雪山に源を発し、渓谷の急流を流れて来るため、灌漑《かんがい》に不適なほどに水温が低かった。この水を一旦遊水池に導き、水温が上昇してから田水としなければ、米の増産を望めなかった。この遊水池は、普通の水田用地を深さ一・八メートルの池に掘り下げる作業であった。それほど過酷な作業とは思えなかったが、僅か一年半の間に、中国人三百三十八名中八十八名が死んだ。つまり四人に一人強が死んだのだ。なお、日本全国への移入者数は三万八千九百三十五名で、死亡数六千八百三十名、行方不明八十八名となっている。この数字は明らかに虐待とリンチを物語っている。八番線の太い針金で殴りつけながら、作業は進められた。食事は極めて乏しく、衣服も甚《はなは》だしく粗悪であった。河床を下げる作業に従事した者は、全身水だらけになって震えていたという報告もある。極寒の地にありながら、手袋はほとんどの者に支給されず、履物は藁《わら》で編んだつまごで、それは到底生き難い状況であった。リンチによって殺害された記録も残っている。

康郎は今、東川で死んだこの八十八名の中国人を記念する殉難碑に、張教授を案内しようとしているのだ。心が重いのは無理もないことであった。いつもは険しく見える芦別岳《あしべつだけ》の山容が、遠く南にかすんでやさしい。自然が美しければ美しいだけ康郎の心は痛んだ。

(夕起子をつれて来るんじゃなかった)

夕起子は妊娠している。これから、遊水池や殉難碑の前で、自分が説明する言葉を聞いて、夕起子は少なからぬ衝撃を受けるにちがいない。夕起子は高原教授の秘書として、張教授の接待のために同行することになったわけだが、康郎はその体を案じて、更に心が沈んだ。

東西にのびる長い丘が五月の光の中にけぶり、ジェット機の気流が白く青空に曲線を描いている。左前方には、大雪山が白く輝いて見え、手前の低いなだらかな山に落葉松《からまつ》林の新芽が初々しい。

強制連行された中国人たちは、九月と十月の二度にわたって、夜間ひそかにトラックで運ばれて来たという。彼らの目に先《ま》ず映ったのは、この美しい景色ではなく、運命を象徴するような、漆黒の闇であったにちがいない。所々に農家があったとは言え、灯火管制下の日本の夜は、都会も田舎も、タバコの火ほどの光さえ洩《も》らすことは許されていなかったのだ。

「ああ、そこを左に入ってくれないか」

康郎は高原に声をかけた。三メートル幅程の灌漑溝にかかった木の橋を渡って、車は百メートル程草原の中の道を行ってとまった。五ヘクタールはあるという遊水池には、水がまんまんと湛《たた》えられて、青い空と、山の木立を映していた。大きな桜の木が一本、逆さに映っている遊水池を眺めながら、康郎は胸の詰まる思いがした。

「これがお国の人たちの造った遊水池です」

中国からこの現場に着くまでに、既に十五名の者が死んでいた。九月も末の北国の寒空に、誰も彼も、くたびれ果てた夏服を着たままだった。その大半が栄養失調で、浮腫《ふしゅ》を来《きた》していた。中には、指がもげていた者さえ幾人かいたといわれる。そのことには触れずに、

「ここで、大変な苦労をなさったのです。申し訳のないことをいたしました」

と、康郎は頭を下げた。張教授は、

「いやいや、戦争中の出来事です。一部の人がしたことです」

と言い、遊水池に目をやった。

当時、ここにあった強制収容所と作業場には高い塀がめぐらされ、塀の上にはバラ線が施されていた。収容所の窓には、格子状に垂木《たるき》が打ちつけられ、出入り口には見張り所が設けられて、特高外事係の警官が数名宛《ずつ》、一週間交代で看視していた。日本の特高警察のもとで、過酷な労働と、リンチがくり返されていたのである。康郎は、口ごもるように当時の状況を伝えた。相手は何もかも承知でここまでやって来たのだ。だが、全く何の説明も加えないということは、日本の犯した罪に加担することでもある。罪は告白されねばならなかった。

「この作業場で死んだのですか」

張教授は信じられないような面持ちで、遊水池を眺めた。

「そのように聞いています。宿舎の中でも、死んだ病人はたくさんいたことでしょう」

死体をすぐに火葬することなく、溝に幾日も放置されていたという事実は、さすがに康郎も語ることができなかった。

「わからんなあ、こんな所で、四人に一人も死んでいったなんて。トンネル工事やダム工事ではあるまいし」

高原も憮然《ぶぜん》として言った。

「ほんとうに……どうして死ななければならなかったのでしょう」

　妊娠のやつれも見えぬ夕起子の頬が、いつもより紅潮していた。

「残念ながら、扱いが悪かったということでしょう。満足な食事が与えられなかった。厳寒時に、穿《は》く手袋も靴もなかった、ろくな夜具もなかったとなれば……」

「なるほど、よっぽどひどい扱いをしたわけだ。四人に一人も死なせるなんて、俺たち藪医者《やぶいしゃ》にもできない相談だぞ。その上、鞭《むち》で殴ったんだろうからなあ」

「うん、無理矢理病人をつくり出したようなものだったろうね」

「この近所の人たち、そんな虐待を知ってたのかしら」

　夕起子は近くの農家に目をやった。

「さあ……何しろ高い塀の中で起きたことだからね。想像はしても、はっきりと目で見たわけではなかったろうしね」

　張教授は、一人何も言わず遊水池を見つめたままだ。高原が言った。

「いや、塀がなくても、あの頃の日本人のことだ。敵国人の死んでいくことに、同情する者はいなかったのではないか。あの戦争は、あらゆる人間を非人間化したからね」

「そうかも知れないね、高原。もし我々日本人が、本当の人間の道を知っていたら、高い塀が作業場にめぐらされたことに大きな問題を感じた筈だよ。ここで人間が虫けらのように扱われていたのに、何の問題にもならなかった。そこに大きな問題があったわけだね」

「張先生、お恥ずかしいことです。これが戦争中の、日本の精神でした」

　高原も深く頭を下げた。

「過ぎたことです。今は私たちは友だちです。平和のために努力している友だちです」

　張教授は、かすかに微笑さえ浮かべて頭を横にふった。

　車は再び舗装路に出て東に向かった。

　二十数キロの直線は間もなく尽き、道は小山の裾に沿って大きくカーブした。と、行くほどもなく、「中国人殉難碑入口」と、目立たぬ標柱が、道の左に立っていた。車がその標示する山道を登りはじめた。

「おお！　美しい」

　張教授が声を上げた。古ぼけた木造の観音堂を囲んで、十数本のエゾ山桜が七分咲きに花をひらいていた。高原が車をとめた。四人は柔らかな草の上に立って桜を見上げた。色の濃い、文字どおり桜色のエゾ山桜は、青空の下に余りにも美しかった。その美しさが、康郎には今はただ恥ずかしかった。こんな美しい自然に囲まれた中で、なぜ日本人の心が荒《すさ》んでいたのか。その荒んだ心の故に、どれほど罪なき命を奪って来たことかと、康郎はまたしてもうなだれる思いであった。

目の下に、舗装路を隔てて、草葺《ぶ》きの家が土色の壁を見せて建っている。その壁の傍に、鮮やかな黄色の水仙の列が並び、家裏に忠別《ちゅうべつ》川が流れていた。その流れが、遠く走る汽車のようにひびく。この川の中で、水びたしになって働いたであろう中国人の姿が、康郎の目に浮かんだ。

四人は車に戻り、山道を登って行った。十勝岳の噴煙が、木立越しに間近に迫って見え、すぐに山陰にかくれた。狭い山道に、木々が両側から枝を伸べ合って、さみどりのトンネルを作っていた。道べの熊笹《くまざさ》が、雪の下になっていた名残を見せて、所々枯れ葉を交じえている。トドマツの緑、ドイツトーヒの黒ずむ緑が、白樺《しらかば》やドロの木、桂などの雑木林の中に、ひときわ深い陰影をつくっていた。

車は新芽の美しい山道を幾曲がりして、遂に殉難碑の前に出た。幾十基かの墓石の並ぶ墓地の入り口に、御影石の殉難碑は立っていた。三間に二間ほどの敷地に建てられた碑は、その苦しみにくらべれば、決して大きいとは言えないが、しかし建てた人々の良心の痛みが感じられるたたずまいであった。碑の右手に沿って落葉松林が清々しく芽吹いていた。張教授は石の段を上がって、殉難碑を見つめた。そして、しばし目をつむり、頭を垂れた。その心の中に去来する思いが、痛い程わかるようで、康郎と高原は、顔を見合わせてうなずき、そして共に黙禱《もくとう》した。そのうしろに、夕起子がつつましく手を合わせた。あたたかい五月の日ざしが、四人の背に注ぐ。どこかでひばりの声がした。と、思いがけない近さで、鶯が鳴いた。張教授は碑のうしろにまわって、碑文を読んだ。三人もそれに従って、共に読んだ。

《中国人強制連行事件の殉難烈士此処に眠る

この事件は、日本軍国主義が中国侵略の一環として行った戦争犯罪である。具体的には一九四一年十一月閣議決定にもとづき、政府機関、並びに軍が直接指導し、中国人を日本国内に強制連行、一三五の事業所に労役せしめ、多くの中国人を死に至らしめた。

一九四四年、この地にも三三八名連行、江卸《えおろし》発電所の建設に関連し、遊水池小路に苦役、連行途上を含め短時日に八八名もの殉難を見た。遊水池は今も尚忠別河水の水温上昇施設として、東川町、並びに旭川市に及ぶ美田を潤す。

われわれは、今日、日本国の主権者である国民として、なによりも中国国民に心から謝罪し、殉難烈士の霊を弔い、再び誤ちを繰り返すことなく軍国主義の復活を阻止、日中友好、日中不再戦を具現することを盟《ちか》い、日中両国民の永遠の友誼と平和とを確立、自らの証として、この碑を建立する。

一九七二年七月七日
中国人強制連行事件殉難慰霊碑

建立委員会（撰文　松橋久保）》

読み終わって、康郎は吐息をついた。張教授は、まだ碑文に目をやったままだ。その目に光るものを康郎は見た。

「邦越先生」

張教授が康郎の名を呼んで尋ねた。

「この八十八名は、幾つから幾つくらいの人たちでしたか」

「五十三歳から十七歳の少年までです。十七歳の少年は二人いたそうです」

「まあ！　十七歳。まだ高校生ぐらいじゃありませんか」

夕起子が声を上げた。と、突如張教授は嗚咽《おえつ》した。そしてその嗚咽が号泣に変わった。

三人は立ちすくんだ。

ややあって、張教授は三人に頭を下げ、

「すみません。実はその二人の少年のうちの一人が、私の弟でした」

と、再び涙をこぼした。康郎は胸をしめられる思いに返す言葉もなかった。どこかで再び幼い鶯の声がした。

二

大学の門を出ると、康郎は思わず足をとめた。夕起子が道端に立っていたからである。

「どうしたの？　そんな所で……」

日が沈むまでには、まだ一時間はある。たんぽぽの花の一面に咲いている野原を背にして、夕起子の青いツーピース姿が美しかった。

「お父さんをお待ちしてましたの」

「わたしを？」

「ええ、今日は早くお帰りだとおっしゃってたから」

「でも、どうして？」

「このたんぽぽを見ていたら、殉難碑のたんぽぽが思い出されて」

夕起子はうつ向いた。

「殉難碑の？」

張教授を殉難碑に案内してから、三日経っていた。あの後、夕起子は殉難碑について何も言わなかった。何も言わないことに、康郎は安堵《あんど》していた。やはり若い夕起子には、戦争中のなまなましい事件も、遠い昔のことに感じたのかと思っていた。そしてそれは、妊娠中の夕起子にとっては、よいことだと思っていた。が、今の夕起子のひとことを聞いて、康郎は不意を突かれたような気がした。

二人はどちらからともなく、家とは反対のほうに歩きはじめた。

「あのね、お父さん」

考えこんだ康郎に、夕起子が澄んだ声で言った。いつもより緋紗子に似た声であった。

「何だね」

「わたしね、あの殉難碑の前で、八十八人のそれぞれの最期を想像していましたの」

「……………」

「きっと、食べる物も食べず、殴られて殴られて、死んで行った人もいるんですよね」

「そうだろうね。想像を絶する死に方をした人もいただろうね」

「お父さん。その八十八人の人たちには、八十八人の母親がいるんですよね」

康郎は、はっと夕起子の顔を見た。

「そのお母さんたちは、自分のお腹に赤ちゃんができた時、その子がまさか、遠い日本の国で、殴られて死ぬとは夢にも思わなかったでしょうね」

康郎は深くうなずいた。

（そうか。あの時、夕起子はそんなことを考えていたのか）

張教授と、高原教授と三人で、墓原のある丘の上から大雪山を眺めていた時、夕起子は一人離れて藪に沿って歩いていた。あの時夕起子は、八十八人の母の心を思いやっていたのだ。

「夕起ちゃん、君をつれて行くんじゃなかったね」

「どうして、お父さん？　わたし、よかったと思っています」

「しかし……」

丘のつづきに、遠く動くブルドーザーが玩具のように見える。

「だって、わたし、命の重さ、大切さが、本当によくわかったような気がしましたもの。お父さん、人間は、殺すためにも、殺されるためにも生まれたんじゃありませんよね。やさしくし合うために、人は命を与えられたのですよね」

「そうだよ、夕起ちゃん。人間は決して殺すために生まれたんじゃない。殺されるために生まれたのでもない。夕起ちゃんのいうように、やさしくし合うために生まれたんだ」

「わたしねお父さん、わたしのお腹の赤ちゃんにも、それがよっくわかっただろうと思いました。そして生まれてきたら、いつか必ず、人間は何のために生まれてきたのだろうって、話し合おうと思いました。どんなことがあっても、戦争なんかしちゃいけないんだって、あの殉難碑の前につれて行って、小さい時からお話ししてやろうと思いました」

　真剣な夕起子の声だった。

「なるほど」

「動物園よりも、どこよりも先に、わたしの子供は、あの碑の前につれていきます。わたしそのことを、お父さんにお話ししたかったんです」

　康郎は黙って幾度もうなずいた。口に出して何か言うことがためらわれるほどに、夕起子は思いつめた表情を康郎に向けていた。康郎は丘の向こうのなだらかな山に目をやった。尾根に一筋残雪が夕日に映えている。

「それから……」

　夕起子は口ごもった。

「何だね」

　ふり返る康郎に、夕起子は視線を当てていたが、先に立って歩きながら言った。

「わたし、お父さんにお詫びをしなければならないことがあるんです」

「お詫び？　どんなこと？」

「今は言えませんわ。でもいつか……必ず申し上げますわ。只、夕起子にはお父さんにお詫びしなければならないことがあったのだと、覚えていらしていただきたいのです」

夕起子は道端の蓬《よもぎ》を摘《つ》んで、その匂いを嗅《か》いだ。さわやかな野の匂いがした。夕起子は今、康郎に似た子を産みたいと思っていたことを心の中で詫びていた。殉難碑の前で、人間の命の重さを思った時、夕起子はいい加減な思いを持って人の子の母親になってはならないのだと、初めて気づいた。夫の父親に対する思いは、もっと明るく透明なものでなければならないのだと、夕起子は知ったのだ。だがそれは、まだ口に出すべき時ではなかった。

（詫びる……）

康郎はそのひとことの中に、嵐の夜の夕起子に対する自分の妖しいゆらめきを思い出した。そしてふっと、昨夜のなぎさの言葉を思った。昨夜、なぎさは加菜子を寝せつけてから居間に出て来てこう言ったのだ。

「お父さん、わたし、信仰を求めてみようかな」

「えっ？　信仰？」

驚いて問い返したのは康郎だけではなかった。富久江も寛も同時に問い返して、なぎさをまじまじと見た。

「何よ、何もそんなに驚くことないじゃない」

苦笑するなぎさに寛が言った。

「いや、驚くよ。お前が離婚するっていうんならとにかく、信仰を求めるなんて、な、おふくろさん」

　なぎさはしかし、まじめな顔で言った。

「あのね、加菜子はね、幼稚園でお祈り習ってるでしょ。で、眠る前に、いつも天のお父さまお休みなさい、どうか加菜子をお守りください、パパとママが仲よくなるようにって、祈るのよ。そして、これで安心だって、眠るのよ。今まで、毎日おなじ祈りを加菜子がしていたんだけど、今晩はわたし、天のお父さまという言葉に、はっとしたの」

　なぎさは、自分の言葉を自分で確かめるように言葉をつづけた。

「加菜子には、天にもお父さんがいるのよね。そのお父さんは、目に見えない神さまなのよね。わたしは今、目に見えるあの子の父親のことばかり、ああだのこうだのと突つきまわしてきたけど、人間にとって本当に重要なのは、目に見えぬ父的神さまじゃないかと思ったのよ。兼介は決していい父親ではないわ。このまま一緒に暮らしたら、加菜子は親子の断絶を味わうかも知れないわ。でも、加菜子が本気で天のお父さまを信じていったら、その天のお父さまが、逆に兼介との間も、いいようにしてくれるかも知れないわ。そう気づいたから、わたしも本気で、神を求めてみようと思ったのよ。笑う?」

　なぎさはドミーの背を撫でながらそう言ったのだった。その言葉を思い出す康郎の目に、夕風にほつれ毛をかき上げる夕起子の指が見えた。人差し指に白いほうたいをしている。

殉難碑の傍の藪《やぶ》でタランボの棘を刺したのだ。

「まだ痛む？　その指」

「ええ、ちょっと膿《う》みかけたものですから。でも、タランボの棘ですもの。人間の心の棘にくらべたら……」

夕起子の語尾が、康郎には聞こえなかった。夕日が次第に西に傾いて、二人の影が二つ並んで丘の上に長く伸びていた。


（終わり）

＊参考文献

『きけわだつみのこえ』日本戦没学生記念会　編（岩波文庫）
『中国人強制連行事件』金巻鎮雄　著（みやま書房）

〈底本について〉

この本に収録されている作品は、次の出版物を底本にして編集しています。

『青い棘』講談社文庫　1986年5月15日
（2018年1月9日第44刷）

〈差別的表現について〉

作品本文中に、差別的表現とも受け取れる語句や言い回しが使用されている場合がありますが、著者が故人であることを考慮して、底本に沿った表現にしております。ご了承ください。

三浦綾子とその作品について

三浦綾子　略歴

1922　大正11年　4月25日
北海道旭川市に父堀田鉄治、母キサの次女、十人兄弟の第五子として生まれる。

1935　昭和10年　13歳
旭川市立大成尋常高等小学校卒業。

1939　昭和14年　17歳
旭川市立高等女学校卒業。
歌志内公立神威尋常高等小学校教諭。

1941　昭和16年　19歳
神威尋常高等小学校文珠分教場へ転任。
旭川市立啓明国民学校へ転勤。

1946　昭和21年　24歳
啓明小学校を退職する。
肺結核を発病、入院。以後入退院を繰り返す。

1948　昭和23年　26歳
幼馴染の結核療養中の前川正が訪れ交際がはじまる。
1952　昭和27年　30歳
脊椎カリエスの診断が下る。
小野村林蔵牧師より病床で洗礼を受ける。
1954　昭和29年　32歳
前川正死去。
1955　昭和30年　33歳
三浦光世と出会う。
1959　昭和34年　5月24日　37歳
三浦光世と日本基督教団旭川六条教会で中嶋正昭牧師司式により結婚式を挙げる。
1961　昭和36年　39歳
新居を建て、雑貨店を開く。
1962　昭和37年　40歳
『主婦の友』新年号に入選作『太陽は再び没せず』が掲載される。

三浦綾子とその作品について

1963　昭和38年　41歳
朝日新聞一千万円懸賞小説の募集を知り、一年かけて約千枚の原稿を書き上げる。
1964　昭和39年　42歳
朝日新聞一千万円懸賞小説に『氷点』入選。
朝日新聞朝刊に12月から『氷点』連載開始（翌年11月まで）。
1966　昭和41年　44歳
『氷点』の出版に伴いドラマ化、映画化され「氷点ブーム」がひろがる。
『塩狩峠』の連載中から口述筆記となる。
1981　昭和56年　59歳
初の戯曲「珍版・舌切り雀」を書き下ろす。
旭川公会堂にて、旭川市民クリスマスで上演。
1989　平成元年　67歳
結婚30年記念CDアルバム『結婚30年のある日に』完成。
1994　平成6年　72歳
『銃口』刊行。最後の長編小説となる。

1998 平成10年 76歳
三浦綾子記念文学館開館。

1999 平成11年 77歳
10月12日午後5時39分、旭川リハビリテーション病院で死去。

没後

2008 平成20年
開館10周年を迎え、新収蔵庫建設など、様々な記念事業をおこなう。

2012 平成24年
生誕90年を迎え、電子全集配信など、様々な記念事業をおこなう。

2014 平成26年
『氷点』デビューから50年。「三浦綾子文学賞」など、様々な記念事業をおこなう。
10月30日午後8時42分、三浦光世、旭川リハビリテーション病院で死去。90歳。

2016　平成28年
『塩狩峠』連載から50年を迎え、「三浦文学の道」など、様々な記念事業をおこなう。
2018　平成30年
開館20周年を迎え、分館建設、常設展改装など、様々な記念事業をおこなう。
2019　令和元年
没後20年を迎え、オープンデッキ建設、氷点ラウンジ開設などの事業をおこなう。
2022　令和4年
生誕100年を迎える。

三浦綾子　おもな作品　（西暦は刊行年※一部を除く）

1962　『太陽は再び没せず』（林田律子名義）
1965　『氷点』
1966　『ひつじが丘』
1967　『愛することと信ずること』
1968　『積木の箱』『塩狩峠』
1969　『道ありき』『病めるときも』
1970　『裁きの家』『この土の器をも』
1971　『続氷点』『光あるうちに』
1972　『生きること思うこと』『自我の構図』『帰りこぬ風』『あさっての風』
1973　『残像』『愛に遠くあれど』『生命に刻まれし愛のかたみ』『共に歩めば』
『死の彼方までも』
1974　『石ころのうた』『太陽はいつも雲の上に』『旧約聖書入門』
1975　『細川ガラシャ夫人』

三浦綾子とその作品について

1976 『天北原野』『石の森』
1977 『広き迷路』『泥流地帯』『果て遠き丘』『新約聖書入門』
1978 『毒麦の季』『天の梯子』
1979 『続泥流地帯』『孤独のとなり』『岩に立つ』
1980 『千利休とその妻たち』
1981 『海嶺』『イエス・キリストの生涯』『わたしたちのイエスさま』
1982 『わが青春に出会った本』『青い棘』
1983 『水なき雲』『三浦綾子作品集』『泉への招待』『愛の鬼才』『藍色の便箋』
1984 『北国日記』
1985 『白き冬日』『ナナカマドの街から』
1986 『聖書に見る人間の罪』『嵐吹く時も』『草のうた』『雪のアルバム』
1987 『ちいろば先生物語』『夕あり朝あり』
1988 『忘れえぬ言葉』『小さな郵便車』『銀色のあしあと』
1989 『それでも明日は来る』『あのポプラの上が空』『生かされてある日々』
『あなたへの囁き』『われ弱ければ』
1990 『風はいずこより』

1991　『三浦綾子文学アルバム』『三浦綾子全集』『祈りの風景』『心のある家』
1992　『母』
1993　『夢幾夜』『明日のあなたへ』
1994　『キリスト教・祈りのかたち』『銃口』『この病をも賜ものとして』
　　　『小さな一歩から』『幼な児のごとく――三浦綾子文学アルバム』
1995　『希望・明日へ』『新しき鍵』『難病日記』
1996　『命ある限り』
1997　『愛すること生きること』『さまざまな愛のかたち』
1998　『言葉の花束』『綾子・大雪に抱かれて』『雨はあした晴れるだろう』
　　　『ひかりと愛といのち』
1999　『三浦綾子対話集』『明日をうたう命ある限り』『永遠に　三浦綾子写真集』
2000　『遺された言葉』『いとしい時間』『夕映えの旅人』『三浦綾子小説選集』
2001　『人間の原点』『永遠のことば』
2002　『忘れてならぬもの』『まっかなまっかな木』『私にとって書くということ』
2003　『愛と信仰に生きる』『愛つむいで』
2004　『「氷点」を旅する』

2007『生きること ゆるすこと 三浦綾子 新文学アルバム』
2008『したきりすずめのクリスマス』
2009『綾子・光世 響き合う言葉』
2012『丘の上の邂逅』『三浦綾子電子全集』
2014『ごめんなさいといえる』
2016『国を愛する心』『三浦綾子 366のことば』
2018『一日の苦労は、その日だけで十分です』
『信じ合う 支え合う 三浦綾子・光世エッセイ集』
2020『カッコウの鳴く丘』（小冊子）

三浦綾子の生涯

難波真実（三浦綾子記念文学館 事務局長）

三浦綾子は1922年4月25日に旭川《あさひかわ》で誕生しました。地元の新聞社に勤める父・堀田鉄治と母・キサの五番めの子どもでした。大家族の中で育ち、特に祖母の影響が強かったのでしょうか、お話の世界が好きで、よく本を読んでいたようです。文章を書くことも好きだったようで、小さい頃からその片鱗がうかがえます。13歳の頃に幼い妹を亡くし、死と生を考えるようになりました。この妹の名前が陽子で、『氷点』のヒロインの名前となりました。

綾子は女学校卒業後、16歳11ヶ月で歌志内《うたしない》市（旭川から約60キロ南）の小学校に代用教員として赴任します。当時は軍国教育の真っ只中。綾子も一途に励んでおりました。

そんな中で1945年8月、日本は敗戦します。それに伴い、教育現場も方向転換しました。教科書への墨塗りもその一例です。そのことが発端となってショックを受け、生徒たちへの責任を重く感じた綾子は、翌年3月に教壇を去りました。私の教えていたことは何だったのか。正しいと思い込んで一所懸命に教えていたことが、まるで反対だったと、失意の底に沈みました。

しかし一方で、彼女の教師経験は作品を生み出す大きな力となりました。『積木の箱』『泥流地帯』『天北原野』など、多くの作品で教師と生徒の関わりの様子が丁寧に描かれていて、綾子が生徒たちに向けていた温かい眼差しがそこに映しだされています。また、綾子最後の小説『銃口』で、北海道綴方《つづりかた》教育連盟事件という出来事を描いていますが、教育現場と国家体制ということを鋭く問いかけました。

さて、教師を辞めた綾子は結婚しようとするのですが、結納を交わした直後に病気にかかります。肺結核でした。人生に意味を見いだせない綾子は婚約を解消し、オホーツクの海で入水自殺を図ります。間一髪で助かったものの自暴自棄は変わらず、生きる希望を失ったままでした。そしてさらに、脊椎カリエスという病気を併発し、絶対安静という療養生活に入ります。ギプスベッドに横たわって身動きできない、そういう状況が長く続きました。

しかしある意味、この闘病生活が綾子の人生を大きく方向づけました。療養が始まって2年半が経った頃、幼なじみの前川正という人に再会し、彼の献身的な関わりによって綾子は人生を捉え直すことになります。人はいかに生きるべきか、愛とはなにかということを綾子はつかんでいきました。前川正を通して、短歌を詠むようになり、キリスト教の信仰を持ちました。作家として、人としての土台がこの時に形作られたのです。

前川正は綾子の心の支えでしたが、彼もまた病気であり、結局、綾子を残してこの世を去ります。綾子は大きなダメージを受けました。それから1年ぐらい経った頃、綾子が参加していた同人誌の主宰者によるきっかけで、ある男性が三浦綾子を見舞います。この人が、三浦光世。後に夫になる人です。光世は綾子のことを本当に大事にして、愛して、結婚することを決めるのです。病気の治るのを待ちました。もし、治らなくても、自分は綾子以外とは結婚しないと決めたのですが、4年後、綾子は奇跡的に病が癒え、本当に結婚することができたのです。

結婚した綾子は雑貨店「三浦商店」を開き、目まぐるしく働きます。そんな折に弟から手渡された朝日新聞社の一千万円懸賞小説の社告を見て、1年かけて約千枚の原稿を書き上げました。それがデビュー作『氷点』。42歳の無名の主婦が見事入選を果たします。テレビドラマ、映画、舞台でも上演されて、氷点ブームを巻き起こしました。

一躍売れっ子作家となった綾子は『ひつじが丘』『積木の箱』『塩狩峠』など続々と作品を発表します。テレビドラマの成長期とも重なり、作家として大活躍しました。光世は営林局に勤めていたのですが、作家となった綾子を献身的に支えました。『塩狩峠』を書いている頃から綾子は手が痛むようになり、光世が代筆して、口述筆記のスタイルを採るようになりました。それからの作品はすべてそのスタイルです。光世は取材旅行にも同行しました。文字通り、夫婦としても、創作活動でもパートナーとして歩みました。

1971年、転機が訪れます。主婦の友社から、明智光秀の娘の細川ガラシャを書いてくれとの依頼があり、翌年取材旅行へ。これが初の歴史小説となり、『泥流地帯』『天北原野』『海嶺』などの大河小説の皮切りとなりました。三浦文学の質がより広く深くなったのです。同じく歴史小説の『千利休とその妻たち』も好評を博しました。

ところが1980年に入り、「病気のデパート」と自ら称したほどの綾子は、その名の通り次々に病気にかかります。人生はもう長くないと感じた綾子は、伝記小説をその頃から多く書きました。クリーニングの白洋舎を創業した五十嵐健治氏を描いた『夕あり朝あり』は、激動の日本社会をも映し出し、晩年の作品へとつながる重要な作品です。

1990年に入り、パーキンソン病を発症した綾子は「昭和と戦争」を伝えるべく、最後の力を振り絞って『母』『銃口』を書き上げました。〝言葉を奪われる〟ことの恐ろしさと、そこに加担してしまう人間の弱さをあぶり出したこの作品は、「三浦綾子の遺言」と称され、日本の現代社会に警鐘を鳴らし続けています。

綾子は、最後まで書くことへの情熱を持ち続けた人でした。そして光世はそれを最後まで支え続けました。手を取り合い、理想を現実にして、愛を紡ぎつづけた二人でした。

そして1999年10月12日、77歳でこの世を去りました。旭川を愛し、北海道を〝根っこ〟にして書き続けた35年間。単著本は八十四作にのぼり、百冊以上の本を世に送り出しました。今なお彼女の作品は、多くの人々に生きる希望と励ましを与え続けています。

三浦綾子とその作品について

この「手から手へ～三浦綾子記念文学館復刊シリーズ」は、〝紙の本で読みたい〟という三浦綾子文学ファンの声に応えるため、絶版や重版未定のまま年月が経過した作品を、三浦綾子記念文学館が編集し、本にしたものです。

〈シリーズ一覧〉

(1) 三浦綾子『果《は》て遠《とお》き丘《おか》』(上・下) 2020年11月20日

(2) 三浦綾子『青《あお》い棘《とげ》』 2020年12月1日

(3) 三浦綾子『嵐《あらし》吹《ふ》く時《とき》も』(上・下) 2021年3月1日

(4) 三浦綾子『帰《かえ》りこぬ風《かぜ》』 2021年3月1日

(5)三浦綾子『残像《ざんぞう》』(上・下)　2021年7月1日

(6)三浦綾子『石《いし》の森《もり》』　2021年7月1日

(7)三浦綾子『雨《あめ》はあした晴《は》れるだろう』　2021年10月1日

(8)三浦綾子『広《ひろ》き迷路《めいろ》』　2021年10月30日

(9)三浦綾子『積木《つみき》の箱《はこ》』　2022年春頃刊行予定

(10)三浦綾子『裁《さば》きの家《いえ》』　2022年春頃刊行予定

ほか、公益財団法人三浦綾子記念文化財団では左記の出版物を刊行しています（刊行予定を含む）。

〈氷点村文庫〉

(1)『おだまき』（第一号第一巻）　２０１６年12月24日

(2)『ストローブ松《まつ》』（第一号第二巻）　２０１６年12月24日

〈記念出版〉

(1)『三浦綾子《みうらあやこ》生誕《せいたん》100年《ねん》記念《きねん》アルバム(仮)』　2022年4月25日刊行予定

〈特装版〉

(1)『氷点《ひょうてん》・氷点《ひょうてん》を旅《たび》する　合本特装版《がっぽんとくそうばん》』　2022年4月25日刊行予定

〈三浦綾子文学研究シリーズ〉

(1)『三浦綾子文学年譜《みうらあやこぶんがくねんぷ》』　2022年4月25日刊行予定

〈横書き・総ルビシリーズ〉

(1)『横書《よこが》き・総《そう》ルビ　氷点《ひょうてん》』　2022年夏頃刊行予定

(2)『横書《よこが》き・総《そう》ルビ　塩狩峠《しおかりとうげ》』　2022年夏頃刊行予定

(3)『横書《よこが》き・総《そう》ルビ　泥流地帯《でいりゅうちたい》』　2022年夏頃刊行予定

(4)『横書《よこが》き・総《そう》ルビ　続泥流地帯《ぞくでいりゅうちたい》』　2022年夏頃刊行予定

(5)『横書《よこが》き・総《そう》ルビ　道《みち》ありき』　2022年夏頃刊行予定

(6)『横書《よこが》き・総《そう》ルビ　細川《ほそかわ》ガラシャ夫人《ふじん》』　2022年夏頃刊行予定

ミリオンセラー作家《さっか》 **三浦《みうら》綾子《あやこ》**

1922年《ねん》北海道《ほっかいどう》旭川市《あさひかわし》生《う》まれ。小学校《しょうがっこう》教師《きょうし》、13年《ねん》にわたる闘病生活《とうびょうせいかつ》、恋人《こいびと》との死別《しべつ》を経《へ》て、1959年《ねん》三浦光世《みうらみつよ》と結婚《けっこん》し、翌々《よくよく》年《ねん》に雑貨店《ざっかてん》を開《ひら》く。

1964年《ねん》小説《しょうせつ》『氷点《ひょうてん》』の入選《にゅうせん》で作家《さっか》デビュー。約《やく》35年《ねん》の作家生活《さっかせいかつ》で84にものぼる単著作品《たんちょさくひん》を生《う》む。人《ひと》の内面《ないめん》に深《ふか》く切《き》り込《こ》みながらそれでいて地域風土《ちいきふうど》に根《ね》ざした情景描写《じょうけいびょうしゃ》を得意《とくい》とし〝春《はる》を待《ま》つ〟北国《きたぐに》の厳《きび》しくも美《うつく》しい自然《しぜん》を謳《うた》い上《あ》げた。1999年《ねん》、77歳《さい》で逝去《せいきょ》。

青い棘

手から手へ ～ 三浦綾子記念文学館復刊シリーズ ②

令和二年十二月一日　私家版発行
令和三年十月三十日　初版発行
令和五年二月十四日　第二刷

著者　三浦綾子
発行者　田中綾
発行所　公益財団法人三浦綾子記念文化財団
〒〇七〇―八〇〇七
北海道旭川市神楽七条八丁目二番十五号
電話　〇一六六―六九―二六二六
https://www.hyouten.com
価格はカバーに表示してあります。
印刷所　三浦綾子記念文学館
製本所　有限会社砂田製本所

 ISBN 978-4-9908389-5-9